LES DIMENSIONS
DU CHANGEMENT URBAIN

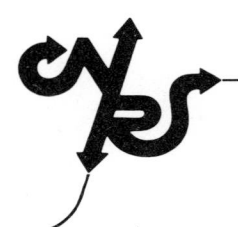

Mémoires et documents du Service de documentation et de cartographie géographiques

Ancienne série :

Les tomes 3 et 4, 6 à 8, fasc. 2, et 10 sont disponibles.
Les tomes 1, 2, 5 et 9 fasc. 1, 3, 4 sont épuisés.

Nouvelles série :

Quelques aperçus sur les manteaux de décomposition des roches dans les Andes vénézuéliennes de Mérida : Conséquences morphologiques, par M. Mainguet.

Le relief du Baten d'Atar, par S. Daveau

Essai sur la genèse des glacis d'érosion dans le Sud et le Sud-Est de la France, par M. Archambault.

Le delta intérieur du Niger et ses bordures. Etude morphologique, par J. Gallais.

Phénomènes karstiques I (2e éd.).

Géographie. Pédologie. Le concept de sol et la méthodologie de l'étude des sols (2e éd.).

Les phénomènes de discontinuité en géographie, par R. Brunet (2e éd.).

De la vallée d'Anjou au plateau du Baugeois. Etude de géographie régionale, par J. Gras.

Essai sur les formes d'érosion en cirque dans la région de Brazzaville (République du Congo), par G. Sautter.

Spitsberg. Mission française 1966.

Morphologie des secteurs rocheux du littoral Catalan septentrional, par Y. Barbaza.

Cartographie géomorphologique. Travaux de la R.C.P. 77.

Recherches sur la Grèce rurale.

Recherches de géographie industrielle.

Phénomènes karstiques II.

Recherches sur l'Algérie, par Cl. Nesson, Dj. Sari, P. Peillon.

L'Erg de Fachi-Bilma (Tchad-Niger) : contribution à la connaissance de la dynamique des ergs et des dunes des zones arides chaudes, par M. Mainguet et Y. Callot.

Hors série :

La grande migration d'été des citadins en France, par F. Cribier.

Thèmes de recherches géomorphologiques sur la côte nord-ouest du Groenland, par J. Malaurie.

Ouvrages parus aux Editions du C.N.R.S., 15 quai Anatole France 75700 PARIS. Tél. : 555-92-25

MÉMOIRES ET DOCUMENTS DE GÉOGRAPHIE

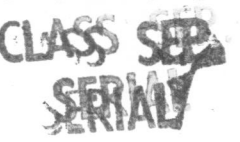
LES DIMENSIONS
DU CHANGEMENT URBAIN

Evolution des structures socio-économiques
du système urbain français de 1954 à 1975

par

Denise PUMAIN et Thérèse SAINT-JULIEN
Université Paris I

ÉDITIONS DU CENTRE NATIONAL DE LA RECHERCHE SCIENTIFIQUE
15, QUAI ANATOLE-FRANCE — 75700 PARIS
1978

Mémoires et Documents de Géographie prend la suite des Mémoires et Documents du Service de documentation et de cartographie géographiques

Adresser toute correspondance, ainsi que les manuscrits au secrétariat de rédaction, Laboratoire Intergéo, 191, rue Saint-Jacques, 75005 Paris.

© Centre National de la Recherche Scientifique, Paris, 1978
ISBN 2-222-02333-5

Table des matières

Introduction

Ce travail analyse quelques aspects fondamentaux de la forme et de l'évolution du système urbain (1) français au cours de la période récente d'après-guerre. Trois questions essentielles ont retenu notre attention :

Selon quels principes s'organisent les structures d'activité, les structures socio-économiques et les structures de croissance qui fondent la différenciation interurbaine ?

Quels sont les processus qui ont pu modifier les positions relatives des villes, et peut-être la forme d'ensemble du système, au cours de cette période de forte croissance économique et urbaine ?

Quelles régularités spatiales présentent ces formes et ces processus à différentes échelles de la trame urbaine ?

Sur le plan pratique, cette étude constitue un premier bilan des politiques d'infléchissement de l'évolution du système urbain français qui, depuis plus de vingt ans, se sont attachées pour l'essentiel à modifier les localisations ou les combinaisons d'activités existantes. Cette orientation de recherche suppose à priori la spécificité d'une organisation interurbaine. Elle postule que les villes, prises comme des points dans l'espace, sont des unités fonctionnelles, entretenant des relations dont la distribution et l'intensité font de l'échelle nationale le niveau encore pertinent pour l'analyse d'un réseau urbain (Pred, 1973).

Une première hypothèse, fondée sur la théorie de la base économique, associe degré de différenciation fonctionnelle, intégration économique et croissance urbaine. Sur le plan conceptuel, cette hypothèse n'apparaît plus très pertinente. Elle fournit néanmoins un cadre utile pour la mesure des disparités interurbaines et l'identification des fonctions (Beaujeu-Garnier, Chabot, 1964). C'est dans cette perspective qu'ont été effectuées les principales études relatives à l'ensemble des villes françaises (Carrière, Pinchemel, 1963).

Une deuxième hypothèse résulte de la recherche des "dimensions latentes" qui fondent l'organisation urbaine (Berry, 1972). D'après ces travaux, la base économique des centres urbains se distribuerait indépendamment de toutes les autres caractéristiques structurelles (démographiques, socio-économiques, ethniques. . .) Cette direction de recherche, explorée par Haumont et Bohain (1968) et l'OTAM (1970), doit être approfondie.

Une troisième hypothèse concerne l'évolution récente du système urbain français, et a été exprimée notamment par Aydalot (1976). Elle se situe dans une problématique de division spatiale du travail : la division interurbaine du travail de type sectoriel, fondée sur la branche, sur le produit de l'activité, se transformerait en une division du travail fondée surtout sur les niveaux de qualification, sur la position dans le processus technique général de la production.

---

(1) L'expression "système urbain" a supplanté dans l'usage courant le terme de "réseau urbain", l'une et l'autre sont employées ici indifféremment. Voir annexe 3.

Cette modification du principe fondamental de différenciation du système urbain serait le résultat d'un processus complexe, liant la concentration des entreprises et l'exploitation des inégalités spatiales de salaires et de productivité, et aboutissant à une spécialisation des structures sociales dans l'espace. La comparaison de l'évolution des structures d'activité et de celle des structures sociales urbaines doit permettre de tester, à un niveau global d'analyse, mais à l'échelle de l'ensemble des villes, la validité d'une telle hypothèse, qui a déjà pu être vérifiée pour certains secteurs (Malkin, 1973) ou localement (Attia et al, 1977).

C'est par rapport à ces trois hypothèses que nous avons mené l'étude de l'organisation et des transformations du système urbain français. Notre approche est centrée sur les structures d'activité économique des villes. La répartition dans l'espace de ces activités est en constante interaction avec la forme du système urbain, définie par l'agencement de la trame des villes, de leurs fonctions et de leurs caractéristiques socio-économiques.

Notre analyse porte sur plusieurs ensembles de données. Le premier concerne la distribution des effectifs employés dans une vingtaine de catégories d'activité économique dans 138 agglomérations (1) (celles qui avaient plus de 20000 habitants en 1954, Régions Ile de France et Corse exclues. Voir Tableau III annexe 1) lors des quatre recensements de 1954, 1962, 1968, 1975 (fig. 1). Le deuxième décrit la distribution des actifs par catégories socio-professionnelles dans ces mêmes agglomérations en 1954 et en 1968. D'autres indicateurs complètent cette information : indicateurs de croissance démographique et de niveau de vie.

Ce travail soulève un certain nombre de problèmes liés à l'adéquation entre les données utilisées et le but de la recherche. Cette critique des sources, ainsi que leur présentation détaillée, sont reportées en annexe 1.

Les techniques d'analyse utilisées, élémentaires ou multivariées, sont presque toutes déjà connues. Quand il s'agit d'une première expérimentation, la présentation de la technique est reportée en annexe 2. Toutefois, afin de permettre les reprises et les comparaisons ultérieures, chacune des démarches suivies et leurs résultats ont été entièrement explicités. Une difficulté particulière est soulevée par les tentatives de mesure du changement. Les mêmes mots, les mêmes définitions, voire les mêmes mesures, correspondent dans le temps à des phénomènes qualitativement différents. Facilement perceptible quant au contenu ou à la nature des activités économiques, ou des catégories socio-professionnelles, ce glissement existe aussi en ce qui concerne la nature et les fonctions des villes. Dans les deux cas, il est impossible de prendre correctement en compte l'intégralité de ces changements, à moins de s'interdire toute analyse globale. En revanche, le problème pratique bien connu des modifications des sources statistiques (nomenclatures et délimitation des agglomérations) peut être aplani d'une manière relativement acceptable (annexe 1). Pour toutes ces raisons, la solution que nous avons adoptée pour décrire le changement consiste à comparer des structures dans le temps, au lieu de mesurer des variations.

Notre plan distingue trois points de vue, correspondant à des caractères du système urbain, étroitement liés dans la réalité, et qui ne sont ici dissociés que pour les besoins de l'analyse et de la présentation. La première partie décrit la forme et l'évolution de la distribution des activités entre les villes. Elle répond aux interrogations du planificateur : quelles sont l'étendue de la base d'activité commune à toutes les villes, et l'ampleur des disparités des profils d'activité ? Ces concentrations relatives étant considérées comme significatives de l'exercice de fonctions économiques urbaines, quelles sont les conséquences, pour le système urbain français, de la redistribution des activités dans l'espace et dans le temps ?

Le "point de vue du maire" fait l'objet de la deuxième partie. Quels rapports unissent les combinaisons économiques, résultant d'associations ou d'exclusions d'activités dans les villes, les structures sociales des agglomérations, leur niveau de vie et leur devenir démographique ? Ces liaisons constituent-elles des dimensions stables du système urbain ? Les évolutions différentielles des villes contribuent-elles à la réduction des disparités structurelles ?

_____

(1) Notre texte utilise indifféremment le terme de ville ou d'agglomération. Il s'agit toujours d'agglomérations.

Agglomérations ayant plus de 20 000 habitants en 1954

Figure 1 — Le système urbain français

Le "point de vue de l'aménageur" n'est jusqu'ici intervenu que par la prise en considération d'un ensemble d'éléments localisés. La question de l'arrangement spatial des types urbains et de leurs évolutions fait l'objet d'une troisième partie. Les typologies obtenues par les analyses précédentes sont confrontées à des caractéristiques constitutives de la trame urbaine : situations géographiques, taille et organisation hiérarchique, la question sous-jacente étant celle de la forme de l'organisation spatiale du système urbain : dans quelle mesure celle-ci diffère-t-elle du schéma proposé par la théorie des places centrales ? Comment se manifestent les "déformations" du réseau issues d'innovations industrielles anciennes et de l'évolution récente ? Peut-on mettre en évidence un agencement territorial régulier des structures urbaines ? Certaines particularités des réseaux régionaux sont-elles perceptibles, malgré l'ampleur de l'intégration économique nationale ? Un changement d'échelle, par le passage du niveau national au niveau régional d'analyse, permet d'éclairer certaines de ces questions.

Afin de faciliter la lecture, certains développements moins importants ou plus techniques ont été mis en petits caractères dans le cours du texte. Un lexique reprenant les principaux concepts utilisés et certains résultats à caractère essentiellement méthodologique sont reportés en annexe. Des figures et des tableaux accompagnent le texte, mais les cartes ont été réunies en un atlas à la fin de l'ouvrage.

Nous remercions les assistants du Centre de Calcul de l'Université de Paris I (MM. Cohen, Sastre et Vielajus) pour leur aide, ainsi que le Laboratoire de Cartographie de l'E.P.H.E. (MM. Bertin, Bertrand et Demonet) pour la réalisation des cartes en sortie automatique. A. Lefur a conçu et réalisé les cartes des typologies.

Première partie

La différenciation fonctionnelle du système urbain français

La connaissance de la distribution des activités économiques sur le territoire est un des préalables à toutes réflexion sur l'organisation de l'espace et sa planification. Elle est en particulier fondamentale pour l'explication du fonctionnement et de l'évolution des réseaux urbains.

La plupart des travaux utilisant cette approche se sont appuyés sur la théorie de la base économique, transposée à l'échelle des réseaux urbains : ce sont les échanges de biens et de services qui fondent une organisation interurbaine de centres fonctionnels différenciés et complémentaires. L'intégration des réseaux est alors mesurée par l'ampleur de la différenciation fonctionnelle et par la fréquence et la nature des spécialisations urbaines.

Deux situations extrêmes peuvent être imaginées : un réseau où la complémentarité est une règle importante de fonctionnement suppose une forte hétérogénéité des profils d'activité des villes et une spécialisation de chacune dans certaines branches. Au contraire, si toutes les villes ont la même combinaison d'activité, la règle de fonctionnement du réseau est, soit pour chaque ville la desserte purement locale — une situation tout-à-fait improbable — soit une parfaite ubiquité de toutes les activités, jointe à une banalisation de celles-ci.

Dans la réalité, les combinaisons observées se situent toujours entre ces deux formes extrêmes de division spatiale du travail. Or, des jugements de valeur contradictoires — et d'un très grand poids dans l'action — sont portés sur chacun de ces systèmes théoriques. Certains sont sensibles à la rentabilité et à l'efficacité de la situation de complémentarité et de spécialisation : économies d'échelle réalisées par l'entrepreneur et plus grande rationalité des équipements dans le réseau, allégeant les charges de la collectivité. D'autres, au contraire, dénoncent dans ce système des déséconomies qu'induit la concentration sectorielle excessive, et les menaces que la mono-activité fait peser sur l'agglomération ou sur la région. La situation d'extrême diversification est, elle aussi, appréciée de manière contradictoire, avec des arguments similaires.

C'est toutefois ce second modèle qui a rencontré, au cours de la période étudiée, la plus grande faveur. La recherche d'un meilleur équilibre dans la distribution spatiale des activités est à l'origine des préoccupations d'aménagement du territoire. La diversification des activités urbaines a été très tôt recherchée par les collectivités locales. Elles ont pour ce faire bénéficié de la redistribution géographique de la croissance d'un grand nombre d'activités économiques. Dans le même temps, beaucoup d'entreprises ont, à la faveur de nouvelles étapes techniques, dispersé certains établissements de production, tout en recherchant un moindre coût de la reproduction de la force de travail.

A l'issue d'une telle phase, il est donc particulièrement intéressant d'observer si les activités des villes françaises se sont effectivement diversifiées et si leurs fonctions se sont rapprochées. L'ampleur de ces transformations et les modalités qu'elles ont prises doivent permettre de mesurer l'inertie globale ou différentielle du système urbain français face aux changements économiques

récents et à la mobilité accrue des activités. En effet, l'inégale répartition territoriale des activités économiques, leur plus ou moins grande dépendance à l'égard des facteurs de localisation, de dispersion ou de concentration géographiques, déterminent, au moins pour une part, l'intensité, la variété et la fréquence des spécialisations fonctionnelles urbaines. La mesure des transformations récentes du réseau doit donc s'effectuer en relation avec les processus intervenus simultanément, de croissance ou de décroissance, de contraction ou de diffusion, de maintien ou de redistribution des emplois de chaque activité.

Notre premier objectif est donc de décrire et de mesurer les changements intervenus dans la distribution interurbaine des activités économiques en France, au cours des 20 dernières années. Ces changements n'ont jusqu'ici été appréhendés que sur une période très courte (1962-1968, Noël, Pottier, 1973) et d'une manière relativement analytique.

Nous décrivons d'abord l'évolution de la composition du *profil d'activité moyen* de l'ensemble des villes étudiées. Cette référence, aisément réutilisable et interprétable, renvoie à une forme théorique de division interurbaine du travail. Celle-ci reconnaît à chaque agglomération, quelle que soit sa localisation et sa position dans la hiérarchie, la possibilité de disposer dans chaque branche d'activité d'une quantité d'emplois proportionnelle à sa taille. Les écarts à cette répartition moyenne permettent d'évaluer globalement un degré d'hétérogénéité des fonctions dans le réseau urbain. L'évolution de leur distribution montre où et quand ont pu intervenir des processus d'homogénéisation et de diversification des profils d'activités des villes.

La relation entre les modalités de la distribution géographique des activités, dans leurs associations et exclusions d'une part, et la nature et le niveau des spécialisations fonctionnelles urbaines d'autre part, est établie par l'analyse des correspondances et la classification hiérarchique ascendante qui en est issue. L'utilisation de la métrique du x^2, en soulignant *l'importance relative des écarts au profil moyen* dans chaque activité, s'avère ici un moyen puissant pour mettre en évidence les spécificités fonctionnelles des agglomérations. La comparaison des formes d'organisation du réseau urbain en 1954 et en 1975 permet de faire la part de la stabilité des structures fonctionnelles et des modifications relatives des positions des villes dans le système interrubain.

1. LES PROFILS D'ACTIVITE DES AGGLOMERATIONS

Nous avons choisi, pour confronter les agglomérations à une référence commune, le profil d'activité moyen, calculé sur l'ensemble des agglomérations à chaque date. Sur le plan théorique ce calcul introduit l'idée d'une répartition des emplois de chaque activité qui soit proportionnelle à la population active de chaque ville. Cette proportionalité n'existe pas dans la réalité. Cependant, la plupart des théories qui tentent de décrire, d'expliquer ou de prévoir le fonctionnement ou la croissance des villes, utilisent plus ou moins explicitement ce profil moyen comme référence, et raisonnent souvent sur les écarts à ce profil moyen. Il nous semble bien préférable à une autre référence possible, beaucoup moins réaliste, qui est celle de l'isorépartition des activités dans l'emploi urbain.

On s'est aussi jusqu'ici très souvent référé au "profil minimum" (ensemble des pourcentages minima d'emplois de chaque activité dans les agglomérations). C'est surtout dans le cadre de la théorie de la base économique que cette référence a été utilisée.

En dépit des discussions soulevées par certaines hypothèses attachées à chacune de ces références, elles constituent des points de repère simples à partir desquels on peut situer chaque ville. De plus, les variations dans le temps de ces deux profils sont révélatrices des principales tendances qui ont marqué les transformations des structures d'activité au cours de la période 1954-1975.

1.1. LE PROFIL MOYEN

Le profil d'activité moyen est défini comme la suite des proportions, dans l'emploi total des 138 agglomérations, de chacune des 20 catégories d'activité économique. Cette notion simple sert de référence commune à la plupart des traitements statistiques auxquels nous avons soumis les données. Elle reflète évidemment le niveau d'agrégation des catégories d'activité économiques retenu, avec toute son hétérogénéité et son arbitraire. Son interprétation n'a de sens que dans le cadre qu'il impose (cf. annexe 1).

En 1968, 4 activités regroupent chacune plus de 10 % de l'emploi total des agglomérations (métallurgie, bâtiment et travaux publics, administration, services aux particuliers) ; 14 n'en comptent chacune que moins de 5 % (tabl. 1). Dans le secteur secondaire, qui représente un peu moins de 45 % de l'emploi, la métallurgie et le bâtiment et les travaux publics, avec 15 et 12 % des actifs, sont les deux catégories dominantes, viennent ensuite les industries textiles, la chimie et les industries diverses avec 4 à 5 %, les industries agricoles et alimentaires avec 3 % et l'extraction avec 2 % seulement. Dans le secteur tertiaire, les services regroupent environ 31 % de l'emploi (administration et services aux particuliers 10 %, banques et assurances 3 %, services domestiques, hotellerie, transmissions 2 %, services aux entreprises, eau-gaz-électricité 1 %) ; le commerce 15 % (commerce de détail 7 %, commerce de gros et commerce alimentaire de détail 4 %), les transports environ 6 %, la défense nationale 3 %.

La nomenclature en 25 catégories (annexe 1) subdivise certaines activités industrielles. La métallurgie est désagrégée en 5 postes : les industries mécaniques occupent en 1968 8 % de l'emploi total, la première transformation des métaux et la construction électrique 2 %, les articles métalliques divers et les réparations mécaniques et électriques 1 %. Les industries textiles représentent 3 % des actifs, celles de l'habillement environ 2 %, la chimie 3 % seulement, sans les matériaux de construction qui sont comptés dans les industries diverses et portent leur poids à 5 %.

Déjà en 1954, contrairement à une idée assez largement reçue, les activités tertiaires occupaient plus de la moitié des actifs urbains. Au cours de la période étudiée, cette proportion s'est

TABLEAU 1 — EVOLUTION DES PARAMETRES PRINCIPAUX DES DISTRIBUTIONS DES CATEGORIES D'ACTIVITE ECONOMIQUES DE 1954 à 1975

(en % de la population active des agglomérations)

Paramètre	Année	EXT Industrie	BTP Bâtiments et Travaux Publics	MET Métallurgie	CHI Industrie chimique I	ALI Industrie agricole et alimentaire	THB Textile et habillement	DIV Industries diverses I	II Secteur secondaire	TRS Transports	CGR Commerce de gros	CAD Commerce alimentaire de détail	CDE Autre commerce de détail	HOT Hôtellerie	BQA Banques et Assurances	SEN Services aux entreprises	SDO Services Domestiques	SPA Services aux Particuliers	EGE Eau - Gaz - Electricité	TRR Transmissions	ADM Administration	DEF Défense
138 agglomérations																						
Minimum	1954	0	4,4	0,5	0,1	0,5	0,4	0,4	12,8	1,3	0,7	2,5	1,6	1,0	0,1	0,1	1,3	2,0	0,1	0,3	2,6	0
	1962	0	4,9	1,0	0	0,5	0,2	0,2	19,8	0,8	0,5	2,1	1,2	0,8	0	0	0,5	1,6	0,1	0	1,9	0,2
	1968	0	6,2	1,2	0,2	0,8	0,3	0,2	20,8	0,9	0,5	2,0	2,6	1,2	0,4	0,1	1,0	3,4	0,1	0,5	3,4	0,1
Moyenne des pourcentages	1954	1,7	8,8	13,2	3,3	3,6	9,4	5,3	45,3	7,2	4,2	4,2	6,8	3,4	3,0	0,8	4,2	7,6	1,2	1,7	8,4	2,0
	1962	2,2	10,8	15,5	3,4	3,2	7,2	4,6	46,9	6,4	4,4	3,7	6,7	2,5	2,6	0,9	3,2	8,2	1,1	1,8	9,0	2,7
	1968	2,1	11,5	15,0	3,8	3,0	5,4	4,1	44,6	5,7	4,3	3,6	7,1	2,4	2,9	1,2	2,5	9,6	1,1	2,1	10,6	2,0
Maximum	1954	72,3	20,4	61,9	30,3	15,7	48,8	45,1	79,7	26,3	25,7	8,0	10,8	15,8	7,0	1,8	8,6	22,8	3,5	5,8	19,1	22,4
	1962	61,2	23,2	71,2	28,5	19,1	45,7	38,8	78,7	24,2	11,8	9,3	12,3	9,7	5,5	2,4	10,2	24,1	3,7	6,7	18,9	30,1
	1968	55,7	18,5	67,0	24,1	17,5	33,9	32,2	75,7	19	10,2	8,8	11,7	7,9	7,5	3,1	5,1	17,2	2,6	6,1	21,1	17,8
Coefficient de variation	1954	3,4	0,3	0,9	1,3	0,6	1,3	1,0		0,7	0,6	0,2	0,3	0,5	0,5	0,5	0,4	0,4	0,4	0,5	0,4	2,0
	1962	3,8	0,3	0,9	1,4	0,7	1,4	1,0		0,7	0,4	0,3	0,3	0,5	0,5	0,6	0,4	0,4	0,5	0,6	0,4	1,8
	1968	3,5	0,2	0,8	1,1	0,7	1,3	0,9		0,6	0,3	0,3	0,2	0,4	0,4	0,6	0,3	0,3	0,4	0,5	0,3	1,1
Nombre d'agglomérations ayant un % supérieur à la moyenne	1954		74	42	36	36	32	48		46	54	62	78	54	55	34	71	68	66	61	74	47
	1962		75	49	36	39	34	50		45	60	58	79	59	59	29	75	72	73	58	74	51
	1968		76	53	42	44	38	50		44	60	51	76	51	54	27	67	69	64	47	69	53
Coefficient de corrélation avec la population active	1954	—0,1	—0,14	—0,02	0,02	0,19	0,13	0,03		0,11	0,10	—0,05	—0,00	—0,05	0,12	0,44	—0,06	—0,03	0,01	0,01	—0,01	—0,06
	1962	—0,03	—0,15	0,04	0,05	0,06	0,09	0,01		0,08	0,13	—0,01	—0,11	—0,05	0,15	0,40	—0,13	—0,09	0,02	0,02	—0,12	—0,12
	1968	0,03	—0,15	0,01	0,03	0,02	0,04	—0,03		0,08	0,04	—0,01	—0,13	0,01	0,12	0,45	—0,09	—0,04	0,08	0,08	—0,11	—0,04
99 agglomérations																						
Minimum	1975	0	5,7	2,8	0,2	0,5	0,1	0,7	23,7	1,1	1,4	2,0	4,3	1,1	1,2	0,7	0,1	4,6	0,3	0,5	8,7	0,2
Moyenne des %	1975	1,4	9,2	15,6	3,9	2,2	4,0	3,6	41	4,7	3,4	3,4	7,8	2,3	2,9	2,4	1,5	9,6	1,0	2,0	15,0	2,0
Maximum	1975	30,7	16,0	60,2	21,6	6,3	26,0	13,8	69,7	15,0	7,5	6,5	11,0	6,6	9,0	4,7	3,3	18,1	3,7	5,9	25,6	11,9
Coefficient de variation	1975	3,1	0,2	0,7	1,0	0,5	1,3	0,5		0,5	0,3	0,2	0,2	0,3	0,4	0,3	0,4	0,3	0,5	0,5	0,2	1,0

maintenue aux environs de 55 %. Nos données laissent apparaître *deux phases distinctes : la première d'industrialisation des agglomérations de 1954 à 1962* (le pourcentage moyen d'emploi secondaire passe de 45,3 à 46,9), *la seconde de tertiarisation entre 1962 et 1968* (diminution de la part d'emploi secondaire de 46,9 à 44,6 %). Cette tertiarisation semble bien s'être poursuivie et même accentuée, puisque pour les 99 agglomérations obversées en 1975, les activités du secteur secondaire n'emploient plus que 41 % de la population active (recensée au lieu de résidence).

Certes, le jeu de la délimitation des agglomérations, différent à chaque recensement (cf. annexe 1) conduit, dans ces mesures, à surestimer un peu le mouvement d'industrialisation de la première phase (large intégration de communes périurbaines dans les agglomérations de 1962 par rapport à 1954) et à accentuer le poids de la tertiarisation des suivantes (mauvaise prise en compte, dans les agglomérations de 1968 et 1975, des implantations industrielles, de plus en plus systématiquement rejetées à la périphérie). L'observation de la population active résidente (et non au lieu de travail), imposée par les sources disponibles en 1954 et 1975, a probablement pour effet d'accentuer le poids relatif des activités tertiaires dans les villes à ces deux dates. Ces imperfections des sources ne sauraient toutefois expliquer la totalité des tendances observées (cf. annexe 1).

L'évolution du profil moyen de 1954 à 1968 (tabl. 1) montre *trois types de variation du poids relatif des activités.* Cinq activités, toutes tertiaires, conservent à peu près la même proportion dans l'emploi urbain considéré (banques et assurances, commerce de gros, commerce de détail et eau-gaz-électricité). La défense marque la même stagnation apparente entre 1954 et 1968. En fait, elle retrouve simplement en 1968 l'importance qu'elle avait en 1954, après la forte augmentation enregistrée en 1962.

Les sept activités en croissance régulière sont aussi surtout des activités tertiaires (administration, services aux particuliers, transmissions, services aux entreprises), auxquelles s'ajoute le bâtiment et travaux publics. On sait les relations très fortes qui rapprochent la localisation et le développement de cette branche de la plupart des activités tertiaires. L'évolution de la part des actifs de la métallurgie révèle aussi une tendance à la croissance, importante dans la première phase, à peu près nulle dans la seconde, tandis qu'à l'inverse la chimie, d'abord stagnante, effectue une progression de seconde phase.

Huit activités enregistrent dans les villes un déclin relatif continu. L'industrie du textile et de l'habillement a une part diminuée de moitié ; l'industrie extractive, les services domestiques et l'hôtellerie perdent environ un tiers de leur importance relative, tandis que cette diminution n'est que d'un cinquième environ pour les industries agricoles et alimentaires, le commerce alimentaire de détail, les industries diverses et les transports.

De 1968 à 1975, le sens de l'évolution des activités (mesuré pour les 99 plus grandes agglomérations seulement) ne s'est pas profondément modifié. Le groupe des activités en déclin s'est accru du commerce de gros, et surtout du bâtiment et des travaux publics, qui était jusque là en croissance. En revanche, les industries diverses et l'hôtellerie ont cessé de décliner. Le commerce de détail, les banques et assurances ont rejoint le groupe des activités en croissance, tandis que l'emploi dans la chimie n'augmente plus en valeur relative. Parmi les 9 branches industrielles de la nomenclature en 25 catégories, la tendance 1962-1975 est à la stagnation ou au déclin relatif. Seules la construction électrique et, dans une moindre mesure, les industries chimiques augmentent en proportion dans l'emploi urbain entre 1962 et 1975, tandis qu'entre 1968 et 1975 on note une assez nette progression des industries mécaniques.

1.2. LE PROFIL MINIMAL

Liée à la théorie de la base économique, cette approche de l'emploi urbain a été critiquée, tant sur le plan théorique que pratique. La définition d'un profil minimal d'activité qui correspondrait aux seules activités destinées à la population locale, contredit l'hypothèse d'une économie urbaine fondée sur les activités exportatrices et impliquant donc l'existence de villes "importatrices" pour certaines activités (Pratt, 1968). De plus, on a montré que le pourcentage minimal, lorsqu'il est déterminé de façon purement statistique, représente autant le mode de

distribution des activités (leur importance relative dans l'emploi des villes, et leur plus ou moins grande concentration dans l'espace), que la part des actifs nécessaire au seul fonctionnement interne de l'agglomération (Carrière, Pinchemel, 1963). Aussi n'avons-nous utilisé cette mesure que comme une évaluation d'une certaine *base d'activité commune à toutes les agglomérations*, afin d'en déterminer l'ampleur, la composition et les variations. Une analyse détaillée en est donnée dans l'annexe 4.

Cette mesure souligne l'importance du "fonds commun" d'activités qui forme en quelque sorte le soubassement ubiquiste de l'économie urbaine : il représente plus de 40 % de l'emploi de chaque agglomération en 1968. Pour les agglomérations de plus de 50 000 habitants, cette base minimale d'emplois, (commune à 95 % des unités urbaines) constitue, en 1975, 48 % de l'emploi total (contre 43 % en 1968).

Conformément aux observations faites aux Etats-Unis par Ullman et Dacey (1960) et Moore (1975), on observe un accroissement des valeurs de ce coefficient avec la taille des villes, et une sensible augmentation de sa valeur dans le temps pour l'ensemble des agglomérations. En revanche, contrairement à ce qui s'est passé aux Etats-Unis de 1940 à 1970 (Moore, 1975), les inégalités entre groupes de petites et de grandes villes ne se sont pas accentuées (fig. 2).

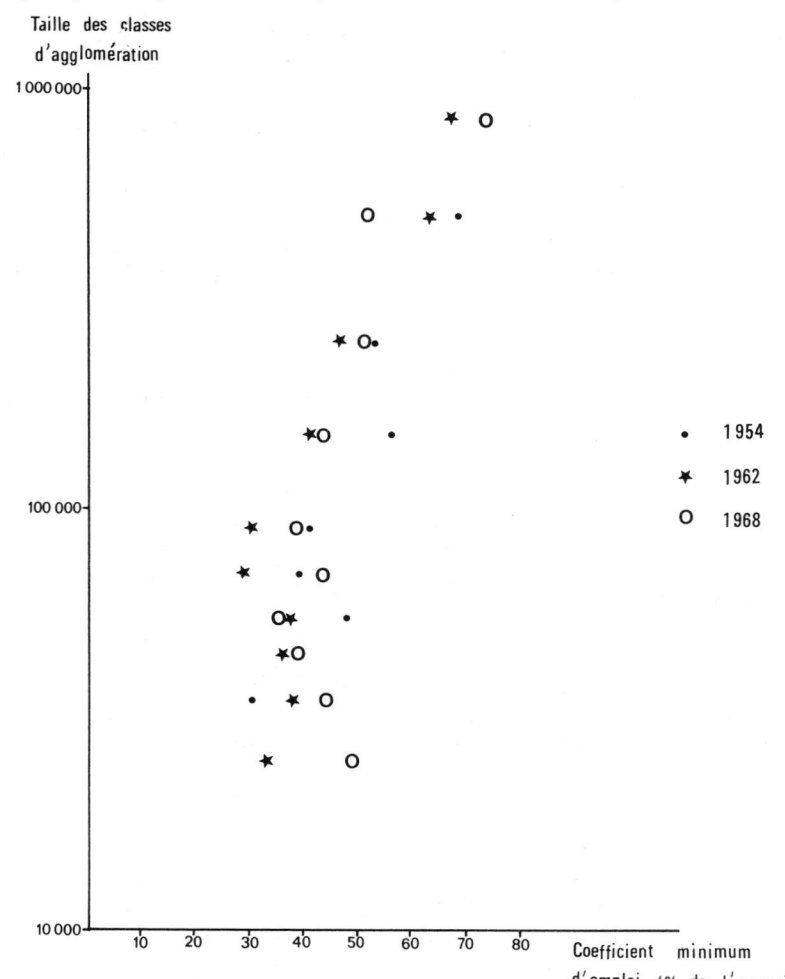

Figure 2 — Evolution du coefficient minimum d'emploi par classe de taille d'agglomération

Ce facteur d'homogénéité des fonctions urbaines prend donc une importance croissante. Il tend à atténuer les disparités des profils en gommant les plus fortes sous-représentations dans la plupart des activités. La signification de cette évolution est incertaine : traduit-elle une orientation durable vers un réseau plus homogène, où les sous-équipements sont résorbés progressivement ? Ou bien, cette tendance n'est-elle destinée à se prolonger que tant que durera la phase de diffusion du dernier cycle d'industrialisation des agglomérations, toute innovation technologique devant entraîner une accentuation provisoire des disparités ?

1.3. DIFFUSION DES ACTIVITES ET HOMOGENEISATION DES PROFILS URBAINS

Bien que notre objectif essentiel ne soit pas une étude sectorielle, il est indispensable de rappeler comment les modalités de la distribution interurbaine de chaque activité économique et leur évolution, affectent l'organisation de l'ensemble des profils d'activité des villes.

Les diverses formes des distributions de pourcentages d'activité dans l'emploi urbain sont bien connues (Carriere et Pinchemel, 1963) (cf. aussi tabl. 1, et fig. 3). On sait que la plupart des industries, auxquelles il faut ajouter la défense, sont géographiquement concentrées, avec des proportions d'emploi faibles dans la plupart des villes et très élevées dans un petit nombre d'agglomérations. Font exception les industries agricoles et alimentaires, et aussi la métallurgie, dont la dispersion relative se rapproche de celle des activités tertiaires les moins ubiquistes comme les transports ou les services aux entreprises. Enfin le bâtiment et les travaux publics ont un type de distribution tout-à-fait comparable à celui des activités tertiaires les plus diffuses, comme le commerce de détail (fig. 3).

La distribution géographique des activités économiques urbaines, elle aussi bien connue, est décrite sous forme cartographique (Atlas, cartes 2 à 79). Le procédé de représentation adopté (échelle commune) permet la comparaison directe de deux états de cette distribution, 1954 et 1968, tandis qu'en 1975 les sources disponibles n'ont permis de représenter que les 99 plus grandes agglomérations.

Les modifications intervenues dans la répartition interurbaine des activités économiques sont en revanche moins bien connues (fig. 3). Une analyse détaillée en est donnée dans l'annexe 4. Elle montre que dans les agglomérations françaises la *plupart des activités sont plus également représentées en 1975 qu'en 1954*. Il semble que cet accroissement général d'ubiquité recouvre en fait deux étapes : le recensement de 1962 serait intervenu à l'issue d'une phase marquée par la croissance — ou le déclin — différentiels de certaines activités. Ces processus ont amené le maintien ou l'accentuation des disparités dans la répartition interrurbaine de ces activités. C'est seulement au cours des deux périodes suivantes que la diffusion des activités s'affirme comme un phénomène général, avec pour conséquence la réduction des écarts entre les agglomérations. Ces deux mouvements de concentration puis d'accroissement d'ubiquité sont *indépendants du sens de l'évolution des activités*, croissance ou diminution de leurs poids relatif dans l'emploi urbain. Il n'existe donc pas de relation univoque entre le dynamisme propre d'une activité et l'évolution de sa distribution interurbaine. Celle-ci est sans doute infléchie par des mécanismes plus généraux (élévation du niveau de vie, processus de rattrapage d'équipement, décisions relatives à la déconcentration...)

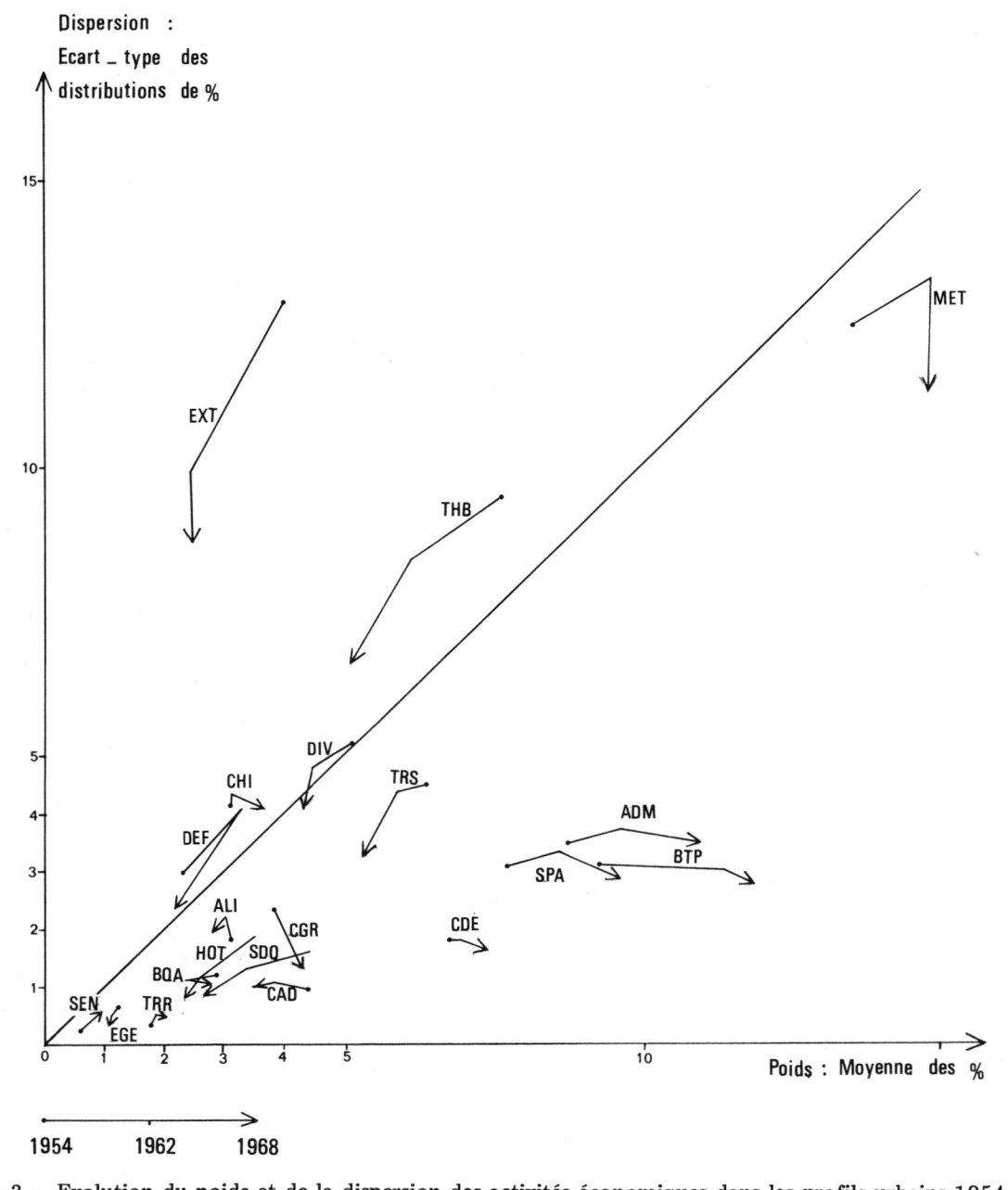

Figure 3 — Evolution du poids et de la dispersion des activités économiques dans les profils urbains 1954-1968

2. STRUCTURE INTERURBAINE DE L'ACTIVITE ECONOMIQUE ET SPECIFICITES FONCTIONNELLES DES AGGLOMERATIONS

La diversité fonctionnelle du réseau urbain français a été étudiée à maintes reprises, mais cette étude demande à être renouvelée et complétée (Pumain, Saint-Julien, 1976). Par delà les apports des calculs d'indices de spécialisation (repris dans l'annexe 4), de la méthode des deux taux (Carrière, Pinchemel, 1963) ou de l'analyse graphique (Noin, 1974), deux points essentiels doivent être approfondis :

— d'une part *la mesure des associations et exclusions d'activité qui structurent le système*, selon leur fréquence d'apparition dans les agglomérations ;

— d'autre part, *la mesure du degré de stabilité, au cours du temps, de l'organisation fonctionnelle* du système urbain.

La structure interurbaine d'activité est ici définie d'après la notion de spécificité par rapport au profil moyen. L'analyse multivariée en permet la description sous les deux angles complémentaires de l'identification des composantes d'activité et de la situation de chaque agglomération dans la structure d'ensemble.

2.1. LES ACTIVITES DISCRIMINANTES

L'analyse des correspondances compare la répartition des emplois de chacune des activités parmi les agglomérations à une répartition théorique qui serait proportionnelle à l'importance de la population active de ces agglomérations. Elle décrit donc la distribution interurbaine des activités d'après le même principe que les coefficients de localisation (Florence, 1948) — qui déterminent des degrés de concentration géographique relative — ou que la méthode des deux taux (Carrière, Pinchemel, 1963) — qui compare la part de chaque ville dans l'emploi d'une activité à son poids dans la population urbaine totale. En outre, l'analyse des correspondances met en évidence le degré de similitude des distributions des activités, en les soumettant à une même norme. Elle tient compte simultanément du profil et du poids des agglomérations et des activités. Aussi préférons-nous utiliser le terme *d'activités discriminantes* plutôt que celui d'activités spécifiques, pour désigner celles dont la répartition géographique, très concentrée et exclusive, s'écarte beaucoup de la proportionnalité à la taille des agglomérations. Par les spécialisations qu'elles créent et les fortes complémentarités qu'elles impliquent, ces activités constituent bien des éléments structurants essentiels de la distribution interurbaine des activités économiques.

Effectuée sur les effectifs employés par les 20 catégories d'activité économique dans les 138 agglomérations de 1968, l'analyse des correspondances souligne la prédominance des niveaux de spécialisation sur les oppositions de structure d'activité. Cette forme d'organisation est liée à la forte concentration géographique, mais aussi à la localisation quasi exclusive des activités les plus discriminantes. En effet, les premiers facteurs de l'analyse sont tous presque uniquement déterminés par une seule activité, et n'isolent chacun nettement qu'une dizaine de villes (tabl. 2, et atlas : cartes 88 à 99). Les quatre activités les plus discriminantes appartiennent toutes au secteur secondaire. Les plus fortes spécificités urbaines sont dues à l'industrie extractive, puis aux industries du textile et de l'habillement, à la métallurgie, et enfin, à un niveau moindre, à l'industrie chimique. Leur forte concentration géographique s'accompagne toutefois de modalités d'association différentes : la spécialisation dans les industries textiles ou chimiques est relati-

TABLEAU 2 — PRINCIPAUX RESULTATS DE L'ANALYSE DES CORRESPONDANCES (20 CAE)

1954

	QLT	POID	INR	1#F	COR	CTR	2#F	COR	CTR	3#F	COR	CTR	4#F	COR	CTR	5#F	COR	CTR	6#F	COR	CTR	7#F	COR	CTR
EXT	1000	17	479	4322	999	976	6	0	0	1	3	1	21	0	0	-16	0	0	0	0	0	-24	1	1
BTP	342	88	12	0	0	0	-130	179	13	-22	5	0	-77	63	13	30	9	2	-11	2	0	56	32	17
MET	998	132	102	-9	0	0	-35	2	0	722	993	846	4	0	0	-13	0	0	72	11	2	-19	1	2
CHI	1000	33	55	-126	14	2	-72	5	2	-93	8	4	1027	917	875	71	4	1	-32	2	0	-23	0	1
ALI	297	36	15	-101	38	1	-84	27	2	97	97	2	-50	10	2	122	55	18	244	52	5	-4	0	1
THB	1000	94	148	-91	8	3	1023	979	861	-71	5	6	20	1	0	33	6	3	-75	17	7	53	15	3
DIV	983	53	39	-133	37	3	-11	0	0	-216	96	31	139	39	26	-382	479	255	-455	472	430	-211	91	110
TRS	966	72	41	-100	27	2	-247	161	39	-140	62	18	-65	11	8	356	318	225	593	652	609	-294	162	249
CGR	237	42	8	-99	74	1	-39	12	1	-126	119	8	-25	5	1	28	6	2	-44	15	3	28	6	2
CAD	193	42	3	-11	4	0	-62	93	1	-46	52	1	-18	9	1	-71	16	6	20	1	0	33	3	2
CDE	522	68	4	-64	96	1	-78	142	4	-87	176	4	-47	16	2	-27	22	6	24	10	1	25	11	2
HOT	398	34	11	-87	34	1	-101	60	1	-93	30	3	-7	0	0	16	2	0	-48	17	3	58	25	3
BQA	427	30	6	-143	149	2	-117	74	3	-148	158	8	-54	32	3	69	26	6	0	0	0	39	11	3
SEN	221	8	2	-89	44	0	-31	8	0	130	130	9	-28	11	1	16	2	0	-27	4	1	33	6	1
SDO	673	42	9	-94	95	1	-130	182	6	-129	177	6	-54	32	2	60	38	4	12	2	0	49	25	2
SPA	754	77	9	-104	136	3	-102	132	3	-118	174	13	-37	37	2	-85	92	19	12	2	0	129	207	80
EGE	277	12	2	-70	43	0	-114	113	0	-42	16	0	-6	0	0	-82	38	4	-24	6	0	100	87	8
TRR	523	17	5	-129	91	1	-184	185	5	-185	187	18	-33	11	2	-33	11	3	35	7	1	53	15	3
ADM	623	84	13	-78	62	2	-143	204	14	-131	172	18	-75	56	12	16	3	4	56	31	10	94	87	46
DEF	994	20	39	-178	25	2	-434	146	34	-126	13	4	-298	69	47	-447	155	134	708	387	398	-507	199	330
		1 000				1 000			1 000			1 000			1 000			1 000			1 000			1 000

1962

	QLT	POID	INR	1#F	COR	CTR	2#F	COR	CTR	3#F	COR	CTR	4#F	COR	CTR	5#F	COR	CTR	6#F	COR	CTR	7#F	COR	CTR
EXT	999	22	464	3926	999	971	85	0	1	1	0	1	13	0	0	-27	0	0	28	0	1	-36	0	1
BTP	581	108	9	-36	24	0	-115	233	13	-100	177	10	46	36	5	46	31	3	-36	21	2	0	1	0
MET'	998	166	124	-9	3	1	-292	148	115	699	847	713	15	1	1	-497	201	235	-104	8	14	-73	4	2
CHI	999	34	58	-126	14	2	-60	3	1	-119	12	5	-971	767	706	142	60	18	-75	17	7	-14	0	0
ALI	340	32	15	-93	7	1	108	35	3	-176	93	10	20	1	0	-89	6	1	-184	100	69	100	30	9
THB	999	72	142	-121	15	5	1139	911	808	287	58	56	78	4	10	80	12	8	-83	5	19	-9	0	0
DIV	985	46	34	-147	15	4	111	23	5	-219	53	12	-108	22	12	356	318	225	593	652	609	-294	162	162
TRS	950	64	35	-180	61	8	-117	35	8	-140	122	29	-105	28	16	98	89	12	-346	302	291	-228	132	209
CGR	510	44	7	-128	153	12	-117	122	29	-169	266	12	9	1	0	46	31	2	9	1	0	9	12	0
CAD	133	37	3	14	3	0	-2	0	0	-70	75	2	-12	2	0	13	3	0	-36	21	2	-5	1	1
CDE	720	67	5	-64	73	3	-47	40	1	-164	476	17	36	23	2	60	26	3	11	2	0	77	103	26
HOT	262	25	5	-73	40	1	-50	19	0	-140	146	5	25	5	0	28	6	1	3	0	1	79	46	10
BQA	534	26	5	-152	169	5	55	22	1	-193	244	8	3	0	0	89	26	2	94	64	9	34	9	2
SEN	343	9	3	-144	81	1	20	2	0	-231	209	8	7	0	0	33	9	1	55	12	1	15	1	1
SDO	586	31	10	-118	113	2	-72	43	1	-207	344	13	49	20	2	10	1	0	31	8	1	49	12	2
SPA	754	82	77	-113	156	10	-14	2	0	-171	352	23	49	28	4	39	11	2	62	45	12	119	169	72
EGE	208	11	2	-38	11	0	-106	81	1	-93	63	1	41	0	0	5	0	0	8	0	0	65	30	3
TRR	516	18	6	-148	100	2	-47	11	0	-268	326	13	6	12	0	2	0	0	73	24	4	158	239	140
ADM	712	90	13	-64	41	1	-61	37	3	-192	358	23	34	12	1	16	3	1	16	3	1	239	239	14
DEF	998	27	55	-187	23	3	-404	109	38	-377	95	36	634	267	234	-801	426	475	-166	18	28	-300	199	150
		1 000				1 000			1 000			1 000			1 000			1 000			1 000			1 000

1968

	QLT	POID	INR	1#F	COR	CTR	2#F	COR	CTR	3#F	COR	CTR	4#F	COR	CTR	5#F	COR	CTR	6#F	COR	CTR	7#F	COR	CTR
EXT	999	21	475	3578	999	972	-7	0	0	60	0	1	-42	0	1	3	1	1	-14	0	0	21	0	1
BTP	761	115	11	-45	41	1	92	125	9	121	277	21	-48	46	7	63	75	22	-8	1	0	-83	135	65
MET	999	147	122	-49	5	1	242	124	96	-640	868	743	-31	2	4	-4	0	0	-13	0	2	13	0	2
CHI	1000	39	65	-2	0	0	127	17	7	68	5	2	966	969	932	84	7	13	5	0	0	-5	0	0
ALI	384	15	142	-79	23	1	-83	26	2	150	81	5	-32	4	1	-175	112	44	41	0	3	188	127	84
THB	999	54	32	-64	3	1	-1178	931	838	150	55	2	16	0	1	72	3	13	55	11	5	127	0	240
DIV	976	43	31	-132	42	3	-173	72	14	140	46	10	40	4	2	-107	28	24	122	85	54	266	168	240
TRS	936	57	31	-94	29	2	100	32	6	162	85	10	0	0	0	-369	443	374	-508	616	585	-5	0	5
CGR	528	43	43	-120	175	2	2	0	0	269	56	12	18	0	2	-68	10	13	297	286	267	137	61	86
CAD	136	36	36	36	20	0	-15	2	0	150	175	6	-38	18	2	-25	10	2	7	1	0	19	5	2
CDE	630	71	4	-59	98	2	18	8	1	45	31	0	-10	4	0	-24	15	2	63	60	7	38	8	8
HOT	237	24	6	-66	31	1	52	19	1	119	97	4	-26	5	0	33	8	1	-15	1	0	-36	75	21
BQA	471	29	7	-161	197	3	-31	7	0	152	174	5	-65	33	3	-41	13	2	-64	32	7	-15	15	5
SEN	228	12	8	-147	99	1	-6	0	0	132	79	3	-19	2	0	-80	30	4	-59	16	2	-44	15	5
SDO	481	25	8	-120	137	1	62	35	1	161	243	8	-54	28	2	-5	0	0	-21	5	1	-56	33	7
SPA	799	96	11	-122	233	5	21	7	0	150	349	27	-27	12	4	28	12	4	-45	32	11	-80	101	50
EGE	224	11	7	-44	20	0	85	71	1	90	78	1	-24	6	0	-38	14	2	-9	1	0	-58	33	3
TRR	395	21	7	-156	120	2	33	5	0	225	247	13	-34	6	1	10	0	0	-38	7	2	-45	10	4
ADM	635	106	14	-66	60	2	57	44	4	157	331	32	-61	52	11	40	22	8	0	0	0	-96	126	79
DEF	994	26	36	-184	34	3	295	86	20	271	73	18	-196	38	20	697	483	476	268	71	78	459	209	342
			1 000			1 000			1 000			1 000			1 000			1 000			1 000			1 000

1975

	QLT	POID	INR	1#F	COR	CTR	2#F	COR	CTR	3#F	COR	CTR	4#F	COR	CTR	5#F	COR	CTR	6#F	COR	CTR	7#F	COR	CTR
EXT	1000	12	344	3143	945	872	527	27	45	522	26	54	-136	2	7	24	0	0	0	0	0	50	0	4
BTP	777	93	11	-9	3	0	46	51	3	109	282	19	-50	62	8	4	0	0	36	31	11	-120	348	199
MET	1000	147	64	12	5	1	267	207	151	-519	781	686	1	0	0	-2	0	0	5	0	0	0	0	2
CHI	998	40	82	30	1	0	96	13	5	164	37	18	799	881	821	-218	66	100	-9	0	0	-13	0	1
ALI	389	24	13	-35	7	1	-152	12	8	99	50	4	-34	6	1	119	73	18	-145	109	48	67	23	16
THB	999	38	194	475	125	65	-1193	792	762	-368	76	88	16	0	8	-83	4	14	-37	1	5	-29	1	5
DIV	560	38	19	-59	20	0	-144	120	11	56	18	2	80	37	8	80	36	13	122	85	54	207	244	241
TRS	962	52	31	-113	62	5	57	15	2	106	53	10	28	4	1	192	174	101	-371	654	679	-4	5	5
CGR	399	35	6	-78	99	2	-29	15	0	61	58	3	-33	18	1	56	51	6	-56	52	11	81	106	34
CAD	375	4	35	-24	14	0	57	15	0	80	145	2	28	4	1	-17	7	2	-12	4	1	106	244	46
CDE	595	79	6	-40	61	1	-44	76	2	72	191	7	-43	71	7	20	15	2	32	37	8	32	46	45
HOT	673	24	7	-83	67	1	8	1	0	85	69	3	-45	20	2	7	0	2	87	71	17	-212	430	160
BQA	556	30	9	-145	190	5	-61	35	2	80	145	5	-49	23	2	40	15	2	-56	52	11	-94	203	49
SDO	458	30	9	-162	241	6	35	11	0	97	86	5	20	4	1	99	88	15	-12	4	1	-62	144	45
SEN	443	9	7	-83	67	1	8	1	0	72	86	3	71	20	5	88	36	6	100	89	28	-94	105	34
SPA	764	17	6	-151	165	3	-1	0	0	129	119	4	17	3	1	49	17	2	97	67	17	105	100	49
SDO	458	16	0	-125	270	12	0	0	1	142	342	13	-63	70	13	21	7	2	15	2	1	100	81	26
SPA	90	10	17	-61	28	0	8	8	0	70	35	4	-34	10	1	7	0	0	65	71	14	81	12	6
EGE	462	4	13	-161	134	4	34	8	0	205	215	16	-37	15	2	15	2	0	1	0	0	-13	3	3
TRR	640	152	17	-87	191	9	-14	5	1	267	267	28	-48	58	12	16	7	2	18	2	1	146	109	71
ADM	989	19	58	-236	53	8	159	24	7	180	31	11	-431	176	117	-840	669	718	-187	33	64	-187	90	82
DEF																								9
	1 000					1 000			1 000			1 000			1 000			1 000			1 000			1 000

n # F' : coordonnées sur le nième facteur
COR : qualité de représentation
CTR : contribution

vement indépendante de la répartition des autres activités dans les villes concernées. En revanche, les spécialisations dans les industries extractives ou métallurgiques impliquent généralement une sous-représentation d'un certain nombre d'activités tertiaires : commerce de gros, banques et assurances, services domestiques, services aux particuliers, transmissions, auxquelles s'ajoutent, pour les villes de la métallurgie, un déficit dans l'administration, le commerce de détail et le bâtiment travaux-publics. Plus ou moins associées dans des agglomérations où les industries extractives et métallurgiques sont largement sous-représentées, ces activités tertiaires induisent, par leur combinaison, un type de fonction tertiaire spécifique assez largement représenté sur le territoire et excluant la grande industrie (atlas, carte 90).

A des niveaux moindres de spécificité, les fortes spécialisations créées par la concentration des branches sont de plus en plus relayées par des fonctions liant ou opposant plusieurs activités. Les deux activités tertiaires les plus discriminantes : la défense et les transports, et deux activités industrielles moins discriminantes que les précédentes : les industries alimentaires et diverses, ont des schémas de localisation tantôt exclusifs et tantôt associés dans les villes. La fréquence et l'intensité de ces sur- ou sous-représentations simultanées en font des éléments structurants de la distribution interurbaine des activités, beaucoup moins importants toutefois que ceux déterminés par la localisation des principales activités industrielles. Ainsi, le plus souvent, les transports et les industries alimentaires, associés dans les ports maritimes ou fluviaux (atlas, carte 95) d'une part, et la défense d'autre part, ont des localisations qui s'excluent. Les villes spécialisées dans les industries diverses ont des activités de transports moins développées que la moyenne des agglomérations. Lorsque ces quatre activités sont plus ou moins associées, elles entraînent presque toujours une sous-représentation de l'administration, des services aux particuliers et du bâtiment-travaux publics. Les villes qui ont des spécificités dans au moins deux de ces activités ont donc vraisemblablement des fonctions régionales réduites et une croissance faible (atlas, cartes 96 et 98).

Un certain nombre d'activités tertiaires ne donnent lieu ni à des concentrations géographiques aussi marquées, ni à des associations ou exclusions très fréquentes. Elles sont présentes aussi bien dans les villes très spécialisées que dans les agglomérations exerçant des fonctions plus banales. Il s'agit d'activités résidentielles ou de services ubiquistes comme le commerce ali-

TABLEAU 3 — PRINCIPAUX RESULTATS DE L'ANALYSE DES CORRESPONDANCES SUR 25 CAE EN 1968

		QLT	POID	INR	1 # F	COR	CTR	2 # F	COR	CTR	3 # F	COR	CTR	4 # F	COR	CTR	5 # F	COR	CTR
1	EXT	999	25	292	3 471	954	916	−753	45	51	22	0	0	−46	0	1	−1	0	0
2	BTP	470	119	2	−52	56	1	−72	107	2	−100	204	10	65	85	6	−24	18	2
3	ALI	132	29	13	−99	20	1	−75	12	1	−10	1	0	167	70	12	−118	29	8
4	TRS	106	53	19	−99	27	2	−8	0	0	−141	54	9	54	25	6	−5	0	0
5	CGR	394	41	5	−152	193	3	−77	50	1	−73	45	2	113	105	4	−10	1	0
6	CAD	50	35	3	24	7	0	−41	20	1	−21	5	0	22	6	0	−32	12	1
7	CDE	473	72	4	−89	154	2	−69	93	1	−86	143	4	66	83	4	5	0	0
8	HOT	136	24	3	−79	42	0	−50	17	0	−99	66	2	32	7	0	−23	4	0
9	BQA	432	27	5	−194	199	3	−95	49	1	−95	48	2	153	124	8	−47	12	1
10	SEN	143	9	7	−160	91	1	−85	26	0	−26	3	0	79	22	1	16	1	0
11	SDO	442	26	3	−139	173	2	−70	44	0	−122	134	3	97	84	3	−27	7	0
12	SPA	668	96	4	−146	240	6	−78	70	2	−79	71	5	115	147	16	−59	40	7
13	EGE	120	11	2	−43	12	0	−36	8	0	−122	91	1	36	8	0	−14	1	0
14	TRR	212	20	7	−148	60	1	−119	39	1	−136	51	3	132	47	4	−74	15	2
15	ADM	426	110	11	−91	80	3	−74	54	2	−123	146	14	111	118	17	−53	28	6
16	DEF	148	22	25	−212	38	3	−127	14	11	−289	70	15	−15	0	0	−174	26	13
17	PTM	1 000	25	250	713	49	40	3 142	949	927	85	1	2	86	1	2	36	0	1
18	MEC	865	80	68	−134	20	5	28	1	0	149	25	14	−891	885	786	−219	54	75
19	AMD	66	2	17	−154	12	1	17	0	0	148	11	2	−79	3	1	−241	30	11
20	CEL	274	20	45	−254	28	4	−49	1	0	−30	0	0	−367	56	33	676	189	176
21	REP	274	14	3	−129	84	1	−69	24	0	−87	38	1	104	53	2	−83	35	2
22	PCH	779	24	45	−89	4	1	−112	6	1	−247	28	12	−325	49	31	1 228	642	681
23	TEX	994	28	108	−183	8	5	−220	12	5	1 948	946	883	249	15	21	113	3	7
24	HAB	163	23	19	−28	1	0	−89	9	1	299	101	17	116	15	4	123	17	7
25	IND	88	56	35	−107	18	2	−46	3	0	−1	0	0	228	78	36	3	0	0
				1 000			1 000			1 000			1 000			1 000			1 000

mentaire de détail, l'eau-gaz-électricité, les banques et assurances, les services domestiques, les services aux entreprises, l'hôtellerie, les transmissions.

La structure mise en évidence est avant tout significative des modalités de la distribution interurbaine et de la combinaison des activités : si l'on désagrège les catégories d'activités industrielles les plus discriminantes, selon la partition en 25 postes, l'organisation de la diversité fonctionnelle des agglomérations est décrite selon la même logique. Les résultats traduisent l'appartenance des nouvelles sous-catégories à chacun des trois grands types d'activité. Par exemple les 5 groupes d'industries métallurgiques s'insèrent dans la structure d'ensemble en fonction de leur mode de répartition et de leur poids (tabl. 3). L'industrie de première transformation des métaux, géographiquement très concentrée, est la plus discriminante et détermine le 2e axe (le 1er et le 3e restent respectivement liés aux industries extractives et textiles). Deux autres sous-groupes des industries métallurgiques, moins discriminants, déterminent cependant chacun l'un des axes suivants : les industries mécaniques le 4e, la construction électrique le 6e. Toutes ces branches manifestent une très grande exclusivité de localisation dans les villes où elles sont le plus concentrées. En revanche, ni les articles métalliques divers, ni les réparations mécaniques et électriques ne donnent lien à des spécialisations ou associations marquantes et rejoignent les activités les plus ubiquistes. De même la partition des industries textiles en deux catégories n'enlève rien de leur caractère discriminant aux industries textiles proprement dites, tandis que l'industrie de l'habillement se rapproche des activités tertiaires. Ces distorsions entre les regroupements d'activités opérés par les nomenclatures et les modalités de leur distribution géographique, souvent observées, incitent à en rechercher une classification nouvelle, plus caractéristique des formes de la division interurbaine du travail. Cette étude doit toutefois être effectuée à partir de catégories beaucoup plus fines que celles que nous utilisons (voir par exemple Bergsman et al. 1972).

Malgré tous les changements intervenus dans le contenu des activités économiques entre 1954 et 1968, sous le couvert d'une même nomenclature, on observe une *très grande stabilité de la forme de leur distribution interurbaine*. L'ordre, l'importance et la nature des traits majeurs de l'organisation fonctionnelle sont restés pratiquement identiques (tabl. 2 et fig. 4). Les quelques modifications enregistrées sont toutefois révélatrices de changements dans la signification de certaines activités pour les fonctions urbaines. Elles vont plutôt dans le sens d'une complexité plus grande de la structure, et sont toutes intervenues dès la première période, entre 1954 et 1962.

Ainsi, en 1954, le commerce de gros et les industries alimentaires appartenaient encore au groupe des activités ubiquistes, peu susceptibles de créer des spécialisations ou des associations très fortes. Parmi les activités moyennement discriminantes, la défense avait un mode de localisation moins exclusif, et s'associait tantôt aux industries diverses, tantôt à la chimie (en 1968, elle n'est proche que des transports). Les activités les plus discriminantes avaient en 1954 des schémas de localisation un peu plus contrastés qu'en 1968. Certaines associations fonctionnelles induites par ces activités se sont modifiées : la sous-représentation de certaines activités tertiaires (transports et défense notamment), liée à la spécialisation dans l'industrie textile en 1954, a disparu dès 1962, remplacée par une légère sous-représentation des industries métallurgiques pour les agglomérations concernées. Surtout, l'opposition entre la spécialisation dans les industries extractives et métallurgiques et les associations d'activités tertiaires spécifiques s'est renforcée, principalement entre 1954 et 1962.

Ces tendances semblent s'être poursuivies jusqu'en 1975 (tabl. 2) pour les 99 agglomérations étudiées. En outre, les industries alimentaires ont perdu de leur caractère discriminant, alors que la défense est devenue beaucoup plus concentrée géographiquement et s'associe de plus en plus à l'industrie chimique. L'hôtellerie a retrouvé son niveau de spécificité de 1954, mais cette fois en association avec les services domestiques et le bâtiment-travaux publics.

De 1954 à 1968, les fondements de la distribution interurbaine des activités restent donc inchangés. Toutefois, *les concentrations géographiques exclusives diminuent d'intensité, les associations fonctionnelles deviennent plus complexes, du fait, notamment d'une participation accrue des activités tertiaires*, en association le plus souvent, à la spécialisation des agglomérations.

2.2. LES SPECIFICITES FONCTIONNELLES DES AGGLOMERATIONS

Etant donné la stabilité de la structure interurbaine de l'activité économique, la définition des types fonctionnels urbains par rapport à cette structure présente l'intérêt d'une assez longue validité.

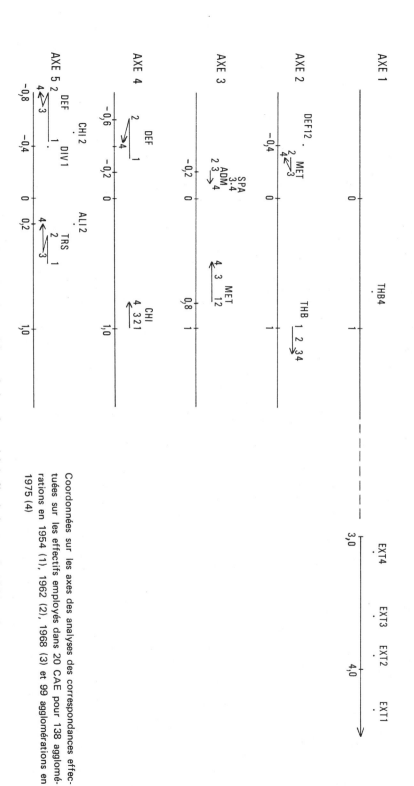

Figure 4 — Evolution des positions relatives des activités discriminantes de 1954 à 1975

Coordonnées sur les axes des analyses des correspondances effectuées sur les effectifs employés dans 20 CAE pour 138 agglomérations en 1954 (1), 1962 (2), 1968 (3) et 99 agglomérations en
1975 (4)

Cette typologie a pour but une description plus complète de la distribution interurbaine des activités économiques, en précisant la nature des sur- ou sous-représentations d'activité associées dans les principaux types fonctionnels, ainsi que la liste des agglomérations concernées (1). Elle se rapporte à la structure d'activité décrite par l'analyse des correspondances, puisque l'algorithme de classification ascendante hiérarchique utilisé mesure les distances dans la métrique du χ^2 et prend comme critère d'agrégation la maximisation du moment centré d'ordre deux d'une partition (Jambu, 1971). *La typologie est fondée sur l'importance des écarts entre les profils d'activité urbains. Ces écarts sont mesurés en valeur relative* et soulignent donc les spécialisations, même si elles interviennent dans une catégorie d'activité d'effectif réduit. Du point de vue des fonctions urbaines, et de leur évolution, ce sont bien ces *écarts relatifs, ces spécificités, qui sont significatifs du mode d'intégration des agglomérations dans le système économique interurbain.*

Sur cette base définissant le degré de ressemblance des profils d'activité, la procédure de classification regroupe successivement les villes, en assurant à chaque stade d'agrégation le maximum d'homogénéité à l'intérieur des classes constituées, ou, ce qui revient au même, le maximum d'hétérogénéité entre les différentes classes. Chaque partition représente une situation d'équilibre entre les classes qui la composent, en référence au profil moyen d'activité des villes. Cet équilibre est fondé sur une symétrie globale dans la nature des activités

TABLEAU 4 — SPECIFICITES FONCTIONNELLES DES AGGLOMERATIONS EN 1968

1. Agglomérations à profil très spécifique

    a — Forbach, La Grand-Combe
    b — Bruay, Douai, Lens, Montceau-les-Mines
    c — Le Creusot, Longwy, Montbéliard, Thionville
    d — Clermont-Ferrand, Compiègne, Montargis
    e — Alès, Béthune, Denain
    f — Armentières, Calais, Cambrai, Castres, Lille, Roanne, Saint-Quentin, Troyes, Villefranche-sur Saône
    g — Mulhouse, Saint-Etienne, Valenciennes.

2. Agglomérations à spécificités industrielles

Moyennes :

    h — Fougères, Romans
    i — Belfort, Cherbourg, Elbeuf, Maubeuge, Saint-Chamond, Saint-Dizier, Saint-Nazaire
    j — Bourges, Chalon s/Saône, Creil, Montluçon, Soissons, Vierzon

Faibles :

    k — Cholet, Colmar, Le Puy, Lyon, Saint-Dié, Vienne
    l — Alençon, Annecy, Beauvais, Besançon, Bourg-en-Bresse, Brive, Caen, Charleville, Chartres, Chatellerault, Grenoble, La Rochelle, Le Mans, Nancy, Nantes, Nevers, Sens, Tarbes, Valence

3. Agglomérations à spécificités tertiaires

Moyennes :

    m — Brest, Lorient, Rochefort, Toulon
    n — Dieppe, Dunkerque, Le Havre, Saintes
    o — Cannes, Nice, Vichy
    p — Agen, Arles, Avignon, Béziers, Boulogne, Chambéry, Cognac, Epernay, Marseille, Narbonne, Périgueux, Perpignan, Reims, Sète, Strasbourg.
    q — Aix-en-Provence, Albi, Angers, Arras, Aurillac, Auxerre, Blois, Carcassonne, Chalons s/Marne, Chartres, Chaumont, Dijon, Epinal, Evreux, Laon, La Roche s/Yon, Laval, Macon, Metz, Montpellier, Moulins, Montauban, Nîmes, Poitiers, Quimper, Rennes, Rodez, Saint-Brieuc, Vannes, Verdun.

Faibles :

    r — Angoulème, Amiens, Bayonne, Bergerac, Bordeaux, Châteauroux, Dôle, Limoges, Niort, Orléans, Pau, Rouen, Toulouse, Tours.

(1) L'analyse de la distribution géographique de ces types fonctionnels, en raison des problèmes particuliers qu'elle soulève, est reportée en 3e partie.

TABLEAU 5 – PARAMETRES DES CLASSES DE SPECIFICITES FONCTIONNELLES EN 1968 (20 CAE)

	Classes	Nombre de Villes	rho₂	% actifs industrie	Contributions positives	EXT	BTP	MET	CHI	ALI	THB	DIV	TRS	CGR	CAD	CDE	HOT	BQA	SEN	SDO	SPA	EGE	TRR	ADM	DEF
Très fortes spécificités	a	2	13,7	70	EXT (13,39)			10	4	1	4	1		1				2	1	1	3		1	2	1
	b	4	5,3	64	EXT (5,11)			4		1	3	1		1				1	1	1	2		1	1	1
	c	4	1,5	70	MET (1,29)			2	2	1	3	3		1		1		1	1	1	1		1	1	1
	d	3	1,1	48	CHI (0,99)	2			1	3	1	3		1		1		1	1	1			1		1
	e	3	0,9	60	EXT (0,60) CHI (0,19)	2					1	1						1	1	1	2		1	1	1
	f	9	0,7	54	THB (0,66)	2	1											1	1	1			1	1	1
	g	3	0,3	57	EXT (0,19) MET (0,08)	1		1	1		1	1	1	1				1	1				1	1	1
Spécificités industrielles	h	2	1,9	60	DIV (1,8)	2		5				2	2	1									2	2	
	i	7	0,4	59	MET (0,35)	2		2		1		2	1					1					1	1	1
	j	6	0,2	54	CHI (0,13) MET (0,06)	1			1	1											1				
	k	6	0,08	49	THB (0,02) DIV (0,01)	2				1								1			1		1	1	
	l	19	0,05	44	MET (0,01)	2		1	1	1														1	
Spécificités tertiaires	m	4	0,4	40	DEF (0,32) BTP, MET (0,01)	2		1	1	3			1	1											
	n	4	0,3	39	TRS (0,26)	2		2		3		2		1											1
	o	3	0,2	36	HOT (0,07) BTP (0,03) CDE, SDO (0,01)	2		4	4	1	1												1		1
	p	15	0,1	35	SPA (0,02)	2		3		2	2													2	
	q	30	0,1	34	ALI, TRS (0,02)	2		2	2	1	1													2	
	r	14	0,05	40	ADM (0,02) BTP, SPA, DEF (0,01)	2		1	1														1		1

Contributions négatives (x 100)

spécifiques des classes (compensations globales entre les spécificités par excès des unes et les spécificités par défaut des autres) et sur une balance entre l'ampleur des écarts de profil et le poids des villes concernées. Un certain nombre de paramètres sont calculés pour permettre l'interprétation des classes obtenues (voir annexe 2).

Nous présentons la classification obtenue pour l'année 1968, d'après la répartition des effectifs employés par les 20 catégories d'activité économiques dans les 138 agglomérations. La partition retenue comprend 18 classes de villes, suffisamment homogènes pour que leur profil d'activité soit caractéristique d'une fonction particulière dans le système urbain. Ces 18 types sont décrits d'abord par leur niveau de spécificité et ensuite par la nature des activités qui le fondent (voir le contenu exhaustif de la typologie dans le tableau 4 et la carte 112, les paramètres des classes dans le tableau 5, leur position dans l'arbre de classification sur la figure 5 et leurs profils sur la figure 6).

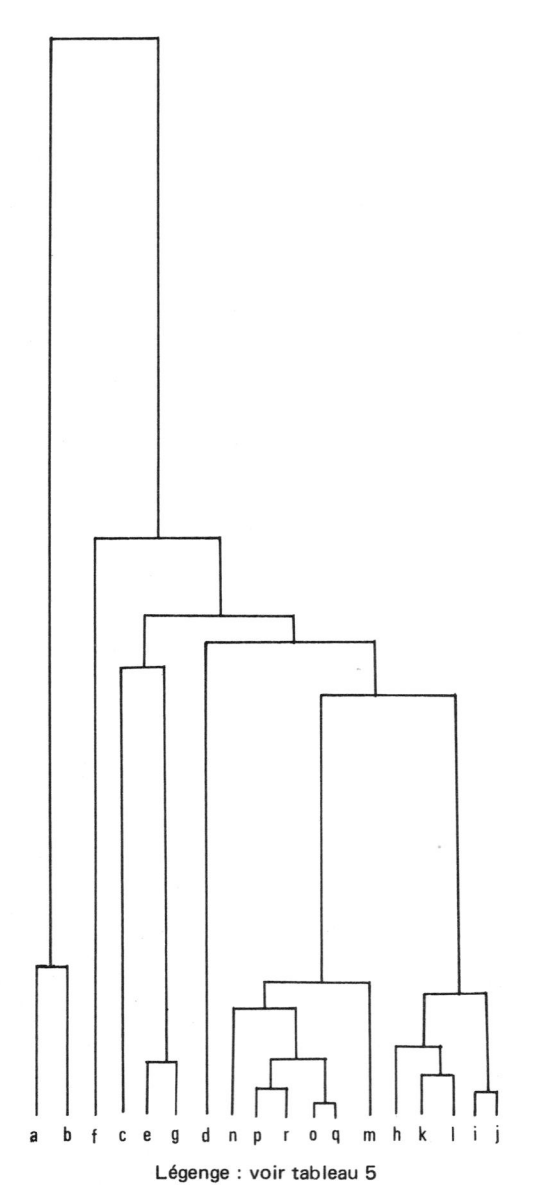

Légenge : voir tableau 5

Figure 5 — Partie terminale de l'arbre de classification des spécificités fonctionnelles en 1968

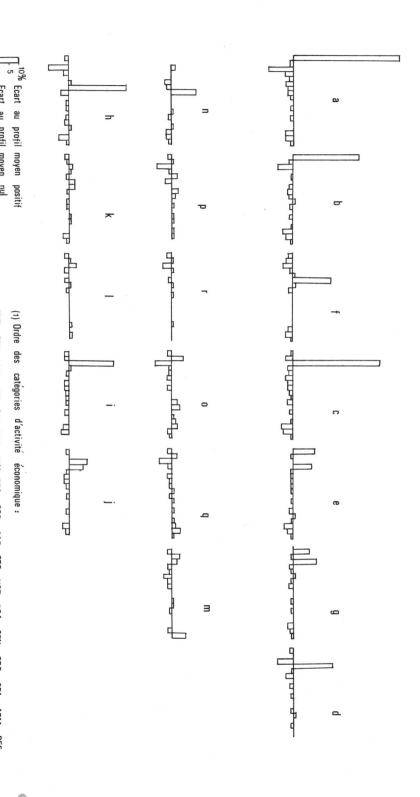

Figure 6 — Ecarts au profil d'activité moyen des profils des classes de la typologie en 1968.

(1) Ordre des catégories d'activité économique :

EXT . BTP . MET . CHI . ALI . THB . DIV . TRS . CGR . CAD . CDE . HOT . BOA . SEN . SDO . SPA . ADM . DEF

Légende : voir tableau 5

10%
┌ 5   Ecart au profil moyen positif
├ 5   Ecart au profil moyen nul
└ -5   Ecart au profil moyen négatif

(1)

1) Agglomérations à profil très spécifique, lié à une ou deux fortes spécialisations.

De petits groupes de villes marqués par de très fortes spécificités dans une activité se distinguent le plus par leur profil de toutes les autres agglomérations. Ces 28 agglomérations se répartissent en 7 classes. Leur spécialisation extrême est toujours due à une ou au plus deux activités industrielles, qui contribuent pour plus de 90 % à la formation de la classe (tabl. 5). En moyenne les villes composant ces classes ont toujours plus de 54 % de leur population active employée dans le secteur secondaire, à l'exception de celles qui constituent une classe spécialisée dans l'industrie chimique, où cette proportion n'atteint que 48 %.

— L'ensemble des villes extrêmement spécialisées dans l'industrie extractive, traditionnellement mis en évidence, est ici scindé en 2 classes (a et b), distinctes par leur écart au profil moyen (le coefficient rho2 exprime cette distance dans la métrique du χ^2). La plus extrême (rho2 = 13,7) comprend la Grand-Combe et Forbach, que l'on ne peut en effet confondre avec les 4 autres agglomérations (rho2 = 5,3) dont le profil représentatif est celui de Lens.

— L'industrie extractive, combinée à l'industrie chimique ou à la métallurgie contribue encore pour plus de 50 % à la formation de deux classes (e et g, comprenant chacune 3 agglomérations —rho2 respectifs = 0,9 et 0,3,— la faiblesse de ce dernier s'expliquant par la grande taille des agglomérations de cette classe — plus de 200 000 habitants). Les villes-types en sont Béthune (classe e — spécialisation dans les industries extractives et chimiques) et Saint-Etienne (spécialisation dans les industries extractives et métallurgiques — classe g).

— Trois autres classes correspondent chacune à des spécialisations très fortes dans une seule activité, qui contribue pour plus de 80 % à la constitution de la classe. L'une d'elles a un profil très spécifique, très éloigné du profil moyen (rho2 = 1,5) marqué par une très forte spécialisation dans la métallurgie (contribution de 80 %) et une très grande proportion d'actifs dans le secteur secondaire (70 %). Elle regroupe 4 agglomérations, le type en est Le Creusot (classe c). Une deuxième classe très homogène, correspond à une très forte spécialisation dans la chimie (contribution 90 %), à une assez grande distance encore du profil moyen (rho2 = 1,1) avec 3 villes dont le type est Montargis (classe d). Mais la proportion d'actifs dans l'industrie n'est ici que de 48 %. *Il ne faut donc pas assimiler niveau de spécificité, poids de la spécialisation, et degré d'industrialisation.* La dernière classe de ce groupe comprend 9 villes à forte spécialisation dans l'industrie textile (contribution de 90 %) dont Lille et Cambrai sont des exemples représentatifs (classe f). Un peu moins éloignée du profil moyen que la précédente, cette classe est aussi relativement moins industrialisée que les autres classes du groupe (54 % d'actifs dans le secondaire).

La fonction très spécifique de ces 28 agglomérations n'a pas toutefois de répercussions uniformes sur le reste de leur profil d'activité. Seules les villes les plus spécialisées dans l'extraction ou la métallurgie (classes a, b, c et e) ont des déficits marqués dans la plupart des activités tertiaires, à l'exception du commerce alimentaire de détail, et de l'hôtellerie. L'exclusivité de la fonction de production entraîne sans doute une réduction du rôle régional de ces agglomérations et peut-être même un sous-équipement des services locaux. En revanche, les villes très spécialisées dans la chimie, le textile, ou encore les grandes villes à spécificité extractive et métallurgique (Saint-Etienne, Valenciennes, Mulhouse) n'ont pas de carences tertiaires systématiques, si ce n'est parfois une légère sous-représentation dans les transports et la défense. Dans la plupart des cas la concentration de la fonction de production semble exclure celle du contrôle territorial.

L'originalité de ce groupe d'agglomérations réside plus dans l'importance de leur spécialisation que dans la nature de celle-ci. Cette fonction très concentrée de production n'est-elle qu'un héritage appelé à disparaître ou bien est-elle essentielle au fonctionnement du système urbain ?

2) Agglomérations à profil spécifique

Dans cet ensemble de 71 agglomérations, les classes ne reflètent plus seulement les localisations des principales concentrations géographiques de quelques activités industrielles. Moins exclusives mais encore nettement affirmées, les spécificités de profils, associations ou exclusions d'activités, qui apparaissent ici, expriment des aspects plus complexes de la fonction urbaine. De plus, c'est à ce niveau de spécificité que s'individualisent deux sous-ensembles d'agglomérations, d'après une *dichotomie* des activités qui *recouvre partiellement la division économique entre activités secondaires et activités tertiaires, mais* qui est *aussi* dépendante *du mode de répartition géographique des activités. La dichotomie essentielle* sur laquelle nombre d'auteurs ont fondé une typologie des fonctions urbaines, *entre villes "industrielles" et villes "tertiaires"* n'intervient donc, dans le cadre de notre analyse, qu'à un niveau moyen de spécificité. La partition qui la première sépare ces deux sous-ensembles mérite cependant d'être retenue comme signi-

ficative d'une *césure pertinente dans la classification des villes*, car l'agrégation de ces deux groupes entérine un accroissement d'hétérogénéité très important (fig. 5).

Parmi les *agglomérations à profil spécifique "industriel"*, trois classes qui ont toutes plus de 50 % d'actifs dans l'industrie, regroupent 15 agglomérations. Par ordre décroissant d'écart au profil moyen et d'importance des spécialisations, on trouve :

— 2 villes spécialisées dans les industries diverses (contribution 90 %, rho2 = 1,1) : Romans et Fougères (classe h) ;

— 7 villes spécialisées dans la métallurgie (contribution 80 %), beaucoup plus proches du profil moyen (rho2 = 0,4) : Saint-Nazaire, Saint Dizier ont toutes deux les profils les plus représentatifs de cette classe (i) ;

— 6 villes ont une double spécialisation dans la chimie (contribution 54 %) et dans la métallurgie (contribution 24 %). De toutes les villes de ce groupe, ce sont les moins industrialisées (54 % d'actifs secondaires) et celles dont le profil moyen est le moins spécifique (rho2 = 0,2). Le type en est Bourges (classe j).

Parmi ces agglomérations, les localisations des industries métallurgiques et diverses semblent s'exclure, au point qu'une surreprésentation de l'une entraîne une sous-représentation de l'autre. L'explication en est sans doute à rechercher dans le moment et la forme de la diffusion de ces activités. Aucune de ces villes industrielles n'a de carence tertiaire aussi marquée que les villes à fonction très spécifique. Des sous-représentations notables n'apparaissent simultanément que dans quatre activités.

La catégorie des *agglomérations à profil spécifique "tertiaire"* comprend cinq classes de villes qui ont toutes moins de 40 % d'actifs dans l'industrie, des spécificités de nature tertiaire ou apparentée, avec un profil relativement proche du profil moyen (rho2 compris entre 0,1 et 0,4).

— 2 de ces classes correspondent à des spécificités uniques : 4 agglomérations se distinguent par l'importance de la défense (contribution 74 % ; types Toulon et Brest —classe m—), 4 autres par celle des transports (contribution 73 % ; type Le Havre —classe n—). Ces deux ensembles sont plus éloignés du profil moyen que les autres classes de cette catégorie (rho2 = 0,3 et 0,4) et légèrement plus industrialisés (39 et 40 % d'actifs secondaires). On retrouve là l'expression du mode particulier de distribution de ces deux activités, qui n'induisent pas d'aussi fortes spécificités que les activités industrielles les plus discriminantes, mais qui déterminent des fonctions relativement exclusives pour les agglomérations où elles sont le plus concentrées.

Les trois autres classes ont pour caractéristique, par rapport à toutes les autres, d'être définies par des combinaisons de spécificités, d'ampleur subégale, et aussi bien par excès que par défaut. Le secteur tertiaire occupe à peu près les deux-tiers des actifs, elles ont en commun un déficit assez marqué dans la métallurgie.

— La classe la plus homogène, et dont les spécificités sont les plus marquées (hôtellerie, bâtiment et travaux publics) ne regroupe que 3 villes (Vichy, Cannes, Nice —classe o—)

— 15 villes se rassemblent en une classe (p) caractérisée par l'association des spécificités dans les transports et l'industrie alimentaire (contributions 17 et 18 %) jointes à un déficit dans les industries métallurgiques et textiles (contributions 23 et 17 %). Nous ne revenons pas sur ce qui a été dit de la proximité de l'industrie alimentaire et des activités tertiaires. Il faut toutefois noter plus particulièrement la fréquence de son association aux activités de transport, association qui recouvre deux sens opposés de relation : transport induisant le développement de l'industrie alimentaire (ex. : Marseille, Avignon) ou spécialisation en industrie alimentaire entraînant localement un surcroît d'activités de transport (Cognac, Epernay).

— La classe la plus nombreuse (30 agglomérations, types Auxerre ou Rennes —classe q—) s'individualise avant tout par une surreprésentation de l'activité administrative (contribution 17 %) et un déficit important dans les activités industrielles (métallurgie et textile surtout). C'est évidemment la classe la plus tertiaire de toutes. Fait plus remarquable, toutes les villes de cette classe, sauf une, sont des préfectures. Il s'agit donc d'une classe qui rapproche les agglomérations française dont l'essentiel du rôle se réduit à l'activité administrative d'encadrement territorial départemental. La spécialisation administrative se double de spécificités mineures dans d'autres activités du secteur public (défense) ou de service à la population (services aux particuliers, bâtiment et travaux publics). D'importantes spécificités négatives dans les activités industrielles confirment que ces villes se définissent aussi par l'extrême faiblesse de leur fonction de production. D'ailleurs, la plupart des préfectures qui ne sont pas les plus grandes villes de leur département se retrouvent dans cette classe (ex. : Quimper, Aix-en-Provence, Arras).

3) Agglomérations sans spécificités, à profil moyen

39 agglomérations peuvent être ainsi définies. Leur distance au profil moyen est très faible (rho2 < 0,1), le poids relatif des activités secondaires et tertiaires est moyen (proportion d'actifs secondaires comprise entre 40 et 49 %).

Bien qu'aucune spécificité marquée ne puisse leur être attribuée, on peut distinguer deux classes qui se rapprochent davantage des villes à profil spécifique "industriel". L'une comprend 19 agglomérations, dont les

types représentatifs sont Grenoble, Alençon, Caen (classe 1). L'autre, plus hétérogène, n'en compte que 6, parmi lesquelles l'agglomération lyonnaise, dont la masse pèse sur la formation du profil de la classe (k). Enfin, la troisième classe de ce groupe, qui s'agrège aux classes à profil spécifique "tertiaire", comprend 14 villes dont les types sont Bordeaux, Tours et Orléans. Toutes sauf une se localisent dans la moitié ouest de la France, leur autre caractère commun étant une légère sous-représentation des industries métallurgiques (classe r).

Apparaît ici le danger d'une assimilation de la notion de fonction urbaine à celle de spécialisation dans une ou plusieurs activités. En réalité, même lorsque la surreprésentation extrême d'une activité dans une agglomération lui donne un réseau de relations interurbaines très spécifique, et entraîne peut-être certaines carences dans son rayonnement régional ou son équipement local, en aucun cas la fonction de cette agglomération ne peut se réduire à l'exercice de cette seule activité. A contrario, on ne peut prétendre que les villes de profil d'activité moyen n'exercent pas de fonctions particulières. Nous avons souligné que la mesure du degré de spécificité des villes n'était pas significative de l'intensité de l'intégration de leurs activités. Son intérêt réside dans la dualité d'une perspective qui associe contraintes de localisation des activités et dépendance des centres urbains.

Dépendante de la technique de classification, une typologie l'est aussi du nombre et de la nature des variables qui ont permis de l'élaborer. La partition des activités en 25 postes permet de tester, dans une certaine mesure, le degré de pertinence et de fiabilité de notre description de l'organisation des fonctions urbaines, tout en la complétant sur certains aspects. Les résultats en sont donnés dans l'annexe 4.

2.3. L'EVOLUTION DES SPECIFICITES FONCTIONNELLES

Les variations de la classification fonctionnelle des villes au cours du temps présentent un double intérêt. Si l'évolution de l'organisation des profils d'activité des agglomérations en types fonctionnels complémentaires est surtout significative des changements intervenus dans la nature et la distribution des activités urbaines, les modifications de la position relative des agglomérations révèlent bien davantage la transformation de la structure du système urbain. Bien que la période étudiée soit relativement courte, certaines tendances sont cependant sensibles.

Parmi les techniques utilisables pour la comparaison dans le temps des structures d'activité (annexe 2), nous avons dû nous en tenir ici à une approche assez grossière. En effet, la structure particulière mise en évidence par l'analyse des correspondances rendait difficile l'interprétation d'une analyse qui aurait juxtaposé les trois tableaux de données. Aussi avons-nous simplement comparé dans un tableau croisé (tabl. 6 et 6 bis) la typologie étudiée précédemment pour 1968 à une classification des agglomérations en 1954, effectuée selon la même technique et arrêtée au même degré de finesse de partition.

L'observation la plus importante est *la grande stabilité de la forme d'organisation fonctionnelle des agglomérations et de la nature des spécificités* des classes : déjà en 1954, et dans la même proportion (20 %), des villes très fortement spécialisées dans des activités industrielles se distinguaient totalement par leur profil d'activité du reste des agglomérations. Celles-ci se scindaient en deux grands types de profils, l'un plutôt industriel d'une part, l'autre plutôt tertiaire d'autre part. D'une date à l'autre, un grand nombre de classes sont demeurées identiques, tant par la nature des fonctions qu'elles expriment que par la liste des villes qu'elles rassemblent.

Les modifications intervenues sont de deux ordres : les unes sont des transformations d'ensemble de la structure interurbaine, les autres sont des glissements de certaines villes d'un type de fonction à un autre.

La diminution du niveau de spécificité des classes les plus extrêmes traduit *l'homogénéisation des profils d'activité par réduction des fortes spécialisations*. Dans les correspondances qu'il est possible d'établir entre les classes 2 à 2, aucune n'a en 1968 un écart au profil moyen plus grand qu'en 1954. Le rapprochement est surtout sensible pour les spécificités dans l'industrie extractive, les industries diverses, les transports. En revanche, la chimie s'est concentrée, puisqu'en 1954 les villes les plus spécialisées n'étaient pas dans le groupe très fortement spécifique. Les écarts de profil suscités par les spécialisations dans la métallurgie, la défense, se sont maintenus.

TABLEAU 6 — LES SPECIFICITES FONCTIONNELLES DES AGGLOMERATIONS EN 1954 ET 1968

1954 \ 1968 — (1)(2)(3)	EXT 13,7 (a)	EXT 5,3 (b)	MET 1,5 (c)	CHI 1,1 (d)	EXT CHI 0,9 (e)	THB 0,7 (f)	EXT MET 0,3 (g)	DIV 1,9 (h)	MET 0,4 (i)	CHI MET 0,2 (j)	THB DIV 0,08 (k)	MET 0,05 (l)	DEF 0,4 (m)	TRS 0,3 (n)	HOT BTP 0,2 (o)	ALI TRS 0,1 (p)	ADM 0,1 (q)	— 0,06 (r)
EXT — 25	La Grand Combe, Forbach																	
EXT — 12	Lens, Montceau	Bruay																
THB — 0,6						Calais-Castres, Armentières, Lille-Roanne, St-Quentin-Troyes, Villefranche				Elbeuf	Cholet, St-Die, Vienne						Epinal	
EXT — 2		Douai																
EXT MET — 0,8					Alès													
MET — 1,6			Le Creusot, Longwy, Montbéliard, Thionville		Denain		St-Étienne	Maubeuge										
CHI — 1,0				Montargis, Clermont-Ferrand						Creil, Montluçon, Vierzon		Chatellerault, Tarbes						
MET — 0,39							Valenciennes		Belfort, St-Chamond, St-Dizier, St-Nazaire	Bourges, Chalon/s, Saône, Soissons		Annecy, Besançon, Grenoble, Le Mans, Nantes, Sens						
MET — 0,08																		
THB MET — 0,09							Mulhouse			Lyon								
DEF — 0,4								Cherbourg				La Rochelle	Brest, Rochefort, Toulon				Chalons s/Marne, Léon, Chaumond-Metz, Verdun	Chateauroux
DIV — 2,9								Fougères, Romans										
TRS — 0,5												Nancy	Lorient	Dunkerque, Le Havre, Saintes		Sète	Dijon	Bordeaux
TRS ALI — 0,1																Boulogne, Cognac, Epernay, Marseille, Reims, Strasbourg	Aix-en-Provence, Arras-Auxerre, Blois-Chartres, Carcassonne, Evreux, Aurillac-Laval, La Roche s/Yon, Macon-Moulins, Montauban, Quimper-Rennes, Poitiers, Rodez-St-Brieuc, Montpellier, Vannes	Angoulême, Bergerac, Dole-Niort, Limoges, Orléans, Toulouse
HOT SDO SPA — 0,3															Cannes, Nice, Vichy			Bayonne
ADM SPA SDO — 0,15												Beauvais, Lunéville, Valence, Alençon, Bourg-en-B., Caen				Arles	Agen, Perpignan	Pau
CHI DIV — 0,09				Compiègne								Brive, Charleville, Nevers		Dieppe			Albi, Angers, Nîmes	Amiens, Rouen, Tours
TRS — 0,05					Béthune, Cambrai							Colmar, Le Puy				Avignon, Béziers, Narbonne, Périgueux		

(1) Nature des principales spécificités. (2) Ecart au profil moyen. (3) Code de la classe (cf. tableau 5)

TABLEAU 6 BIS — EVOLUTION DU NOMBRE D'AGGLOMERATIONS PAR NIVEAU
ET NATURE DE SPECIFICITES DE 1954 A 1968

1954 \ 1968		SPECIFICITE :					Total
		Industrielle			Tertiaire		
		Très forte	Moyenne	Faible	Moyenne	Faible	
Spécificité industrielle	Très forte	21	2	3	1		27
	Moyenne	3	7	2			12
	Faible	1	3	7	2		12
Spécificité tertiaire	Moyenne		3	6	43	4	56
	Faible	3		8	10	10	31
Total		28	15	26	55	14	138

Au cours de la période, *la dichotomie entre les agglomérations à fonctions industrielles et celles à fonctions tertiaires s'est accentuée* : en 1954, certaines villes ayant des spécificités de nature industrielle (industries diverses, association chimie-industries diverses) s'apparentaient davantage par leur profil d'activité aux villes tertiaires (les classes qu'elles formaient se rattachant d'abord à ce groupe). En 1968, elles ont parfois rejoint les villes industrielles, soit en conservant la même spécificité (Romans, Fougères), en l'accentuant (Compiègne) ou en la modifiant (Valence, Beauvais, Lunéville). La seule association "mixte" qui subsiste en 1968 est celle des industries alimentaires aux transports. Cette transformation explique en grande partie l'augmentation du nombre des villes ayant un profil de type "industriel" (tabl. 6 bis) : de 24 en 1954 à 41 en 1968, plus sensible d'ailleurs à un niveau faible de spécificité (26 agglomérations ont en 1968 un profil moyen plutôt industriel contre 12 en 1954), qu'à celui des agglomérations véritablement spécialisées dans la production industrielle (15 en 1968 contre 12 en 1954). Cette "industrialisation" du réseau urbain s'est produite aux dépens des villes de profil moyen plutôt tertiaire, dont le nombre a considérablement diminué (de 31 en 1954 à 14 en 1968).

Les glissements de villes d'une classe fonctionnelle à l'autre ne sont jamais de très grande ampleur, la période observée n'étant sans doute pas assez longue pour que l'éventualité d'un changement complet de fonction ait pu se réaliser. Les cas les plus fréquents relèvent de *l'industrialisation relative de villes auparavant légèrement tertiaires* (Colmar, Le Puy, Charleville, Nevers, Brive) ou à spécificité tertiaire plus marquée (Alençon, Bourg-en-Bresse, Caen, Chartres, La Rochelle et Nancy). La plupart de ces villes ont acquis une légère spécificité dans l'industrie métallurgique.

D'autres modifications de la position relative des villes résultent de la diminution des cas de spécialisation dans la défense, ou de légère spécificité dans les transports. Toutes ces villes se sont regroupées dans des classes à profil moyen (Châteauroux, Tours) ou à spécificité administrative (Châlons-sur-Marne, Nîmes) ou encore métallurgique (La Rochelle, Brive).

Enfin, il est sans doute significatif que dans les associations tertiaires spécifiques, centrées respectivement sur l'hôtellerie et l'administration, une spécificité dans les services domestiques, qui soulignait une caractéristique sociale de ces agglomérations ait été remplacée par une spécificité dans le bâtiment et les travaux publics, activité accompagnatrice de la croissance urbaine. On trouve en effet dans ces deux groupes de villes un assez grand nombre de taux de croissance supérieurs à la moyenne pour la période 1954-1968. La seule autre classe ayant un dynamisme démographique comparable est celle des villes très légèrement spécialisées dans la métallurgie

en 1968, qui regroupe les villes tertiaires qui se sont industrialisées entre 1954 et 1968 (signalées plus haut), des villes dont la spécificité métallurgique s'est atténuée, par suite d'une tertiarisation relative (Tarbes, Chatellerault) et des villes dont la position relative n'a guère changé (Grenoble, Annecy, Nantes. . .).

Les plus importantes de ces transformations structurelles étaient réalisées dès 1962, avec toutefois des caractères de transition : certaines associations d'activités industrielles (métallurgie-industries diverses, métallurgie-chimie-textile. . .) ont disparu entre 1962 et 1968, avec la localisation de plus en plus exclusive des fonctions industrielles spécifiques. Surtout, contrairement à la tendance longue 1954-1968, la période 1954-1962 s'est traduite par l'élargissement des contrastes entre les profils d'activité des différents types fonctionnels, bien plus éloignés du profil moyen qu'en 1954 (à l'exception des classes d'agglomérations les plus spécialisées pour lesquelles la réduction des spécialisations est un processus continu).

Il faut certes garder à l'esprit le caractère un peu arbitraire de la classification choisie (pourquoi 18 classes et pas 20 ou 25 ?) et sa dépendance à l'égard de la nomenclature retenue pour les activités économiques. Quelle que soit la relativité de la structure mise en évidence, la comparaison dans le temps en montre cependant l'intérêt. Par delà la tertiarisation de l'ensemble des villes et le rapprochement de leurs profils d'activités apparaissent nettement *deux types d'agglomérations : celles qui gardent dans le réseau urbain la même fonction, la même position relative, et celles qui ont changé de rôle,* en perdant certaines spécialisations, et/ou en en acquérant de nouvelles par substitution ou développement d'emplois dans d'autres activités. Le fait surprenant est que ces glissements de fonction ne semblent pas avoir sensiblement modifié la structure du système urbain, par rapport à la répartition des activités économiques. Le contenu des fonctions, lié à la signification des différentes activités, a pu changer sans que l'organisation de la différenciation fonctionnelle du système urbain en soit profondément affectée.

CONCLUSION

Cette analyse systématique de la différenciation interurbaine des profils d'activité économique en France nous permet d'énoncer quelques résultats précis et jusqu'ici peu connus ou incertains :

— les uns concernent *l'état de la division spatiale du travail* dans le système urbain français en 1968-75 ;

— les autres constituent *un bilan des transformations récentes (1954-1975) des fonctions urbaines,* pour les agglomérations de plus de 20 000 habitants.

En 1968-75, la différenciation fonctionnelle du réseau urbain français atteint un niveau moyen par rapport à celui d'autres pays industrialisés. L'assez grande homogénéité des profils d'activité provient en partie de l'importance du tronc commun d'activités que l'on retrouve dans toutes les villes : cet éventail de productions et de services ubiquistes correspond à près de la moitié de l'emploi de chaque agglomération. Toutefois, alors que la distribution de la plupart des activités tertiaires —et notamment celle des services aux ménages— est relativement uniforme, ce sont les activités industrielles discriminantes (extraction, textile, chimie, métallurgie) qui, par leur concentration géographique et le caractère exclusif de leurs localisations, déterminent la plus grande part des disparités des profils d'emploi des agglomérations. Ce caractère discriminant des principales fonctions de production est bien connu. Il rend compte de la situation extrême dans le réseau urbain d'une quinzaine d'agglomérations très spécialisées, et dont l'emploi est dominé par une ou deux branches d'activité. Pour les autres agglomérations, c'est encore en 1968 et en 1975 le degré d'industrialisation qui définit la dichotomie principale des fonctions urbaines, dont l'éventail est par ailleurs assez proche de celui observé dans d'autres pays. En revanche, nos résultats (cf. annexe 4) vont à l'encontre d'une idée reçue : la taille des agglomérations n'est pas un facteur très important de différenciation fonctionnelle. Seuls les groupes des plus grandes villes (plus de 250 000 habitants) s'individualisent par un niveau d'industrialisation moyen, une grande diversification de leurs activités et des fréquences de spécialisation faibles.

L'évolution récente témoigne *d'une très grande stabilité du schéma de division spatiale du travail* dans le système urbain français, en relation avec l'inertie des localisations des activités économiques. Par delà la progression générale des activités tertiaires (de 51 à 55 % de l'emploi urbain), les grandes lignes de la distribution des activités et de la différenciation fonctionnelle des villes sont demeurées identiques. Quelques modifications d'ensemble indiquent toutefois une *nette tendance à la réduction des disparités, de 1954 à 1975* : homogénéisation des profils d'activité des villes, élargissement du tronc commun d'activité, réduction des plus fortes spécialisations, apparition de spécialisations nouvelles dans des villes au profil très moyen. Cette évolution ne s'est pas effectuée d'une manière continue. La période 1954-1962 est dans l'ensemble une phase d'industrialisation, qui a surtout atteint les agglomérations de 60 000 à 300 000 habitants et a accru leur niveau de spécialisation. La seconde phase, de 1962 à 1975, correspond à une tertiarisation d'ensemble et à une ubiquité croissante de la presque totalité des activités. C'est alors que la tendance au rapprochement des profils d'activité des villes est la plus nette et la plus générale.

L'interprétation de ces résultats n'est pas sans difficulté. L'étude de la distribution des activités par branche selon la nature du bien produit ou du service rendu, est sans doute de moins en moins significative pour aborder les différenciations fonctionnelles urbaines, dans la mesure où le clivage spatial réel passe de moins en moins par la nature de l'activité et de plus en plus par la fonction et le niveau local des emplois dans le processus de production. De même, les disparités des profils d'activité mesurées statistiquement sont de moins en moins significatives d'un degré d'intégration économique des activités urbaines, au fur et à mesure de la progression de cette intégration. Les mesures effectuées restent cependant significatives d'un certain degré de diversité du système urbain français. L'approfondissement de cette première analyse requiert que soient pris en compte des indicateurs urbains complémentaires.

·

Deuxième partie

Structures d'activité et devenirs urbains

Le devenir d'une unité urbaine est largement inscrit dans ses structures socio-économiques, et les choix successifs qui sont faits pour elle en tiennent le plus grand compte. Leur connaissance est donc indispensable aux agents de l'action locale. Cependant, pour une ville donnée, l'analyse de ces structures n'est réalisable, et surtout correctement interprétable, que si on la replace dans la totalité du système urbain. *On ne peut évaluer une situation urbaine que par rapport à celle des autres villes.* Un responsable municipal par exemple peut difficilement raisonner indépendamment d'une échelle de référence.

Nous appelons *dimension du système* une association de caractères conceptuellement liés, qui donnent aux villes les mêmes positions relatives dans le système urbain ; une dimension est une des composantes de la structure d'ensemble. Depuis longtemps de nombreux chercheurs ont été séduits par l'idée d'identifier les dimensions principales d'un système urbain national. L'identification de cette structure de référence, et les comparaisons de villes qu'elle rendait possibles, ouvraient une nouvelle voie de recherche : définir quels traits de ces structures relevaient de spécificités nationales, de niveaux particuliers de développement économique, ou de la nature même de tout système urbain. Ce sont les travaux de Berry (1972) et de son école qui ont le plus systématiquement exploré cette voie.

Pour les villes françaises, cette orientation de recherche transparaît dans les études de Haumont et Bohain (1968) et de l'OTAM (1970). Tous ces travaux nous enseignent cependant que les dimensions identifiées restent très relatives aux champs d'observation initialement sélectionnés. Tout en tenant le plus grand compte de ces résultats, notre projet et notre démarche sont assez différents.

Nous recherchons quelles dimensions principales du système urbain nous permettent de définir en 1968 pour chaque ville française, les fondements internes de son activité économique, les niveaux de qualification et de rémunération du travail qui en résultent, les structures sociales qui les sous-tendent. Notre objectif étant l'étude de la transformation du système urbain entre 1954 et 1975, nous essayons alors de mesurer le degré de stabilité des composantes socio-économiques identifiées, et leurs relations avec le processus de la croissance démographique des agglomérations pendant cette période. Par delà l'intérêt théorique de cette étude, la mesure de certaines transformations du système urbain français doit être interprétée dans deux perspectives différentes. Elle exprime pour une part le bilan des politiques mises en œuvre pour une modification volontaire des structures intra-urbaines. Elle traduit aussi les transformations des villes qui résultent de la mobilité contemporaine des activités économiques et des nouvelles formes de division du travail qui l'accompagnent.

Nous définissons d'abord les *composantes principales de l'activité économique des villes françaises en 1968*. La structure, voisine de celle mise en évidence par Aydalot (1976), est identifiée à partir des profils ou combinaisons internes d'activité des agglomérations. Ces combinaisons décrivent l'association en un même lieu des différentes activités économiques (importance

relative des emplois de chacune d'elles dans l'emploi de la ville). Nous avons dans un premier temps défini les différentes activités par leur nature (bien produit, service rendu, etc...) et déterminé par rapport à elle les composantes principales de l'activité urbaine. Mais dans la pratique intra-urbaine, on s'interroge fréquemment sur les relations qui existent entre la combinaison d'activités observée, son dynamisme potentiel et un certain niveau de qualification du travail urbain. C'est pourquoi dans un second temps, les activités ont été regroupées en fonction du niveau moyen de qualification de leurs emplois et du sens de leur évolution depuis 1954. Les types urbains de combinaison d'activité ont été définis par rapport à cette nouvelle structure. Celle-ci, voisine de la précédente, est beaucoup plus proche, du fait des caractères urbains dont elle rend compte, des préoccupations des responsables du fonctionnement de la vie locale.

Après avoir situé le profil d'une agglomération dans l'ensemble des structures d'activité des villes, il faut le replacer dans le temps et l'interpréter comme une étape dans un processus de développement urbain (Martin, 1968). Nous montrons donc de quelle manière la croissance économique des vingt dernières années s'est inscrite dans la structure d'activité du système urbain et manifestée par des changements de position relative des villes dans cette structure. En expérimentant une nouvelle méthode d'analyse des données ternaires (Vielajus, 1976) nous appréhendons successivement, et pour chaque agglomération, ce qui dans la transformation de ses structures relève du *mouvement général de l'évolution urbaine* pendant ces deux décennies, et ce qui est l'expression de son *déplacement différentiel dans le système urbain*.

Le cadre de référence défini par les composantes principales de l'activité urbaine est ensuite confronté à d'autres dimensions essentielles du système urbain, qui seules peuvent en délimiter la portée.

Quelques caractères essentiels de la vie urbaine et du devenir des villes résultent des interrelations entre économie et société locales. La structure de la société urbaine a été déjà plusieurs fois décrite en tant que telle, soit à une date donnée (Haumont et Bohain, 1968 ; Pumain 1977), soit dans ses transformations sur courte période (APUR s.d., Noël, Pottier, 1973). Aucune étude des interférences entre les états des deux structures et entre leurs transformations n'a jamais été réalisée à cette échelle. Nous avons donc procédé à une confrontation systématique des composantes principales de chaque structure et de leur évolution.

De la même manière on doit s'interroger sur les rapports qui existent dans les villes entre la structure d'activité et le niveau de vie local. Il faut tester l'hypothèse, très souvent émise, d'une étroite dépendance entre ces deux caractéristiques urbaines. Deux types d'indicateurs du niveau de vie local ont été retenus. *L'indicateur de richesse vive* (ou pouvoir d'achat moyen) est en rapport étroit avec les revenus des ménages. Il est à la base du niveau et de la qualité de l'équipement de l'unité urbaine pour le service des ménages ; il est donc significatif d'une situation ou image de la ville. *Les niveaux de rémunération du travail salarié* retiennent notre attention pour d'autres raisons. Ils expriment les niveaux de vie d'une majorité croissante de la population urbaine. Par eux se propage pour cette majorité une part importante de la croissance économique. Sachant que cette propagation ne s'effectue jamais de manière uniforme dans l'espace (Perroux, 1964 ; Boudeville, 1972), nous avons cherché de quelles dimensions particulières de l'activité paraissent le plus dépendre les niveaux des salaires urbains.

Dans la perspective des devenirs urbains nous avons enfin confronté les structures d'activité et leur évolution à la croissance démographique des villes au cours de la période 1954-1975.

Au terme de ces investigations volontairement analytiques, nous tentons une interprétation d'ensemble : quels sont les grands principes de l'organisation socio-économique des villes françaises au début des années 70 ? Comment se situe dans cette perspective chacune des agglomérations ? Quelles sont les principales tendances et les phases de leur évolution au cours des deux décennies écoulées ?

1. LES COMPOSANTES PRINCIPALES DE L'ACTIVITE URBAINE

Quels sont les principes d'organisation qui permettent de définir les grands types de combinaison d'activité des agglomérations françaises ? Pour répondre à cette question nous étudions les corrélations entre les distributions d'activités, *qui mesurent la force et la fréquence de leurs associations ou exclusions géographiques.*

En 1968, les corrélations entre les poids respectifs des activités (définies en 20 CAE) dans la population active des villes sont dans l'ensemble assez faibles : coefficients inférieurs ou égaux à 0,6 (tabl. 7). Cela montre qu'il n'existe aucune relation nécessaire simple entre deux quelconques de ces activités. La variété des combinaisons réalisées paraît être au contraire le fait très général.

L'étude des corrélations n'en est pas moins révélatrice des liaisons différentielles entre des types d'activités. Les plus fortes corrélations positives unissent la plupart des activités tertiaires ainsi que le secteur du Bâtiment et des Travaux Publics, dont le schéma de présence dans les villes s'apparente tout-à-fait à cette date à celui de ces catégories. Les éléments de cet ensemble s'opposent par des corrélations négatives à la plupart des activités industrielles. Cependant, cette opposition n'a pas la même intensité selon les éléments que l'on considère. Ainsi, la métallurgie a les plus fortes corrélations négatives (inférieures à − 0,4) avec l'administration,

TABLEAU 7 — CORRELATION ENTRE LES DISTRIBUTIONS DES CAE EN 1968

	EXT	BTP	MET	CHI	ALI	THB	DIV	TRS	CGR	CAD	CDE	HOT	BQA	SEN	SDO	SPA	EGE	TRR	ADM	DEF	PTM	MEC	AMD	CEL	REP	PCH	TEX	HAB	IND
EXT	1.																												
BTP		1.																											
MET		−.5	1.																										
CHI				1.																									
ALI					1.																								
THB		−.4				1.																							
DIV							1.																						
TRS								1.																					
CGR	−.4	.3	−.4					.3	1.																				
CAD									.3	1.																			
CDE	−.4	.6	−.5			−.3			.6		1.																		
HOT		.4									.3	1.																	
BQA	−.4	.4	−.4						.5		.5		1.																
SEN	−.3										.3		.4	1.															
SDO	−.4	.6	−.4			−.3			.5		.5		.4	.5	1.														
SPA	−.4	.6	−.5	−.3					.4		.5		.4	.6	.4	1.													
EGE		.3					−.3				.3		.3		.3	.3	1.												
TRR	−.3	.4	−.4						.3		.5		.5	.3			.6	1.											
ADM		.6	−.4			−.3			.3		.5		.6	.4	.6		.3	.7	1.										
PTM		−.4	.7						−.3		−.4		−.3		−.3	−.4		−.3	−.3		1.								
MEC		−.3	.7						−.3		−.3		−.3		−.3	−.3		−.3	−.3			1.							
AMD																							1.						
CEL			.3																				.8	1.					
REP	−.3	−.3									.4		.3		.3	.3			.3						1				
PCH			.9																							1.			
TEX						−.9					−.3				−.3	−.3					.4						1.		
HAB				.6															−.3	−.3							.3	1.	
IND					.9																−.3								1.
0.3 ≤ |r|																													

les services aux particuliers, le secteur des banques-assurances, le commerce de détail non alimentaire et le commerce de gros. Les valeurs des coefficients tombent au voisinage de — 0,2 pour toutes les autres activités industrielles retenues. A l'intérieur de ces deux sous-ensembles, les schémas de liaison sont très différents. Au niveau relativement plus élevé des corrélations entre les activités tertiaires, s'oppose la faiblesse voire l'inexistence des liaisons des activités industrielles entre elles.

Ces éléments d'observation sont synthétisés et hiérarchisés par l'analyse en composantes principales (Atlas, cartes 100 à 105). En 1968, la composante principale (28 % de la variance) de l'activité urbaine en France (fig. 7, tabl. 8) est bien une opposition majeure entre les grandes activités industrielles (extraction, métallurgie, textile, chimie) et la plupart des activités tertiaires. Le classement des unités urbaines qui en résulte souligne l'étendue des disparités interurbaines de la tertiairisation et de l'industrialisation. Cette dimension ne peut être toutefois assimilée à l'expression du pourcentage d'emploi secondaire dans les villes, avec lequel elle est très corrélée (fig. 8). Elle ne recouvre en effet pas exactement la dichotomie des deux grands secteurs d'activité, puisque les activités industrielles les plus ubiquistes (industries diverses et agro-alimentaires, bâtiment-travaux publics) sont proches du groupe tertiaire. Interprétée dans une perspective de développement urbain, cette dimension situe aux deux extrêmes les villes qui gardent très profondément les traces de la révolution industrielle et celles qui au contraire ont été peu atteintes par l'industrialisation. Tous les stades intermédiaires du développement urbain sont représentés. Ils traduisent une très grande diversité des formes d'associations géographique d'activité, sans rupture tranchée entre des types d'économie urbaine.

Les autres composantes de l'activité urbaine sont moins importantes, parce qu'elles correspondent à des liaisons moins intenses des activités. *La deuxième composante* (9 % de la variance) (fig. 7, tabl. 8), oppose les activités tertiaires du commerce alimentaire de détail, des transports et de l'hôtellerie aux industries textiles et diverses et secondairement à quelques activités de service. Cette deuxième dimension du système urbain reflète l'existence (dans un assez grand nombre de villes) de *sous-représentations marquées dans certaines activités de service* (services

TABLEAU 8 — CORRELATIONS DES VARIABLES (CAE) AVEC LES AXES

CAE	Ier axe				IIe axe				IIIe axe			
	1954	1962	1968	1975	1954	1962	1968	1975	1954	1962	1968	1975
EXT	0.5	0.4	0.5	0.4	0.2	0.2	0.2	0.4	—.2	—.1	—.2	0.1
BTP	—.2	—.6	—.7	—.5	0.5	0.4	0.2	0.5	—.3	—.2	—.2	—.2
MET	0.5	0.6	0.6	0.7	—0	0.0	—.0	—.2	—.2	—.3	—.3	—.4
CHI	0.1	0.1	0.2	0.2	0.0..	0.0	0.3	0.2	0.2	0.2	0.0	—.0..
ALI	—.3	—.2	—.0	—.3	0.3	—.1	0.0	0.2	0.5	0.6	0.6	0.6
THB	0.3	0.3	0.3	0.4	—.4	—.6	—.5	0.0	0.4	0.3	0.3	0.7
DIV	—.1	—.0	—.0	—.1	—.4	—.6	—.5	—.2	0.3	0.2	0.4	0.6
TPS	—.2	—.2	—.2	—.2	0.5	0.5	0.5	0.0	0.0	0.4	0.2	—.0
CGR	—.3	—.6	—.6	—.5	—.1	0.0	—.0	—.2	0.3	0.3	0.4	0.2
CAD	—.4	—.2	—.0	—.4	0.5	0.4	0.6	0.7	0.3	0.6	0.2	0.1
CDE	—.7	—.8	—.8	—.7	0.0	0.0	0.2	0.4	0.1	0.1	0.1	0.0
HOT	—.4	—.4	—.4	—.5	0.2	0.3	0.4	0.5	0.2	0.2	0.3	—.3
BQA	—.7	—.8	—.7	—.6	—.2	0.4	—.3	—.4	0.0	—.0	—.0	0.1
SEN	—.4	—.5	—.4	—.6	0.3	0.0	—.1	—.0	0.3	0.3	0.0	—.2
SDO	—.8	—.8	—.7	—.6	—.2	—.0	0.0	0.0	0.0	—.0	0.2	—.2
SPA	—.8	—.8	—.8	—.8	—.2	—.2	—.2	—.1	—.0	—.1	0.2	—.0
ECE	—.4	—.4	—.4	—.3	—.0	0.2	0.0	0.0	0.0	—.2	—.0	—.1
TRR	—.8	—.7	—.7	—.5	—.2	—.2	—.2	—.4	—.4	—.3	—.3	0.0
ADM	—.8	—.8	—.7	—.7	—.1	—.0	—.0	—.4	—.4	—.4	—.4	—.0
DEF	—.3	—.2	—.3	—.2	0.2	0.2	0.3	—.2	—.4	—.2	—.0	—.3

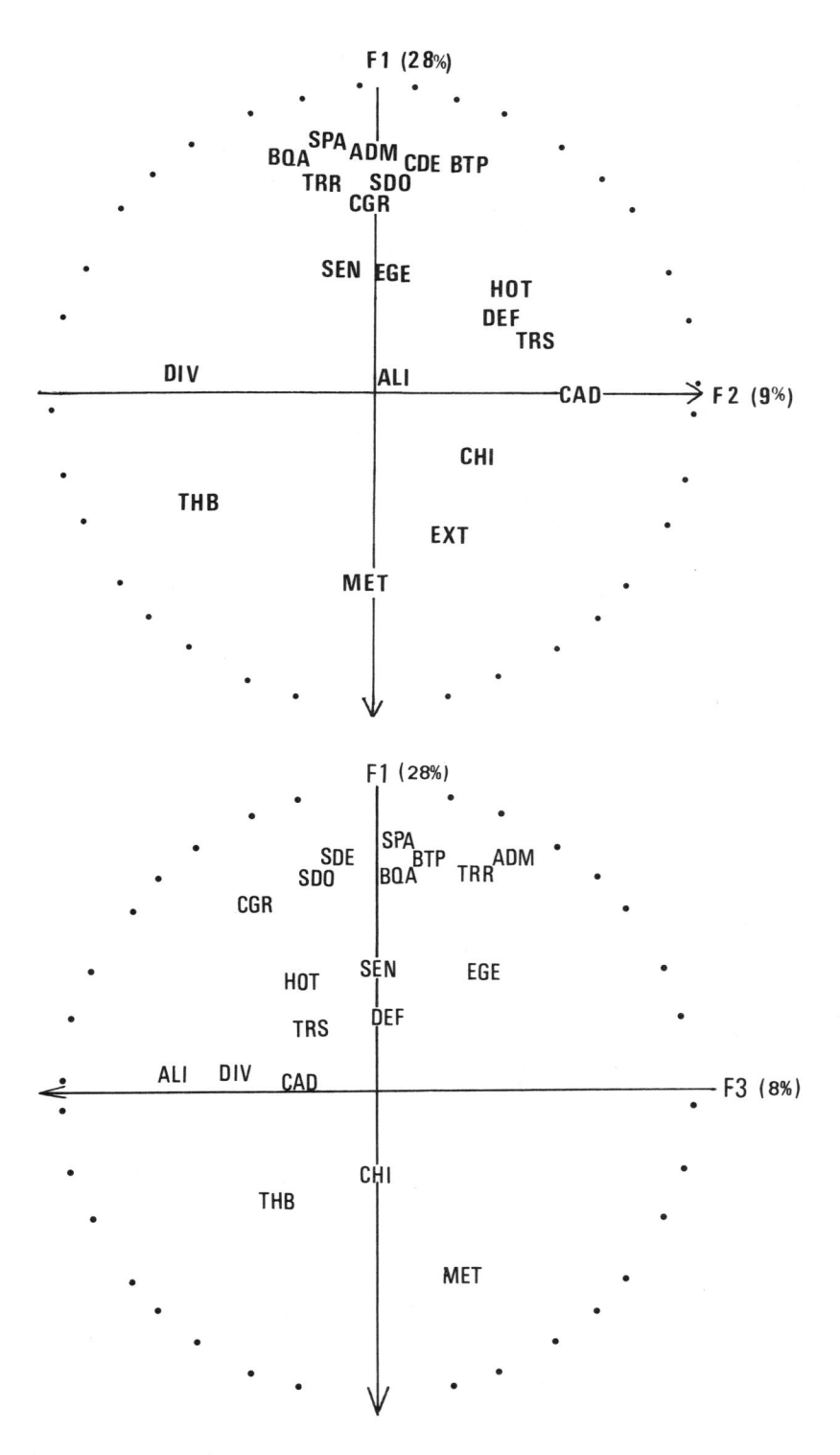

Figure 7 — Les composantes principales de l'activité urbaine en 1968

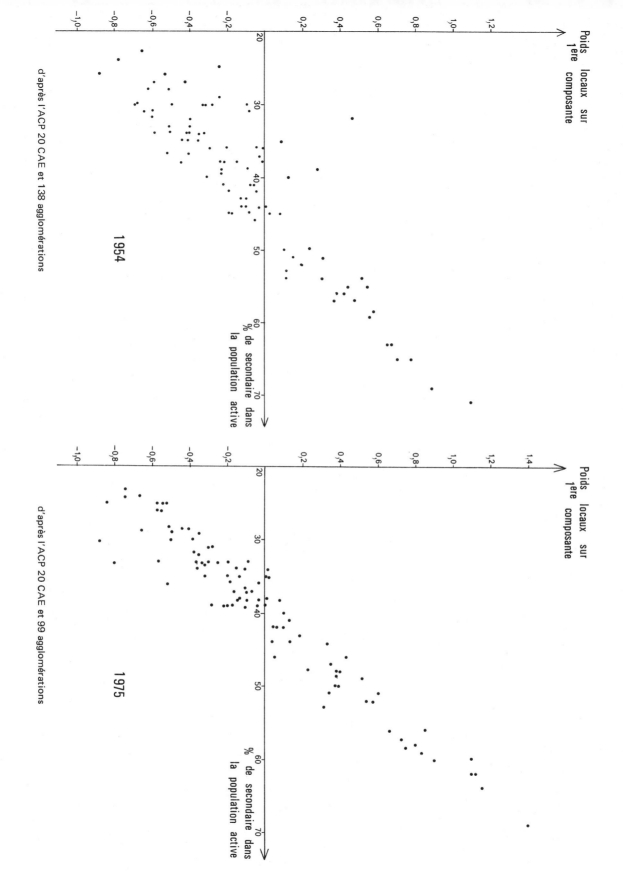

Figure 8 — Composante de l'activité urbaine et degré d'industrialisation

aux particuliers notamment). Ces sous-représentations sont en rapport soit avec des fonctions tertiaires très spécifiques (dans les transports, l'hôtellerie ou le commerce alimentaire de détail), soit avec un réel sous-équipement des unités les plus industrialisées, où seul le commerce alimentaire de détail apparaît surreprésenté (villes minières, villes de la métallurgie, etc. . .). A l'inverse, on observe une compatibilité géographique plus grande entre les industries textiles et diverses et certaines activités de service à la population.

La *troisième composante* (fig. 7, tabl. 8) introduit un autre principe de classement des activités urbaines, encore inconnu jusqu'ici. Elle sépare nettement les activités en croissance entre 1954 et 1968 de celles qui ont connu un déclin à peu près constant. Cette apparition d'un phénomène d'origine évolutive dans les structures elles-mêmes ne peut s'expliquer que par un processus cumulatif de redistribution des activités dans les villes. Ce processus a dû jouer sur une période assez longue, combinant une diminution moins rapide qu'ailleurs des activités déclinantes dans certaines villes déjà peu ou prou spécialisées dans ces secteurs, et au contraire un accroissement plus fort des activités de croissance dans des villes aux structures dynamiques. Ce facteur exprimant la ségrégation des activités dans les villes françaises, en fonction de leur évolution sur les trente dernières années, constitue, à son niveau de généralité (8 % de la variance) un trait non négligeable de la structure urbaine actuelle. Des observations allant dans le même sens ont pu être faites à l'échelle départementale (Saint-Julien, 1974).

L'analyse en composantes principales ne fait pas apparaître d'autre composante générale de l'activité urbaine. Les associations d'activités mises en évidence par les quatrième et cinquième axes ne concernent qu'un très petit nombre d'activités de surcroît faiblement corrélées entre elles. Leur liaison n'a de sens que pour quelques agglomérations. Toute interprétation à l'échelle de l'ensemble des villes est donc à rejeter dans ce cas.

2. TYPES ECONOMIQUES URBAINS

Sur les plans théorique et pratique la signification des combinaisons d'activité est avant tout intra-urbaine. Il nous a paru intéressant d'en définir les types par rapport à une structure un peu différente, qui n'oblitère cependant pas les grandes composantes mises en évidence (dichotomie secondaire-tertiaire, opposition de combinaisons tertiaires, association géographique des activités en croissance ou en déclin). Notre objectif a été, au prix d'une légère perte de précision sur la nature des activités, de mieux mettre en lumière les caractères de profil susceptibles d'influer le devenir urbain. Replacée dans cette perspective, une typologie des villes françaises nous semble pertinente pour la prévision.

Les catégories initiales ont été réinterprétées en tenant compte non plus tant de la nature de l'activité (production ou échange, caractère du bien produit, caractère ou destination de l'échange), que de certains traits de leur structure d'emploi et de leur évolution générale dans le moyen terme : nous avons caractérisé chacune des 25 catégories d'activité économique par son taux national de croissance entre 1954 et 1968, et par le niveau moyen de qualification de ses emplois. Sur la base de leur ressemblance pour la croissance et la qualification du travail, les 25 catégories ont été réduites à 6 groupes (tabl. 9).

TABLEAU 9 — REGROUPEMENT DES ACTIVITES (25 CAE) EN 6 CATEGORIES
Base de regroupement : 1) Croissance de l'emploi 1954-1968
2) Niveau moyen de qualification

Industries agricoles et alimentaires Industries diverses Commerce de gros Commerce agricole et alimentaire de détail Hôtellerie, débits de boissons	Activités bloquées
Extraction Première transformation des métaux Textile, Habillement	Activités héritées
Bâtiment et Travaux Publics	Activités d'accompagnement
Transports Défense	Activités de controle territorial
Industries mécaniques Fabrication d'articles métalliques divers Réparations mécaniques & électriques Construction électrique Industries chimiques Services aux particuliers	Activités de croissance industrielle
Commerce non alimentaire de détail Banques, assurances Services aux entreprises Eau, gaz, électricité Transmissions Administration	Activités de croissance tertiaire

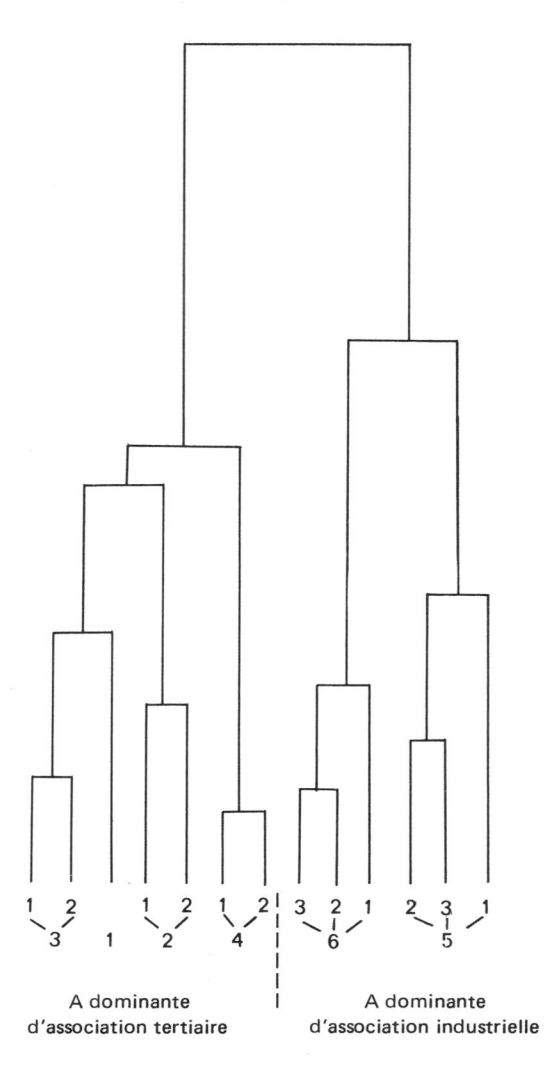

(voir légende tableau 11)

Figure 9 — Arbre de regroupement des types économiques urbains en 1968

A partir de ces nouvelles bases plus synthétiques et par la même procédure, une structure d'activité urbaine très semblable à la précédente a été obtenue. (tabl. 10).

Le premier facteur rend surtout compte de l'opposition entre les associations d'activités tertiaires ou d'accompagnement en croissance, et les activités industrielles dont les répartitions et associations sont largement héritées des périodes antérieures, et qui sont aujourd'hui caractérisées par le déclin sensible de leur poids relatif dans l'activité urbaine.

Le deuxième facteur mesure surtout l'importance (ou la carence) des activités industrielles de croissance.

Le troisième décrit l'importance dans les villes des sur- ou sous-représentations dans des activités "bloquées". Ces activités industrielles ou tertiaires, parfois en association sont, du fait de leur structure d'emploi et de leur profil d'évolution, susceptibles d'introduire des blocages dans le développement urbain. Regroupées de manière à peu près identique, ce sont aussi celles qui donnaient sa signification à la troisième composante d'activité préalablement dégagée.

TABLEAU 10 — CORRELATIONS DES VARIABLES (CAE REGROUPEES) AVEC
LES AXES DE L'ACP

CAE	Ier axe	IIe axe	IIIe axe	IVe axe
BLO	0.4	— .2	— .9	— .0
HER	— .8	— .5	0.2	— .0
ACC	0.8	— .1	0.3	— .3
CTR	0.5	— .0	0.2	0.8
DVI	— .0	0.9	— .0	— .0
DVT	0.8	— .0	0.3	— .2

C'est par rapport à cette structure que nous déterminons les principaux types de combinaison d'activité. Pour ce faire nous avons utilisé les coordonnées des agglomérations sur chacun des quatre premiers axes de cette analyse. Les types de combinaisons ont été identifiés par la méthode de classification ascendante hiérarchique (programme Jambu), mais utilisant ici comme indice de ressemblance entre les villes la distance euclidienne. Ces types reposent donc sur la nature et l'intensité des associations d'activités dans les agglomérations qui les constituent.

La forme de l'arbre de classification (fig. 9) reflète bien entendu la hiérarchie et la structure des composantes par ailleurs décrites. *La dichotomie majeure oppose 87 agglomérations plutôt caractérisées par une dominante d'association d'activités tertiaires à 51 villes plutôt industrielles.* Ces deux sous-ensembles ne s'agrègent qu'au dernier niveau de la hiérarchie des partitions.

2.1 COMBINAISONS D'ACTIVITES A DOMINANTE D'ASSOCIATION TERTIAIRE (tableau 11)

Les 87 agglomérations fortement individualisées par le poids relatif de leurs emplois dans des activités tertiaires, s'apparentent à quatre types de combinaisons bien distincts, chacun représentatif d'états et de devenirs très différents à court terme des structures socio-économiques intra-urbaines.

1) Centres de croissance tertiaire (tableau 11 — classe 1).

Cette combinaison est très fortement modelée par l'importance relative dans la structure d'emploi des activités de l'administration, du secteur de la banque et des assurances, des services aux entreprises et du commerce non-alimentaire de détail. Dans l'ensemble ces activités sont *caractéristiques de certaines fonctions urbaines d'encadrement territorial* et ont été depuis la décennie 50, grosses créatrices d'emplois dans les villes. Elles regroupent en moyenne dans les 26 agglomérations concernées 32 % de la population active. Le secteur du bâtiment et des travaux publics y est toujours très fortement associé (14 %). Si les activités industrielles en croissance y ont un niveau moyen en revanche les activités dites "bloquées" y sont sous-représentées (19 % des emplois au lieu de 24 % en moyenne).

On ne s'étonne pas de trouver regroupées sur cette base la plupart des villes ailleurs rapprochées (p. 32) à cause de leur spécificité dans des fonctions administratives et de leur forte proportion d'actifs dans le secteur tertiaire. Ce type d'association d'activités est très caractéristique d'un des schémas de la fonction urbaine en France. Son maintien, voire son développement a largement bénéficié au cours des vingt dernières années de la croissance très rapide du tertiaire. Montpellier, Angers, Aix-en-Provence, Poitiers, sont de bons exemples de ce type de combinaison.

2) Points de contrôle territorial (tableau 11 — classes 2-1 et 2-2)

Vingt huit villes sont concernées par ces associations nécessairement limitées à quelques points très particuliers du territoire. Trois types bien distincts peuvent être définis. Le premier concerne 9 agglomérations pour lesquelles la *fonction de transit ou de transbordement est essentielle.* Six d'entre elles sont des ports (Marseille, Le Havre, Dunkerque, Dieppe, Sète et Rochefort), quatre des nœuds ferroviaires importants. Les activités de contrôle territorial y occupent une grande place (16 % des actifs en moyenne), et les activités de croissance tertiaire et industrielle y atteignent des proportions à peu près identiques à celles observées dans l'ensemble des villes (respectivement 24 et 25 %).

TABLEAU 11 — PROFILS DES TYPES ECONOMIQUES URBAINS

Types de combinaisons		Nombre de villes	Répartition moyenne de l'emploi %						Emploi tertiaire %
			BLO	HER	DVT	ACC	CTR	DVI	
A — *Combinaisons à dominante d'association tertiaire*									
1) Centres de croissance tertiaire		26	19	4	32	14	6	23	63
2) Points de contrôle territorial	2-1	9	20	4	24	11	16	25	63
	2-2	19	19	3	28	14	11	21	62
3) Centres de croissance à structure moyenne	3-1	18	24	4	26	11	7	24	57
	3-2	10	19	6	27	12	5	28	54
4) Points de blocage structurel	4-1	3	34	5	19	10	9	18	51
	4-2	2	45	7	16	10	3	17	39
B — *Combinaisons à dominante d'association industrielle*									
5) Centres de croissance industrielle	5-1	4	12	16	13	7	3	50	29
	5-2	4	15	14	18	8	10	37	44
	5-3	16	18	3	22	11	7	38	50
6) Agglomérations à structures industrielles héritées	6-1	5	17	34	16	8	4	19	36
	6-2	14	19	21	20	10	5	24	45
	6-3	8	11	50	15	9	4	10	31
Toutes agglomérations		138	20	10	25	12	8	25	55

La seconde combinaison (2-2), elle aussi étroitement liée à la présence d'activités de contrôle territorial, reflète avant tout *les localisations de la fonction militaire* que l'on trouve assez isolée ou associée à une importante activité de transport. Elle concerne 19 agglomérations toutes très tertiaires (moyenne de la classe 62 %) et comporte des sur-représentations marquées non seulement dans ces activités très spécifiques mais aussi dans les activités tertiaires de croissance (28 %). Lorient, Avignon et Metz sont très représentatives de cette combinaison.

Ces deux types de profils d'activité sont donc proches, parce que les différentes activités de contrôle territorial peuvent se trouver associées dans les villes mais aussi parce que *dans les deux cas la base des activités tertiaires de croissance y est particulièrement large.*

3) Centres de croissance à structure moyenne (tableau 11 — classes 3-1 et 3-2)

La base de ces deux combinaisons réside encore dans l'importance des activités tertiaires de croissance (26 et 27 %) dans l'emploi des villes. Pourtant, deux combinaisons s'individualisent qui n'ont pas la même signification pour le devenir urbain.

Pour 18 agglomérations (3-1) cette base de croissance est associée à une *sur-représentation d'emplois dans les activités "bloquées"* (24 % des emplois). Dans la conjoncture actuelle cette sur-représentation a une double signification. Elle représente dans ces villes la persistance de certaines activités liées à des fonctions de place centrale ancienne. Elle peut être à l'origine de certaines crises structurelles. Ce type décrit bien des agglomérations telles que Brive, Valence, Bergerac, par exemple. Pour 10 agglomérations (3-2) la sur-représentation dans les activités tertiaires de croissance (27 %) est combinée à une sur-représentation des activités de croissance industrielle (28 %). Cette combinaison est peut-être celle qui exprime le mieux l'inscription, dans les structures intra-urbaines, des composantes de la croissance économique des dernières années. Annecy, Grenoble, Bourg-en-Bresse, Orléans en sont de bons exemples.

4) Points de blocages structurels (tableau 11 — classe 4-1 et 4-2)

Ces deux combinaisons ne concernent qu'un petit nombre de villes : cinq au total. Elles ont en commun d'avoir de *très fortes sur-représentations dans le groupe des activités "bloquées".*

La première (4-1) définie par 3 villes (Cognac, Epernay, Boulogne-sur-Mer rassemble dans ces activités 34 % de ses emplois (la moyenne nationale n'est que de 20 %). Seules les activités de contrôle territorial y atteignent une proportion moyenne (9 %). Partout ailleurs les sous-représentations sont extrêmes.

4

La seconde (4-2) représentative seulement de 2 agglomérations (Romans, Fougères) au demeurant peu tertiaires, se distingue de la précédente par un taux encore plus élevé (46 %) des emplois dans ces activités déclinantes et des sous-représentations encore plus fortes dans toutes les autres catégories.

Ces quatre grandes familles de combinaison d'activité concernent les agglomérations françaises les plus tertiaires. Certes les regroupements obtenus sont voisins de ceux définis par les activités spécifiques, ou les fonctions urbaines, mais la ré-interprétation des natures d'activité et la prise en compte de l'ensemble de leurs combinaisons souligne des caractéristiques urbaines nouvelles : structure du marché de l'emploi, sensibilité à la conjoncture, degré de dépendance de certaines combinaisons à l'égard de certaines localisations particulières. Dans trois cas au moins, nous avons remarqué de quelle manière étaient inscrites dans le profil d'activité les menaces de détérioration de structures intra-urbaines ; ailleurs, la base potentielle de développement est plus large, mais associe assez rarement activités de croissance tertiaires et industrielles.

2.2. COMBINAISONS A DOMINANTE D'ASSOCIATION INDUSTRIELLE
(tableau 11 — classes 5 et 6)

Les 51 agglomérations concernées se retrouvent associées en deux ensembles de combinaisons dans lesquelles la part des actifs du secteur secondaire est toujours en moyenne supérieure ou égale à 50 %. Elle avoisine même 70 % dans quelques cas. Ces deux ensembles fortement distincts, (fig. 9) —ils ne se regroupent qu'à l'extrême fin de la classification—, s'individualisent avant tout par l'écart qui existe, dans les villes industrielles, entre celles où la production est encore dominée par des activités héritées de la première révolution industrielle, et celles où l'activité dépend d'industries de croissance.

1) Agglomérations à structures industrielles héritées (tableau 11 — classes 6-1, 6-2 et 6-3)

27 agglomérations sont en 1968 concernées par ces types.

Le premier (Classe 6-3) décrit la structure de 8 d'entre elles. Il représente la situation la plus contraignante au regard des projets et des tentatives visant au développement par la conversion. En effet le groupe des activités dites héritées (ici essentiellement l'extraction et la première transformation des métaux) y occupent en moyenne 50 % de l'emploi. Tous les autres secteurs sont fortement sous-représentés. Les déséquilibres extrêmes, caractéristiques de cette combinaison, ont été souvent décrits et dénoncés, et restent encore difficilement maîtrisables. Les seuls noms d'agglomérations tels que Forbach, Bruay, Thionville, etc... suffisent à les évoquer. Le nom même de "ville" a été contesté à de tels organismes (Pinchemel, 1968).

La deuxième combinaison (5 agglomérations) est elle aussi largement dépendante du poids relatif d'activités industrielles en crise ouverte et en déclin continu depuis de nombreuses années (classe 6-1). Elle se distingue cependant un peu de la précédente. L'importance relative de ces activités industrielles héritées joue un rôle un peu moindre dans la constitution des profils (34 % au lieu de 50 %). Ces activités peuvent être l'extraction et/ou la première transformation des métaux, ou l'industrie textile. En outre, si les sous-représentations des autres secteurs sont un peu moins importantes, l'ensemble du secteur tertiaire ne regroupe pas plus de 36 % des actifs. Douai, Armentières et Roanne peuvent être retenues comme exemples de cette combinaison.

Le troisième type d'associations (6-2 : 14 agglomérations) encore marqué par l'importance d'activités héritées de la première révolution industrielle (21 % des actifs) combine dans un plus grand équilibre la représentation des autres secteurs de l'activité urbaine. L'existence d'un équipement tertiaire plus dense et de bases apparemment plus larges de développement industriel font l'originalité de ce type d'association, significatif de villes telles que Saint-Quentin, Saint-Etienne, Mulhouse, par exemple.

2) Centres de croissance industrielle. (tableau 11 — classes 5-1, 5-2 et 5-3)

La forte prépondérance des activités de croissance industrielle individualise nettement ces combinaisons.

Le premier type (5-1) décrit les associations d'activité de 4 villes. L'écrasante sur-représentation des activités de croissance industrielle (50 % des actifs en moyenne), rappelle les distorsions introduites ailleurs par l'activité extractive ou la première transformation des métaux. La seule différence (les sous-représentations tertiaires sont ici aussi extrêmes), et sans doute la chance de cette combinaison, est que le monolithisme interne de cet ensemble soit en général moindre, ou que les activités concernées relèvent de types de cycles de production différents, et se trouvent en phase de croissance. Le profil d'activité de Montbéliard illustre ce type de combinaison.

Les deux autres types constitutifs de cet ensemble associent plus étroitement en une même structure activités de développement tertiaire et industriel. Ils se différencient cependant : l'un représentatif seulement de 4 agglomérations (5-2) conserve dans son profil une part non négligeable d'emplois dans des activités industrielles en crise ouverte (14 %) et les marques d'un certain sous-équipement tertiaire (20 % des actifs dans les activités de développement tertiaire). Saint-Dizier, Lunéville en sont de bons exemples.

L'autre est l'expression d'une structure urbaine où le poids des héritages industriels est particulièrement faible (3 %) et où, au contraire, les activités tertiaires de croissance atteignent une proportion proche de la moyenne nationale (22 %). Il concerne 16 agglomérations, et est sans doute, par rapport à l'ensemble des villes plutôt industrielles, le plus expressif du modelage des structures intra-urbaines par les formes récentes de la croissance économique. Clermont-Ferrand, Bourges, le Mans en sont de bons exemples.

TABLEAU 12 — TYPES ECONOMIQUES URBAINS

A – Combinaisons à dominante d'association tertiaire

1) Centres de croissance tertiaire

Agen	Aurillac	Cannes	La Roche s/Yon	Nice	Quimper	Vannes
Aix en Provence	Auxerre	Carcassonne	Laval	Pau	Rodez	
Albi	Blois	Chartres	Macon	Perpignan	Saint Brieuc	
Arras	Caen	Evreux	Montpellier	Poitiers	Toulouse	

2) Points de contrôle territorial

2.1

Chalons/Marne	Dunkerque	Marseille	Saintes	Verdun
Dieppe	Le Havre	Rochefort	Sète	

2.2

Avignon	Chaumont	La Rochelle	Nevers	Tarbes
Béziers	Dijon	Lorient	Nîmes	Toulon
Brest	Epinal	Metz	Périgueux	Tours
Chambéry	Laon	Narbonne	Rennes	

3) Centres de croissance à structure moyenne

3.1

Amiens	Bergerac	Le Puy	Nancy	Valence
Angoulême	Bordeaux	Limoges	Reims	Vichy
Arles	Brive	Montauban	Rouen	
Bayonne	Chatellerault	Moulins	Strasbourg	

3.2

Alençon	Annecy	Bourg en Bresse	Colmar	Nantes
Angers	Beauvais	Chateauroux	Grenoble	Orléans

4) Points de blocage structurel

4.1 | Boulogne | Cognac | Epernay |

4.2 | Fougères | Romans |

B – Combinaisons à dominante d'association industrielle

5) Centres de croissance industrielle

5.1 | Elbeuf | Maubeuge | Montbéliard | St Chamond |

5.2 | Creil | Lunéville | Saint-Dizier | Vierzon |

5.3

Belfort	Chalon/Saône	Clermond Ferrand	Le Mans	Montluçon	Soissons
Besançon	Charleville	Compiègne	Lyon	Saint Nazaire	
Bourges	Cherbourg	Dole	Montargis	Sens	

6) Agglomérations à structures industrielles héritées

6.1 | Armentières | Denain | Douzi | Roanne | Troyes |

6.2

Alès	Castres	Saint-Dié	Vienne
Béthune	Cholet	Saint-Etienne	Villefranche/Saône
Calais	Lille	Saint-Quentin	
Cambrai	Mulhouse	Valenciennes	

6.3

Bruay	La Grand-Combe	Lens	Montceau les Mines
Forbach	Le Creusot	Longwy	Thionville

Chacune de ces trois combinaisons est cependant à sa manière représentative des associations ou exclusions sur la base desquelles s'est effectué depuis une trentaine d'années, dans les villes françaises, le développement industriel le plus rapide.

Le classement exhaustif des agglomérations repris dans le tableau 12 et la carte 113, montre que les bases du développement économique intra-urbain sont encore en 1968 assez contrastées. *Les chances des villes françaises apparaissent très inégales.* Dans la conjoncture économique de croissance particulièrement lente que nous connaissons depuis quelques années et que rien ne doit sensiblement modifier dans le moyen terme, ces disparités risquent-elles de s'accentuer ? En effet, dans un tel contexte économique, les capacités d'adaptation des activités se réduisent, et les redistributions géographiques sont très faibles. En outre, les tensions des marchés locaux de l'emploi s'accentuent, parce que tout concourt à une aggravation de l'inertie des structures. Les disparités des bases de développement intra-urbain mesurées en 1968 sont donc fondamentales pour la compréhension de l'évolution ultérieure. Il faut toutefois déterminer dans quelle mesure ces disparités des potentialités de croissance et des structures des marchés de l'emploi constituent un caractère permanent du système urbain français.

3. LES TRANSFORMATIONS DES STRUCTURES D'ACTIVITE

La ressemblance entre la structure d'activité du système urbain français et celle d'autres pays industrialisés, jointe à l'inertie très grande des localisations de la plupart des activités économiques, laissent supposer une permanence assez grande de cette forme d'organisation des villes. Les caractères du fonctionnement économique du système urbain sont-ils si stables que l'on puisse les décrire dans les mêmes termes de 1954 à 1975 ? Des marques nouvelles se sont-elles imprimées sur ces structures ? Dans quelle mesure peuvent-elles contribuer à de progressives modifications des positions relatives des agglomérations ?

3.1. PERMANENCE DE LA STRUCTURE D'ENSEMBLE

L'analyse de la transformation entre 1954 et 1975 des composantes principales d'activité du système urbain français a été réalisée en tenant compte des modifications intervenues dans les définitions statistiques au cours de la période (annexe n° 1). Nos conclusions sont issues de l'étude comparée des structures d'activité définies à quatre moments particuliers du temps d'observation : 1954, 1962, 1968, 1975. Nous étudions ici la modification des structures et non la structure de la transformation. Pour chaque date les composantes principales de l'activité urbaine sont déterminées de la même manière :

Les 4 tableaux analysés concernent 138 ou 99 agglomérations pour lesquelles les profils d'activité sont établis sur la base de 20 catégories d'activités économiques. La comparaison s'effectue à partir de la structure des composantes définie à chaque étape, par la part de la variance prise en compte par les différents facteurs, par les faisceaux d'activités qui les constituent et par les niveaux de corrélation de ces dernières avec chaque axe (tabl. 8).

La première conclusion de cette comparaison est que ces vingt dernières années sont, en dépit des apparences, caractérisées par une *assez grande stabilité des composantes d'activité des structures urbaines*. Elle signifie qu'au cours de la période d'observation, dans l'ensemble du système urbain français, les grands types d'association géographique d'activités n'ont pas été fondamentalement bouleversés et conservent à peu près la même structure d'ensemble, les mêmes caractères généraux.

La permanence de la première composante est particulièrement grande (corrélation supérieure à + 0,9 entre les coordonnées des villes sur le premier axe aux trois dates). Celle-ci garde au cours de la période non seulement le même poids mais aussi à peu de choses près une structure identique : la grande opposition entre les trois mêmes catégories d'activités industrielles et la presque totalité des activités tertiaires se maintient.

Certes une très légère modification de la signification de cette première composante pourrait être recherchée dans les petites variations du niveau des corrélations des variables avec ce premier facteur : il est à peu près stable pour l'extraction et les industries du textile et de l'habillement ; il s'accroît légèrement pour la chimie et surtout la métallurgie (0,5 en 1954, 0,6 en 1962 et 1968, 0,7 en 1975). Des redistributions d'aussi faible ampleur s'effectuent dans le même temps pour les activités tertiaires (tabl. 8). Indicatives sans doute de lentes évolutions, ces très modestes variations n'infléchissent pas sensiblement, au cours de la période, cette première dimension du système urbain. On observe en outre que ces variations la rapprochent très légèrement (par l'ordre qu'elle introduit entre les villes) du rapport observé entre emploi secondaire et emploi total (fig. 8). Le niveau d'industrialisation devient de plus en plus un facteur de discrimination entre les villes.

La structure de la deuxième composante ne se modifie que très légèrement (les corrélations entre les coordonnées des villes aux trois dates sur le deuxième axe sont égales à + 0,8). Cette évolution exprime sans doute certaines retouches secondes que des faits de diffusion ou de concentration géographique des activités ont apportées au cours de la période aux associations ou exclusions d'activités dans les villes.

L'association constituée autour de l'industrie textile et des industries diverses subit quelques retouches. Elle est surtout à base de services en 1954 ; quoique se rétrécissant, cette base conserve le même caractère jusqu'en 1968. Au-delà, les services aux particuliers disparaissent et sont remplacés par les industries alimentaires et le commerce de gros. A l'opposé, les combinaisons se diversifient. On note un léger renforcement des services (services aux entreprises dès 1954, banques et assurances à partir de 1962, services domestiques en 1975) et l'élargissement de l'éventail industriel (chimie en 1968 et métallurgie en 1975).

Cette évolution peut s'interpréter comme l'expression de la redistribution géographique de quelques activités de service, dont les localisations sont moins systématiquement dissociées des activités tertiaires ou industrielles les plus discriminantes.

Pour 1968, la troisième composante a été définie comme une résultante d'évolution, séparant assez nettement les activités en croissance entre 1954 et 1968 de celles en déclin à peu près constant pendant le même temps. Nous avions alors émis l'hypothèse que dès cette date un *fait structurant important était la vitesse différentielle d'évolution des activités. Cette hypothèse est vérifiée.* L'importance de ce fait s'accentue au cours de la période : cette nouvelle dimension du système urbain français était peu sensible en 1954 et même en 1962. Elle se marque sur le 3e axe en 1968 et dès le deuxième en 1975, témoignant d'une force croissante de l'association dans les villes françaises des activités tertiaires et industrielles en croissance (le niveau de la corrélation de cette troisième composante entre 1954 et 1968 n'est que de + 0.7).

Ces vingt dernières années ont donc représenté pour les composantes principales de l'activité urbaine une période d'assez grande stabilité. Une légère perturbation a toutefois été introduite par l'apparition progressive de cette troisième composante, qui oppose de plus en plus fortement les associations d'activités en croissance à celles constituées surtout d'activités en déclin (qu'elles soient industrielles ou tertiaires).

3.2. TENDANCE GENERALE DU CHANGEMENT

La relative stabilité de la structure d'activité du système urbain français n'implique pas l'immobilisme des profils d'activité des villes. En effet, *cette stabilité est imputable d'une part à la progression simultanée dans les villes des activités les mieux corrélées, et d'autre part aux contrastes d'évolution des différentes activités, industrielles surtout, non associées géographiquement.* La modification des profils d'activité des villes s'exprime par les déplacements de celles-ci dans une structure qui a gardé au cours de la période ses grands équilibres d'ensemble. Ces déplacements se caractérisent par leur généralité, leur ampleur et le nombre limité des directions qu'ils empruntent.

Les modifications des profils d'activité des villes françaises n'ont jusqu'ici été étudiées de manière systématique que pour la période 1962-1968 à l'aide d'indices synthétiques dits de mobilité (Noël — Pottier, 1973). Nous avons déjà noté l'intérêt et les limites de ces mesures (Pumain — Saint-Julien, 1976). Nous tentons ici de décrire systématiquement les déplacements des villes dans la structure d'activité de 1954 à 1968 d'une part, et de 1968 à 1975 d'autre part. Il est impossible de projeter simultanément les modifications des profils d'activité des villes et les variations de leurs composantes d'activité. Plusieurs palliatifs sont théoriquement possibles. La comparaison des positions d'une ville dans chacune des structures (superposition des plans factoriels (1954-1962-1968-1975), suppose que l'on considère comme identiques les composantes des quatre états, ce qui, nous l'avons vu, ne correspond pas exactement à la réalité. Par ailleurs cette solution qui aurait apparemment l'avantage de conserver à chacun d'eux une référence significative, consiste en fait à sous-estimer le déplacement des villes, en négligeant la part du déplacement réel qui est pris en compte (globalement et avec des compensations entre villes) par la modification des composantes de l'activité urbaine.

Nous avons préféré une solution utilisant une référence unique un peu plus abstraite mais qui restitue l'intégralité des déplacements relatifs des agglomérations : analyse en composantes principales d'un tableau qui est la réunion de trois de nos tableaux initiaux (analyse dite "des états" — cf. annexe 2). Il comporte en colonne les 19 catégories d'activité économique (l'extraction a été exclue pour la trop grande dissymétrie de sa distribution) et en ligne 414 agglomérations correspondant aux trois états successifs de chacune des 138 agglomérations (1954-1962-1968). Les facteurs issus de cette analyse expriment donc des composantes très théoriques, intermédiaires entre les états extrêmes de la structure. Ils ne nous intéressent pas en tant que tels. Ils sont la référence commune par rapport à laquelle nous étudions les *trajectoires* des villes. Celles-ci sont des arcs orientés joignant la projection des points représentatifs d'une même ville aux trois dates sur chacun des axes factoriels. Elles expriment par leur orientation, leur longueur et leur position par rapport aux projections des

différentes variables, la signification et l'importance des modifications intervenues dans le profil d'activité de chaque agglomération.

La distribution de ces trajectoires (fig. 10) présente d'importantes régularités. On observe un petit nombre de types d'évolution nettement caractérisés et concernant toujours un nombre significatif de villes. Pour la presque totalité d'entre elles, les déplacements expriment un mouvement d'ensemble conforme aux tendances déjà observées dans l'évolution du profil moyen entre 1954 et 1968. Cette modification généralisée de la répartition des activités dans les villes s'effectue simultanément dans deux dimensions de la structure d'activité qui sont indépendantes. *La tendance (composante d'évolution) la plus importante est une diminution de la part des activités industrielles les plus discriminantes dans la composition de l'emploi des villes (métallurgie, textile), au profit d'activités tertiaires.* La part de celles-ci augmente dans la plupart des cas, tandis que s'accentue la spécialisation des villes où elles sont le plus représentées (adminis-

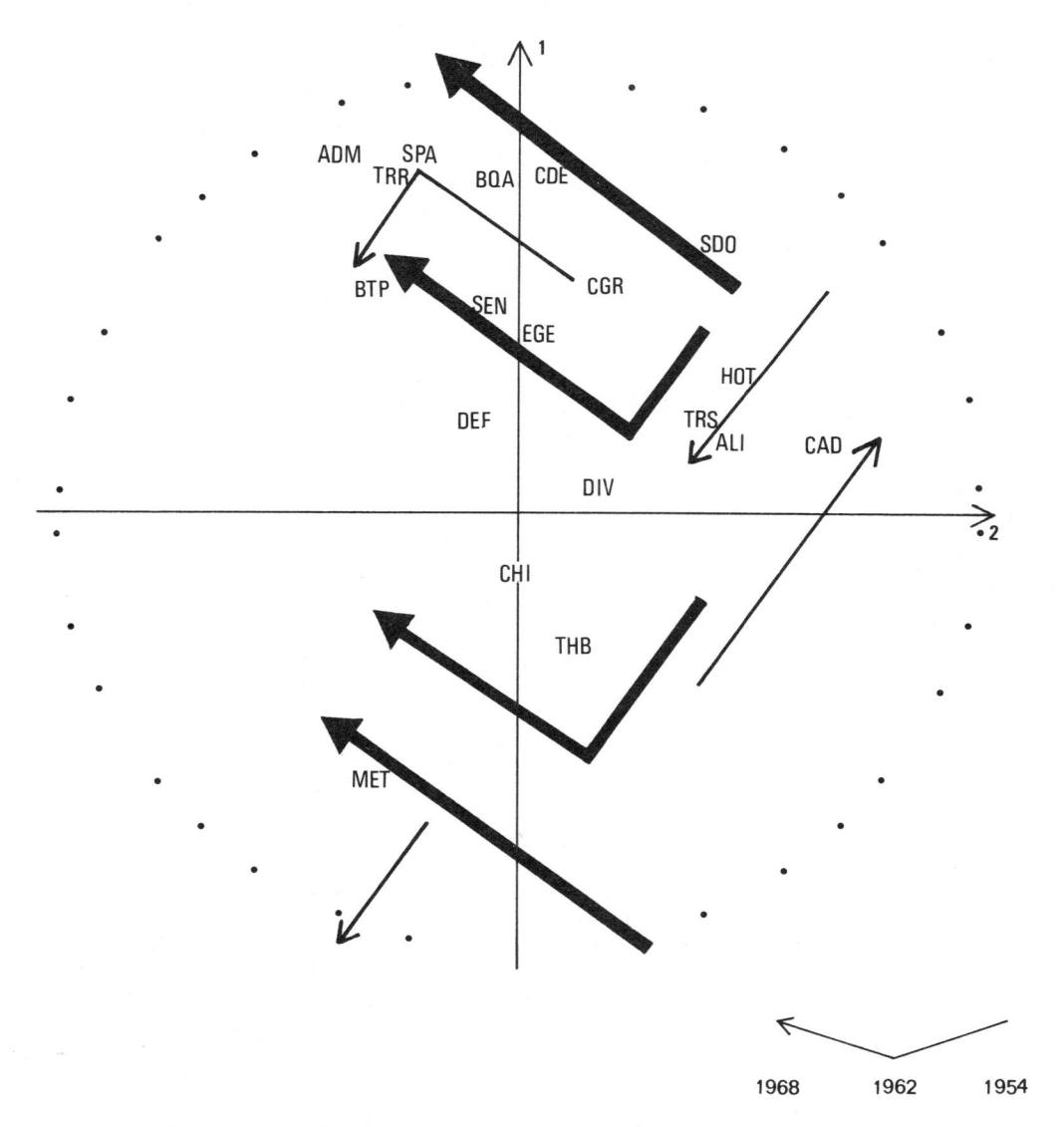

Figure 10 — Déplacements des villes dans la structure d'activité

tration, services aux particuliers, transmissions, banque assurances, commerce de détail). Cette première tendance exprime le *processus de tertiarisation généralisée des villes françaises*. C'est aussi par elle que s'effectue l'homogénéisation de leur profil d'activité. Apparue ailleurs comme une réduction des écarts au profil moyen, elle se manifeste ici par *l'inégal déplacement des villes selon leur position initiale dans la structure* : les villes les plus marquées par les activités industrielles les plus discriminantes sont celles qui effectuent les mouvements de tertiarisation les plus importants.

Ce processus de "tertiarisation" ne correspond pas exactement à l'évolution de l'importance relative dans les villes du nombre des emplois tertiaires. En effet, en réduisant le profil urbain à deux secteurs d'activité, on efface quelques caractères essentiels des transformations structurelles qui soustendent ce processus. En considérant le déplacement des villes sur cette première composante, qui reclasse les activités des plus discriminantes aux plus corrélées, indépendamment de leur appartenance à chacun des secteurs (même si l'opposition des extrêmes reflète cette appartenance), on réintroduit certains caractères de ces transformations. Le sens et l'ampleur des déplacements des villes doivent donc être interprétés dans cette perspective plus large.

La deuxième tendance, moins importante que la précédente, pour l'ampleur des déplacements, s'exerce dans une dimension orthogonale à la première, en combinant des évolutions différentielles à l'intérieur des deux secteurs d'activité. Elle exprime *le mouvement des villes sur une échelle ordonnant les activités d'après l'importance de leur croissance ou décroissance relative*, indépendamment de leur nature secondaire ou tertiaire, et alors même que leur poids dans le profil d'activité des villes est très variable (fig. 10).

Cette échelle comporte, dans l'ordre, le commerce alimentaire de détail, l'hôtellerie, les industries agricoles et alimentaires, les transports, les services domestiques, les industries diverses, le commerce de gros, les industries textiles du côté des activités en régression, et les services aux particuliers, la métallurgie, les transmissions, le bâtiment et les travaux publics, l'administration du côté des activités en croissance.

Cet ordre a déjà été identifié comme l'une des composantes de la structure d'activité des villes au terme de la période d'observation. Le fait qu'une tendance finisse par se traduire dans une structure après une période d'intervention du processus prouve que l'évolution ne s'est pas effectuée au même rythme pour toutes les villes, renforçant des situations antérieures en exagérant des contrastes de profil.

Cette deuxième tendance est donc interprétable comme *un processus de substitution des activités dans les villes, aux effets différentiels*.

Cette évolution aboutit à une structure qui oppose des profils de villes caractérisés par des activités en croissance et des profils plus marqués par des activités en déclin. Cette opposition n'est pas de même nature que celle, plus importante, que déterminent les activités les plus discriminantes. Elle n'est donc pas incompatible avec la réduction des spécialisations les plus extrêmes. Elle touche des villes au profil plus moyen. Elle constitue l'émergence d'une nouvelle dimension de la structure d'activité urbaine.

Ces deux tendances combinées (fig. 10) permettent d'établir *une typologie des villes qui intègre les traits majeurs de l'évolution générale des profils d'activité des agglomérations françaises entre 1954 et 1968*. La première se distingue par l'ampleur des déplacements qu'elle suscite, la deuxième par le très petit nombre de villes qu'elle ne concerne pas. Seules ces deux dimensions donnent une organisation d'ensemble des trajectoires (tabl. 13, carte 115).

Entre 1954 et 1968, le mouvement d'ensemble de tertiarisation des profils et de substitution d'activités, s'exerce de façon continue pour 54 agglomérations. Il prend deux significations différentes selon la position initiale de la ville : pour la moitié d'entre elles cette évolution se traduit par une *réduction des spécialisations dans les activités industrielles les plus discriminantes* (ex. : La Rochelle, Clermont-Ferrand, Lyon). Dans dix cas cette modification aboutit même en 1968 à un renversement de dominante, ces agglomérations rejoignant le groupe des villes tertiaires. Au contraire, pour 27 villes, qui déjà se rattachaient à ce groupe en 1954, l'évolution va dans le sens d'une *accentuation des spécialisations tertiaires* (ex. Niort, Pau, Rennes, Marseille).

Aucune ville n'évolue simultanément en sens inverse de ces deux tendances. Les exceptions au mouvement général ne concernent que l'un ou l'autre des processus. Ainsi, 9 villes échappent

TABLEAU 13 — DEPLACEMENTS DES AGGLOMERATIONS DANS LA STRUCTURE 1954 A 1968

Agglomérations industrielles qui se tertiarisent

Arles	Cherbourg	La Rochelle	Montargis	Tarbes
Armentières	Cholet	Lille	Romans	Toulon
Bergerac	Clermont Ferrand	Limoges	Saint Dié	Vienne
Castres	Dôle	Lyon	Saint Dizier	Vierzon
Châteauroux	Epinal	Lunéville	Saint-Etienne	Villefranche/Saône

Agglomérations tertiaires qui se tertiarisent

Agen	Brive	Metz	Niort	Toulouse
Aix en Provence	Carcassonne	Montauban	Pau	Tours
Aurillac	Chaumont	Montpellier	Perpignan	Verdun
Auxerre	Colmar	Moulins	Quimper	
Béziers	Dieppe	Nantes	Rennes	
Bordeaux	Marseille	Nice	Rodez	

Agglomérations industrielles qui s'industrialisent de 1954 à 1962 et se tertiarisent de 1962 à 1968

Angoulême	Brest	Grenoble	Montbéliard	Saint Quentin
Annecy	Chalon/Saône	Le Creusot	Montluçon	Thionville
Avignon	Chatellerault	Le Havre	Mulhouse	Valence
Belfort	Creil	Longwy	Roanne	Valenciennes
Besançon	Fougères	Maubeuge	Saint Nazaire	

Agglomérations tertiaires qui s'industrialisent de 1954 à 1962 et se tertiarisent de 1962 à 1968

Alençon	Cambrai	Dijon	Narbonne	Reims
Amiens	Cannes	Evreux	Nevers	Rochefort
Angers	Chalon-s/Saône	Le Mans	Nîmes	Rouen
Bourg-en-Bresse	Chambéry	Le Puy	Orléans	Soissons
Bourges	Charleville	Lorient	Périgueux	Strasbourg
Caen	Chartres	Macon	Poitiers	

Agglomérations tertiaires qui se tertiarisent de 1954 à 1962 et s'industrialisent de 1962 à 1968

Albi	Compiègne	Nancy	Vannes
Arras	La Roche-s/Yon	Sète	

Agglomérations industrielles ou tertiaires qui s'industrialisent de 1954 à 1968

Bayonne	Blois	Elbeuf	Laval	Lens
Beauvais	Dunkerque	Epernay	Saint Brieuc	

Agglomérations pour lesquelles se renforce l'importance des activités en déclin avec tertiarisation continue ou tardive

Cognac	Boulogne	Laon	Saintes	Troyes	Calais

à la première tendance et, pour l'ensemble de la période, renforcent ou acquièrent une spécialisation industrielle, métallurgique plutôt que textile (Dunkerque, Saint-Brieuc. . .).

On enregistre cependant des mouvements plus complexes combinant deux phases de déplacement de sens contraire sur la première tendance surtout entre 1954-1962 et 1962-1968. Le mouvement le plus fréquent consiste en une *première phase d'industrialisation*(1) (sens inverse du mouvement général) suivie par une phase de renforcement des activités tertiaires (sens de l'évolution générale), qui aboutit dans moins de la moitié des cas seulement à un poids du

(1) Ces mouvements d'industrialisation ont trop d'ampleur pour n'être imputables qu'aux changements de définition intervenus dans les sources entre 1954 et 1962 (p. 121).

tertiaire plus grand en 1968 qu'il ne l'était en 1954. Pour toutes ces agglomérations d'ailleurs, le processus de substitution des activités est conforme à la tendance générale. Pour 25 d'entre elles déjà industrielles la phase d'industrialisation ne conduit pas nécessairement au renforcement de la spécialisation initiale : dans tous les cas, même pour les villes du textile, l'évolution s'effectue au bénéfice de la métallurgie (Saint-Quentin, Belfort...)

Parmi les 29 unités urbaines initialement peu industrialisées, cette phase d'industrialisation en atteint 20 qui ont toutes plus de 50 000 habitants en 1962, sont généralement assez isolées en milieu rural et enregistrent une assez forte croissance démographique pendant toute la période d'observation. Elles ne rejoignent le courant général de renforcement du tertiaire qu'entre 1962 et 1968 (ex. : Angers, Caen, Le Mans, Bourges...). 7 agglomérations n'ont été atteintes que plus tardivement par le processus d'industrialisation alors qu'elles s'étaient encore tertiarisées jusqu'en 1962. Pour toutes cependant le poids des activités industrielles reste encore faible en 1968 (La Roche sur Yon, Arras, Albi...).

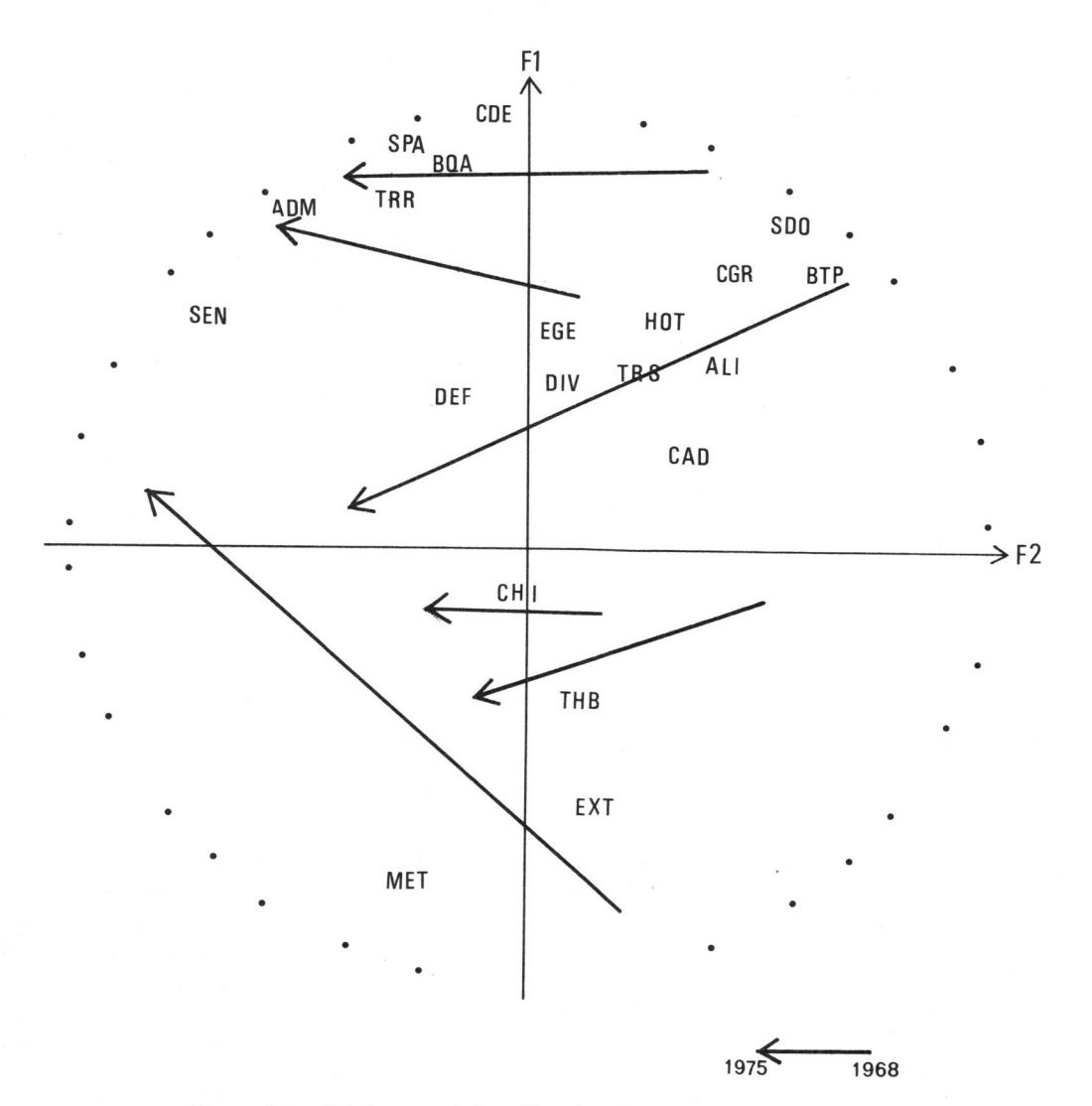

Figure 11 — Déplacement des villes dans la structure d'activité

Seules quelques villes ont évolué en sens inverse de la deuxième tendance entre 1954 et 1962, enregistrant un renforcement des industries agricoles et alimentaires, du commerce alimentaire de détail et des transports. Ce processus de substitution en sens inverse s'accompagne d'une tertiarisation, soit continue (Saintes, Troyes), soit de deuxième phase seulement (Calais, Bourges, Cognac).

A cause des limites imposées par les sources, nous n'avons pas inclus dans l'analyse précédente l'état du système urbain en 1975. Il nous a paru cependant utile de mettre en évidence le sens des translations les plus générales qui se sont opérées dans la période la plus récente. Nous avons donc, selon le même procédé analytique, étudié le déplacement de 99 agglomérations de plus de 50 000 habitants, entre 1968 et 1975.

Les disparités des données initiales exigent de notre part la plus vive prudence dans l'interprétation des résultats. Cependant, dans ces limites, les déplacements des grandes villes indiquent que, dans la phase la plus récente, les tendances précédemment observées se sont ou précisées ou confirmées. La distribution des trajectoires présente encore de très grandes régularités (fig. 11). Les types d'évolution observables sont peu nombreux et concernent tous un nombre significatif de villes. La modification des associations d'activités se poursuit, mais l'ordre des tendances est renversé. La tendance généralisée à la tertiarisation est très largement interrompue. Entre 1968 et 1975 ce processus est beaucoup plus sélectif. Il ne concerne plus que 42 agglomérations plutôt industrielles en 1968. A l'inverse se redessine, et alors qu'il avait disparu entre 1962 et 1968, un mouvement d'industrialisation relative qui touche aussi une quarantaine d'agglomérations. Le *processus de substitution des activités prend le pas sur celui de la tertiarisation du fait de sa généralité*. Il décrit le déplacement de toutes les villes de plus de 50 000 habitants, des activités secondaires ou tertiaires en déclin vers les activités en croissance. De 1968 à 1975 le mouvement de substitution des activités dans les profils urbains se prolonge donc et s'amplifie.

On peut difficilement attribuer au changement de définition de la population active entre 1968 et 1975 le processus d'industrialisation relative enregistré en fin de période par certains profils urbains. Il est probable que ce changement renforce dans certains cas le déplacement lié à la substitution. Il ne peut d'aucune manière être à l'origine de sa généralité.

Entre 1968 et 1975 (tab. 14 Atlas : Carte 116) *39 agglomérations conservent la même tendance de déplacement* qu'au cours de la période 1962-68. 27 villes (auxquelles on peut adjoindre 8 villes minières) continuent de se tertiariser. Dans la majorité des cas (24) il s'agit de villes dont la structure d'emploi était encore en 1968 très fortement modelée par l'industrie et qui poursuivent en matière d'équipement tertiaire un rattrapage amorcé dans la phase précédente (Clermont-Ferrand, Saint-Etienne, Saint-Chamond...). *21 agglomérations interrompent au cours de la dernière période leur mouvement antérieur* de tertiarisation (Nantes, Tours, Valence...) Pour le plus grand nombre il s'agit de l'interruption d'un processus de spécialisation tertiaire.

38 agglomérations renversent la tendance antérieure : pour 31 d'entre elles qui avaient entre 1962 et 1968 suivi le mouvement général de tertiarisation, la nouvelle trajectoire les porte dans la direction des activités industrielles les plus discriminantes. Ce sont dans l'ensemble des agglomérations qui ont des combinaisons d'activité à dominante tertiaire. Nous décrivons par la suite l'originalité des localisations des villes de ce groupe dans l'espace français (Châteauroux, Niort, Dijon.) 6 villes seulement renversent leur tendance de déplacement en se tertiarisant dans cette dernière phase (Arras, Nancy...)

Ce chapitre conduit à quelques conclusions des plus importantes pour notre travail. Pour la période 1954-1968 l'évolution des profils d'activité des villes françaises consiste pour une part en une *homogénéisation apparente qui correspond à un processus de tertiarisation de l'emploi*, amplement traduit dans l'activité urbaine. Ce processus, complexe, ne peut d'aucune manière se réduire à la seule évolution de la part des actifs du secteur tertiaire, qui n'en est qu'une des manifestations.

La modification des profils correspond aussi à une réduction des spécialisations les plus extrêmes. Toutefois, le *processus de substitution des activités entraîne un renforcement de contrastes structurels* opposant des villes riches d'activités en croissance à des agglomérations plus dépendantes des activités en déclin.

TABLEAU 14 — LES GRANDS TYPES DE DEPLACEMENTS DANS LA STRUCTURE D'ACTIVITE DE 1968 A 1975

1) Poursuite du déplacement antérieur

— *27 agglomérations continuent de se tertiariser :*

Agen	Cambrai	Lille	Montbéliard	Reims	Saint-Quentin
Armentières	Chalons/Marne	Longwy	Montpellier	Roanne	Troyes
Besançon	Clermont-Ferrand	Lorient	Nimes	Rouen	
Bourg-en-Bresse	Creil	Lyon	Perigueux	Saint-Etienne	
Bourges	La Rochelle	Maubeuge	Perpignan	Saint-Nazaire	

— *8 agglomérations minières se tertiarisent :*

Alès — Bethune — Bruay — Douai — Forbach — Lens — Montceau-les-Mines — Saint-Chamond

— *4 agglomérations s'industrialisent*

Blois — Compiègne — Dunkerque — Laval

2) Arrêt du déplacement antérieur

— *20 agglomérations cessent de se tertiariser :*

Amiens	Calais	Grenoble	Nantes	Toulouse
Annecy	Cannes	Le Mans	Nice	Tours
Arles	Châlon/Saône	Marseille	Orléans	Valence
Avignon	Charleville	Montluçon	Tarbes	Valenciennes
Brest				

— *1 agglomération cesse de s'industrialiser :*

Albi

3) Renversement de la tendance antérieure

— *32 agglomérations qui s'étaient tertiarisées entre 1962 et 1968 s'industrialisent*

Aix-en-Provence	Béziers	Chambéry	Chôlet	Evreux	Montargis	Pau	Strasbourg
Angers	Bordeaux	Chartres	Colmar	Le Havre	Mulhouse	Poitiers	Thionville
Angoulême	Boulogne	Châteauroux	Dijon	Limoges	Nevers	Quimper	Toulon
Belfort	Caen	Cherbourg	Epinal	Metz	Niort	Rennes	Vichy

— *6 agglomérations qui s'étaient industrialisées entre 1962 et 1968 se tertiarisent*

Arras — Bayonne — Beauvais — Nancy — Saint-Brieuc — Sète

Les observations faites sur les déplacements des plus grandes villes entre 1968 et 1975 *confirment ces tendances. Mais alors que la réduction de spécialisations s'effectue par des rythmes de tertiarisation beaucoup plus sélectifs, le processus de substitution gagne en généralité et en ampleur.*

Descriptifs d'un des cadres fondamentaux de la croissance urbaine en France depuis vingt ans, les caractères de l'évolution des profils d'activité des agglomérations expriment *quelques-uns des traits de la croissance économique de la période.* La "tertiarisation de la société", l'élévation du niveau de vie, le recours de plus en plus fréquent aux services, rendent compte de la translation générale du système urbain vers une prépondérance des activités tertiaires dans l'emploi des villes et une certaine "régularisation" des situations urbaines les plus déficientes dans ce domaine. Sont également sensibles *les effets des politiques menées en matière d'implantation des activités économiques sur le territoire.* Presque exclusivement industrielles jusque vers les années 1966-67, leur intervention est perceptible autant dans le renforcement de l'activité indus-

trielle de certaines villes que dans l'industrialisation importante d'un certain nombre d'autres au cours de la période 1954-62. Soutenus par la croissance économique de ces deux décennies, les effets des mesures prises en vue de mieux maîtriser les transformations des structures urbaines apparaissent aussi dans le processus général de substitution des activités. Ce processus est l'expression de l'adaptation des structures urbaines aux conditions nouvelles de production et d'échange. Ces observations nous font cependant nous interroger sur les capacités des politiques à promouvoir un aménagement des structures, hors d'une conjoncture économique très favorable.

3.3. LES MOUVEMENTS DIFFERENTIELS

Nous avons décrit et interprété les grands types de déplacements des villes dans la stucture d'activité urbaine française entre 1954 et 1968 et entre 1968 et 1975. Nous avons vu à quelles tendances générales de transformation se rattachait chaque agglomération. Cependant, chacune d'elles se déplace à l'intérieur de ces mouvements généraux à des vitesses et selon des orientations qui lui sont propres. Ce sont ces mouvements différentiels des villes, qui, s'ils se prolongeaient, pourraient modifier durablement la structure du système urbain français en provoquant des changements dans les positions relatives des villes.

Nous faisons donc l'hypothèse que l'évolution des profils urbains est la résultante de 2 mouvements. Le premier, commun à toutes les villes, reflète à l'échelle des agglomérations les modifications de l'appareil de production national et de ses structures d'accompagnement. C'est ce premier mouvement que nous venons d'analyser. Le second, propre à chaque ville, donne sa véritable signification à l'évolution de chaque agglomération, contribuant à modifier sa position dans le réseau.

Les méthodes d'analyse des données ternaires (Individus x variables x temps) le plus souvent utilisées ne permettent guère de mettre en évidence que les grands types de trajectoires. Elles séparent mal ce qui, dans ces évolutions, est la tendance générale, et ce qui relève du dynamisme particulier de chacun des individus. Une nouvelle méthode d'analyse mise au point par JL. Vielajus (1976, voir annexe 2) nous a permis de dépasser cette insuffisance. Cette méthode factorielle particulière consiste à projeter le nuage multidimensionnel formé par la réunion des trois tableaux de données (1954, 62, 68), sous la contrainte de minimisation du déplacement des points représentatifs de chaque ville aux trois dates. La structure dégagée par les facteurs minimise globalement et en moyenne les écarts entre les trois tableaux. Le mouvement commun à toutes les villes se trouve donc éliminé des trajectoires des agglomérations sur les nouveaux plans factoriels. Ces trajectoires ne représentent plus que le sens et la vitesse relative de transformation du profil de chaque ville. L'interprétation de ces mouvements résiduels est assez complexe, aussi n'avons-nous retenu que leur expression sur le premier plan factoriel (fig. 12). Sur ce plan, le schéma de projection des variables garde les lignes essentielles de la structure de référence utilisée précédemment. Le premier facteur oppose les industries les plus discriminantes à la plupart des activités tertiaires, le deuxième sépare beaucoup plus nettement la métallurgie et la chimie des industries textiles et diverses. Le nuage projeté a une forme triangulaire, les villes situées à proximité des variables tertiaires n'étant que peu concernées par la dichotomie qu'introduit le deuxième facteur.

Une typologie combinant le sens et la longueur des trajectoires des villes (à condition qu'elles soient bien représentées sur le plan) sur chacun des axes complète l'information concernant les types de déplacement. Leur direction indique si ces mouvements différentiels se sont produits plutôt dans le sens du mouvement général (dans la mesure où les structures de référence sont compatibles) ou plutôt en sens contraire. Leur longueur montre l'importance de l'accélération ou du freinage de ces mouvements.

La direction des trajectoires sur le premier facteur classe les villes d'après leur résistance ou leur anticipation du mouvement général de tertiarisation. Selon leur situation initiale, il s'agit d'un rattrapage (évolution plus rapide que l'ensemble vers le profil moyen), ou d'un renforcement d'une spécialisation (éloignement plus rapide du profil moyen).

La direction des trajectoires sur le deuxième facteur exprime l'amélioration ou la détérioration relative des structures industrielles. Selon la situation initiale des villes il peut s'agir dans les deux cas d'une diversification des activités ou d'une accentuation des spécialisations.

La typologie ainsi construite (tabl. 15, carte 117) complète et enrichit la précédente. Par delà les transformations effectives les plus immédiatement discernables, *les mouvements différentiels atteignent le devenir géographique de chaque agglomération.* Ils tendent en outre à

TABLEAU 15 — LES GRANDS TYPES DE DEPLACEMENT DIFFERENTIEL

1 — PROCESSUS DE RATTRAPAGE INDUSTRIEL

1-1 Avec renforcement relatif des activités industrielles en croissance

Alençon	Caen	Cherbourg	La Roche/Yon	Poitiers
Beauvais	Cannes	Dunkerque	Laval	Saint-Brieuc
Blois	Chalons s/Marne	Evreux	Le Mans	Sète
Bourg-en-Bresse	Chartres	Laon	Montargis	

1-2 Avec augmentation relative plus rapide d'industries à faible croissance

Arles	Charleville	Epernay	Montauban	Verdun
Arras	Châteauroux	Macon	Nevers	
Cambrai	Dole	Moulins	Niort	

2 — PROCESSUS DE RATTRAPAGE TERTIAIRE

2-1 Avec développement relatif d'industries de croissance

Chalon/Saône	Belfort	Orléans

2-2 Avec amélioration des structures industrielles

Angers	Epinal	Lyon	Saint-Quentin	Vienne
Bayonne	Grenoble	Mulhouse	Sens	

2-3 Avec gain relatif d'emploi dans les activités industrielles en déclin

Annecy	Chatellerault	Maubeuge	Saint-Etienne	Valence
Armentières	Longwy	Montluçon	Tarbes	Vichy
Brest	Lorient	Saint-Dizier	Thionville	Vierzon

2-4 Avec détérioration relative des structures industrielles

Bergerac	Cholet	Rochefort	Villefranche/Saône
Castres	Lille	Romans	

3 — PROCESSUS DE SURTERTIARISATION

3-1 Avec substitution au profit d'activités industrielles en croissance

Aix-en-Provence	Béziers	Chaumont	La Rochelle	Narbonne	Reims
Albi	Bordeaux	Cognac	Limoges	Nice	Rennes
Amiens	Brive	Compiègne	Marseille	Nîmes	Rodez
Aurillac	Carcassonne	Dieppe	Montpellier	Pau	Strasbourg
Auxerre	Chambery	Dijon	Nancy	Perpignan	Toulouse
					Vannes

3-2 Avec accroissement relatif de la part des activités en déclin

Agen	Clermont-Ferrand	Metz	Perigueux	Rouen	Toulon
Boulogne	Le Havre	Nantes	Quimper	Saintes	Tours

4 — PROCESSUS DE SURINDUSTRIALISATION

4-1 Avec renforcement de spécialisation dans les activités industrielles en croissance

Bourges	Creil	Luneville	Soissons
Colmar	Elbeuf	Montbeliard	Valenciennes

4-2 Avec détérioration relative des structures industrielles

Angoulême	Calais	Le Creusot	Roanne	Saint-Nazaire
Besançon	Fougères	Le Puy	Saint-Dié	Troyes

définir trois processus de modification du réseau urbain, expression de transformations de la division spatiale du travail.

Un processus de rattrapage tend à rapprocher certaines agglomérations du modèle moyen, soit en amplifiant la tendance générale, soit en allant à son encontre. Pour 32 villes souvent très tertiaires à l'origine, il s'agit d'un rattrapage industriel. 19 d'entre elles ont bénéficié de substitutions ou de développements renforçant des industries en croissance (ex. Caen, Chartres). Pour 13 autres la proportion des industries peu dynamiques a augmenté relativement plus vite (ex. Arras, Nevers). Le rattrapage tertiaire de 34 agglomérations plutôt industrielles au départ s'accompagne d'un éventail complet de transformation des structures industrielles. Pour 3 villes cette transformation consiste dans le développement relatif d'industries de croissance (ex. : Châlon/Saône...). Pour 9 autres le processus de rattrapage s'accompagne d'une simple amélioration de leur structure industrielle (ex. Grenoble). Quinze villes moyennement spécialisées dans la métallurgie diversifient leurs activités industrielles par un gain relatif d'emplois dans des secteurs en déclin (ex. : St-Etienne, Vierzon). Pour 7 villes de cette catégorie enfin l'évolution différentielle consiste en une détérioration relative de leurs structures industrielles, par renforcement relatif d'une spécialisation dans des activités en déclin (ex. : Romans, Castres).

Un processus de surtertiairisation accentue relativement le poids des fonctions tertiaires de 43 agglomérations déjà spécialisées dans ce domaine. Pour 31 d'entre elles s'ajoutent à ce

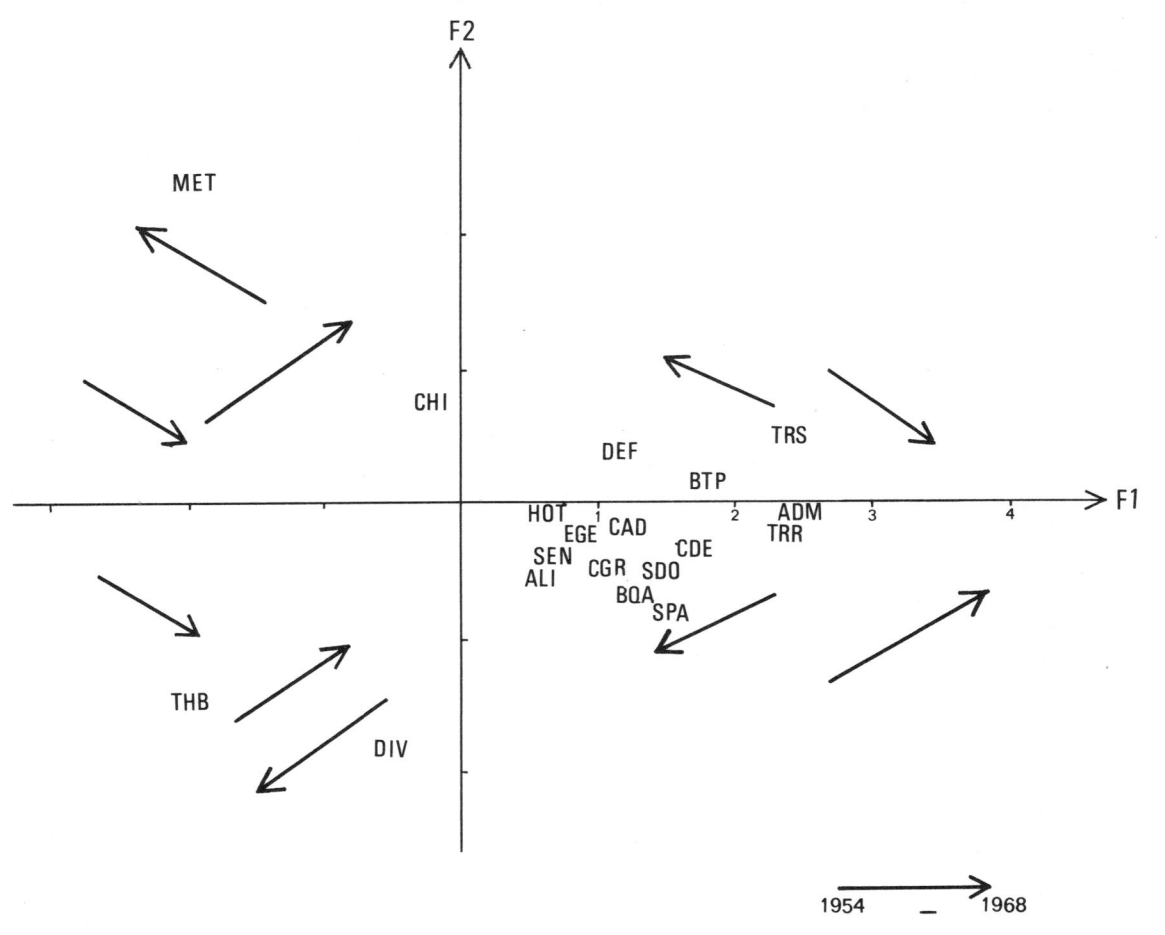

Figure 12 — Les grands types de déplacements différentiels

processus des substitutions au profit d'activités industrielles en croissance (ex. : Montpellier et Auxerre). Pour 12 autres, une certaine diversification a relativement accru la part des activités industrielles en déclin (ex. : Metz, Quimper. . .).

Un processus de surindustrialisation relative, qui peut aussi s'évaluer en termes d'accentuation du retard dans l'équipement tertiaire, concerne 19 agglomérations industrielles. Dans le même temps, 8 d'entre elles ont renforcé leur spécialisation dans des industries de croissance (ex. Montbéliard, Bourges. . .) ou diversifié par celles-ci leurs activités. On peut assimiler l'évolution relative des 10 autres à une détérioration relative des structures industrielles, dans la mesure où il s'agit, soit d'une diversification (conversion. . .), soit d'une surspécialisation au bénéfice d'activités en déclin (ex. : Le Creusot, Le Puy).

Ces processus différentiels concourent à la redistribution des fonctions dans le réseau urbain. Ils mettent en lumière les évolutions spécifiques de chaque ville dans le processus d'ensemble de croissance économique de la période étudiée. La connaissance de ces trajectoires spécifiques est indispensable à l'action intra-urbaine. En effet, ce sont ces déplacements propres qui, s'ils se prolongeaient sans se modifier, voire en s'approfondissant, seraient en mesure de changer la position de l'agglomération dans le réseau urbain national. Toute amorce de réalisation du projet retenu pour une ville passe donc par leur maîtrise, pour les prolonger ou les infléchir. Il faut les identifier, en apprécier la portée, et remonter aux causes sur lesquelles peut s'exercer l'action. Les racines de ces déplacements sont à rechercher dans l'identité de chaque agglomération : sa situation, ses structures socio-économiques et culturelles, ses capacités d'initiative ou de réponse à des incitations extérieures.

4. STRUCTURE D'ACTIVITE ET
AUTRES DIMENSIONS DU SYSTEME URBAIN

La confrontation de la structure d'activité à d'autres caractéristiques du système urbain doit permettre de mieux interpréter la nature des composantes économiques mises en évidence ainsi que le sens des évolutions observées. L'état des sources et les dimensions de ce travail n'autorisent pas à entreprendre une étude globale des liaisons de la structure d'activité avec toutes les caractéristiques urbaines pertinentes. Aussi nous sommes-nous limitées à quelques indicateurs assez accessibles. Ils décrivent trois ensembles de caractéristiques des populations urbaines, souvent mis en relation avec l'activité économique :

— la structure socio-professionnelle ;
— l'évolution démographique ;
— le niveau de vie.

La technique utilisée, qui est essentiellement une recherche des corrélations, ne peut prétendre mettre en évidence des liens de causalité entre les variables. La nature de l'information ne permet pas non plus d'interpréter en ces termes d'éventuels décalages temporels. Aussi nous contenterons-nous de souligner les liaisons les plus importantes et d'observer leur degré de stabilité.

4.1. STRUCTURE D'ACTIVITE ET SOCIETE URBAINE

Alors que la division interurbaine du travail semble évoluer vers une différenciation spatiale moins dépendante de la nature des activités et davantage fondée sur les niveaux de qualification du travail, la mesure de l'importance relative de ces deux dimensions du système urbain et la recherche des modalités de leurs interrelations est particulièrement intéressante.

La structure socio-professionnelle des villes introduit-elle une organisation du réseau urbain qui recoupe dans ses dimensions principales celles de leur structure d'activité économique ? Existe-t-il quelque parallélisme entre les associations ou oppositions d'activités mises en évidence et les associations ou oppositions constitutives de la société urbaine ? L'importance accordée aux correspondances entre les deux structures n'a jamais été très clairement définie, si bien que, selon les cas, ressemblances ou divergences sont évoquées, sans qu'en soient précisées ni la nature, ni le niveau et encore moins l'évolution. Vu l'éclairage que nous donnons à la lecture des structures intra-urbaines d'activité, il importe de préciser si, et comment, s'opèrent des interférences.

Les ambiguités qu'introduisent les nomenclatures en usage en France pour définir les catégories socio-professionnelles sont rappelées en annexe (annexe 1). En l'état actuel, nous ne disposons cependant à cette échelle que de ces catégories statistiques pour étudier la société urbaine.

Nous avons décrit chacune des 138 agglomérations par l'importance relative de chaque catégorie socio-professionnelle dans l'emploi urbain en 1968. Le niveau d'agrégation retenu définit ici chaque profil par dix catégories (1954 et 1968) (annexe 1).

On observe que les structures socio-professionnelles des agglomérations françaises sont à la fois plus homogènes (les disparités de représentation de chaque catégorie sont ici beaucoup moins grandes que celles observées pour les activités économiques) et plus tranchées (les associations et exclusions géographiques entre les groupes de catégories socio-professionnelles sont plus fortes).

TABLEAU 16 — PARAMETRES PRINCIPAUX ET CORRELATIONS C.S.P. 1954 ET 1968

1968		GIC	PIC	CAP	CAM	EMP	OQC	OSM	PDM	PDS	AUC	Moyenne	Coefficient de variation
		1	2	3	4	5	6	7	8	9	10		
GIC	1	1.										1,7	0,45
PIC	2	.51	1.									8,0	0,27
CAP	3	—.03	—.10	1.								6,0	0,28
CAM	4	—.05	—.21	.70	1.							12,3	0,17
EMP	5	.15	—.21	.67	.65	1.						18,8	0,18
OQC	6	—.39	—.12	—.64	—.54	—.71	1.					19,1	0,30
OSM	7	—.15	—.20	—.61	—.58	—.58	.30	1.				24,3	0,20
PDM	8	.40	.20	.30	.21	.45	—.55	—.36	1.			2,8	0.30
PDS	9	.35	.31	.44	.34	.45	—.60	—.48	.42	1.		3,4	0,30
AUC	10	.15	.02	.39	.23	.26	—.46	—.42	.29	.29	1.	3.4	0,56

1954		GIC	PIC	CAP	CAM	EMP	OQC	OSM	PDM	PDS	AUC	Moyenne	Coefficient de variation
		1	2	3	4	5	6	7	8	9	10		
GIC	1	1.										0,8	0,24
PIC	2	.64	1.									5,2	0,24
CAP	3	.37	.17	1.								1,2	0,28
CAM	4	.39	.15	.81	1.							4,3	0,20
EMP	5	.36	.11	.76	.66	1.						6,1	0,22
OQC	6	—.58	—.38	—.74	—.61	—.73	1.					16,9	0,30
OSM	7	—.37	—.47	—.43	—.47	—.41	.08	1.				8,7	0,30
PDM	8	.56	.43	.59	.45	.61	—.59	—.58	1.			1,4	0,30
PDS	9	.49	.46	.44	.32	.39	—.60	—.31	.45	1.		0,8	0.43
AUC	10	.25	.21	.49	.41	.34	—.46	—.40	.44	.32	1.	0,7	0,54

En effet, si l'on compare la dispersion statistique des proportions des différentes catégories socio-professionnelles dans les villes, à celles des catégories d'activité économique, définies à des niveaux d'agrégation comparables (24 CSP et 25 CAE, tabl. 16 et 1), on observe que cette dispersion est moindre pour les CSP que pour les catégories d'activité. En revanche la matrice des corrélations entre les catégories socio-professionnelles (tabl. 16) montre une structure différente de celle des catégories d'activité. Les liaisons entre les catégories d'emploi du secteur productif, définies par le niveau de qualification (ouvriers spécialisés, ouvriers qualifiés, contremaîtres, techniciens...), sont plus fortes que celles qui sont observées, si l'on définit les catégories d'emploi selon la nature de la production.

Les composantes principales de la structure sociale du système urbain français sont bien connues (tabl. 17, cartes 106 à 111). La première oppose les villes les plus ouvrières aux villes les moins industrialisées. La seconde oppose deux types de structure sociale des villes tertiaires, qui expriment chacun des phases différentes de développement urbain. Le premier type, d'origine plus ancienne, associe les surreprésentations des petits et grands patrons de l'industrie et du commerce et du personnel de service. Le second est caractérisé par une surreprésentation des catégories tertiaires salariées (cadres et employés). La troisième composante, beaucoup moins connue, regroupe un ensemble de villes (villes industrielles spécialisées dans le textile ou les industries diverses — Armentières, Calais, Limoges... — et villes tertiaires récemment industrialisées — Chartres, Le Mans, Laval — où sont associées des surreprésentations des ouvriers spécialisés, des employés et des grands patrons de l'industrie et du commerce. Un ensemble de

TABLEAU 17 — CORRELATION DES VARIABLES (CSP) AVEC LES AXES DE L'ACP

CSP	Ier axe		IIe axe		IIIe axe	
	1954	1968	1954	1968	1954	1968
GIC	—.7	—.3	—.5	—.8	—.2	—.2
PIC	—.5	—.1	—.8	—.8	—.0	0.4
CAP	—.8	—.8	0.4	0.4	.0	0.1
CAM	—.8	—.7	0.4	0.5	0.1	0.1
EMP	—.8	—.8	0.4	0.3	—.0	—.2
OQC	0.8	0.8	—.2	0.1	0.5	0.4
OSM	0.6	0.7	0.2	—.1	—.7	—.6
PDM	—.8	—.6	—.1	—.3	0.1	—.3
PDS	—.7	—.7	—.3	—.3	—.3	0.1
AUC	—.6	—.5	0.1	—.0	0.3	0.2

villes qui ont, soit relativement très peu d'ouvriers spécialisés et beaucoup de travailleurs indépendants (Béziers, Aix-en-provence, Narbonne), soit des villes minières, où les ouvriers qualifiés sont surreprésentés (Lens, Douai, Montceau les Mines) s'opposent à ce groupe.

Nous comparons cette organisation des sociétés urbaines à la structure définie par les activités économiques. La première composante de la structure d'activité et celle de la structure sociale ont des significations très voisines. Elles expriment à elles deux une des dimensions fondamentales du système urbain, qui ordonne les villes entre deux types extrêmes de société et d'économie urbaines (tabl. 18). Dans les agglomérations où les activités industrielles les plus discriminantes sont surreprésentées, les catégories sociales ouvrières, quel qu'en soit le niveau de qualification le sont aussi. Au contraire, la surreprésentation des activités tertiaires et des activités industrielles les moins discriminantes correspond avant tout à une très forte sousreprésentation des ouvriers. Cette dimension commune est bien connue. Elle a été assez nettement mise en évidence par Haumont et Bohain (1968). On décrit couramment cette dichotomie en opposant les villes industrielles ou ouvrières aux villes dites tertiaires ou de cadres et plus fréquemment encore "bourgeoises". Cette réduction assimile presque totalement activité écono-

TABLEAU 18 — CORRELATIONS ENTRE STRUCTURE D'ACTIVITE ET STRUCTURE SOCIALE

Structure d'activité	Structure sociale	1954			1968		
		Ière composante	IIe composante	IIIe composante	Ière composante	IIe composante	IIIe composante
1954	Ière composante	.9	.0	.0			
	IIe composante	.0	.1	.0			
	IIIe composante	.1	—.1	.5			
1968	Ière composante				.9	.0	.0
	IIe composante				.0	.4	.3
	IIIe composante				.1	—.4	—.2

mique et structure sociale et renforce la correspondance entre les deux systèmes. En réalité, elle décrit surtout la grande opposition des villes extrêmes, mais nous renseigne mal sur les relations qui peuvent exister aux niveaux intermédiaires des structures.

Les deuxièmes composantes sont plus spécifiques de chaque structure. Sans doute introduisent-elles chacune une dichotomie à l'intérieur des villes tertiaires. Mais les relations entre les deux oppositions ainsi prises en compte sont irrégulières et, quand elles existent, indirectes (tabl. 18). L'opposition exprimée par la deuxième composante de la structure socio-professionnelle témoigne de niveaux différents d'intégration économique des sociétés urbaines. Elle renvoie à une opposition géographique, peu précise d'ailleurs, entre France septentrionale et méridionale. La deuxième composante d'activité souligne plutôt des spécificités fonctionnelles. Cette différence de nature explique l'assez faible ressemblance de ces deux facteurs de différenciation urbaine. En revanche chacun des facteurs est aussi peu corrélé avec la troisième composante de l'autre structure. La signification des deux composantes d'activité et des composantes sociales est donc largement enchevêtrée. D'ailleurs, la troisième composante sociale souligne une opposition entre les villes où les ouvriers non qualifiés sont sur-représentés, et celles où, au contraire, les catégories d'ouvriers qualifiés et de techniciens sont surreprésentées. Sans doute cette forme de ségrégation sociale peut-elle être rapprochée de l'opposition, qui se renforce, entre les villes dont les structures d'activité sont fortement dominées par des activités "bloquées", et celles où tendent à se concentrer les activités de croissance. Cette relation entre les deux dimensions du système urbain français ne relève pas d'un déterminisme absolu, mais est réelle pour un certain nombre de villes.

Au-delà de la grande dichotomie commune aux deux structures, les relations qui existent entre les associations géographiques d'activités économiques et les associations sociales urbaines ne sont donc ni étroites ni systématiques. La planification intra-urbaine nécessite cependant une certaine connaissance des relations plus élémentaires qui relient profil d'activité et profil social. Nous avons donc jugé utile d'identifier ces relations élémentaires directes.

Ces relations ont été mesurées entre vingt catégories d'activité économique et 24 catégories socio-professionnelles (annexe 1) par le calcul des coefficients de corrélation entre les séries de leurs pourcentages dans l'emploi de 138 agglomérations (tabl. 19). Les schémas de relation des activités économiques et des catégories sociales peuvent être ramenés à quatre types distincts. Ces types s'individualisent si l'on tient compte pour chaque activité du nombre, de l'intensité et de la nature des relations directes on indirectes qu'elle entretient avec les différentes catégories socio-professionnelles.

Sept catégories d'activités économiques n'ont de liaison statistique moyenne ou forte ($|r| \geqslant 0,5$) avec *aucune autre catégorie d'activité et aucune catégorie socio-professionnelle particulière*. Ce sont pour l'industrie : la chimie, les industries agricoles et alimentaires et les industries diverses, pour le tertiaire : les transports, le commerce alimentaire de détail, les services domestiques, l'eau le gaz et l'électricité. Cela ne signifie pas que leur surreprésentation n'ait aucune relation avec la forme du profil social d'une ville donnée, mais que dans l'ensemble des villes, il n'existe pas de relations entre l'importance relative de l'emploi dans ces activités et certains traits des associations géographiques des catégories socio-professionnelles.

Cinq catégories d'activité ne sont en relation forte qu'avec une catégorie socio-professionnelle particulière. Pour l'une d'entre elles, *l'industrie textile*, l'existence de cette relation exclusive est intéressante au regard du processus de développement intra-urbain, puisqu'un lien apparaît entre l'importance relative dans la ville de cette activité, et celle des ouvriers non qualifiés. Rien ne nous permet ici de dire s'il s'agit d'une relation causale, dans un sens ou dans l'autre, mais sa généralité doit être prise en considération dans les recherches de création d'emplois urbains.

La relation directe qu'entretient l'activité du commerce de gros avec le système socio-professionnel est originale, car elle ne s'établit pas avec une catégorie se rattachant directement à l'activité commerciale mais avec le groupe des cadres administratifs moyens. On a là le reflet de la fonction de service intermédiaire de cette catégorie, qui s'exerce plutôt dans les centres urbains d'une certaine dimension, correspondant entre autre à certains niveaux intermédiaires de la hiérarchie administrative (Beaujeu-Garnier, Delobez, 1977). Liée au commerce de détail non alimentaire, la force de sa présence peut de ce fait, mais indirectement cette fois, avoir une relation avec certaines surreprésentations des employés de commerce et des professions libérales.

Pour les trois autres catégories d'activités, les relations univoques observées (activité extractive — mineurs, défense — autres catégories, militaires essentiellement, hôtellerie — autres personnels de service) ne présentent aucun intérêt dans la mesure où la catégorie sociale est pratiquement définie (les différences sont mineures) sur la base de la catégorie d'activité, indépendamment de la nature de la fonction individuelle exercée et de la qualification requise.

TABLEAU 19 — CORRELATIONS ENTRE CAE ET CSP 1968

CAE \ CSP	PIC	PAR	GCO	PCO	PLI	PRO	ING	CAS	INS	SMS	TEC	CAM	EMP	EMC	CON	OQU	OSP	MIN	APP	MAN	DOM	FME	APS	AUC
EXT				−.6				−.4				−.5	−.4					.9						
BTP	.4		.4	.4	.5	.4		.6	.4				.5	−.6	−.5	−.5				−.5		.4	.6	.4
MET	−.4							−.4			.6	−.4		.6	.6	.4							−.4	
CHI																								
ALI																								
THB													−.4				.4							
DIV																	.4							
TRS																								
CGR				.4				.4				.6	.4	.4	−.4	−.4		−.4		.4				
CAD																								
CDE	.5	.5	.5		.5			.5	.4			.7	−.5	−.5	−.5		.4		−.4				.5	.5
HOT				.5	.4																			.7
BQA					.4			.6				.7	.8	.4	−.5	−.5		−.4		−.4			.4	.4
SDO			.4	.4	.4			.4				.4				−.4				−.4			.4	.4
SPA	.4	.4			.5			.4				.5	.4	.5	−.5	−.4	−.4			−.4	.6	.7	.5	.4
SEN					.5	.5		.6	.4		.6	.7	.6		−.5	−.6	−.4	−.4		−.4	−.4		.7	
EGE																								
TRR								.7	.4	.5		.7	.7	−.4		−.5	−.5			−.4		−.4		
ADM						.6		.7	.6	.5		.7	.7	.4	−.4	−.6	−.6			−.4			.4	
DEF					.4																			.9

Une *catégorie industrielle : la métallurgie* a des relations, identiques par leur intensité, avec *trois* catégories socio-professionnelles *exprimant chacune un niveau différent de qualification du travail industriel* (techniciens, contremaîtres, ouvriers qualifiés). Il existe donc un rapport dans les aggolmérations entre l'importance relative des emplois de la métallurgie et celle des emplois industriels qualifiés. Ce rapport confirme que, dans l'ensemble, le développement de la métallurgie dans les villes a correspondu à une amélioration des structures de qualification de l'emploi.

Six activités tertiaires, assez étroitement corrélées entre elles, ont chacune des liaisons directes avec plusieurs catégories socio-professionnelles (7 liaisons pour les services aux entreprises, 6 pour l'administration, 4 pour les services aux particuliers et le commerce non alimentaire de détail, 3 pour les secteurs de la banque-assurances et des transmissions-radio). Du fait de leur assez forte connexité, chacune se rattache à un système de relations indirectes plus complexe encore et entretient une relation négative avec au moins une catégorie ouvrière.

Il faut sans doute faire la part des apparences, dans l'extrême complexité des interrelations notées, très fortement dépendantes des ambiguités des définitions initiales. Ces inter-relations ne suffisent pas à dégager des causalités terme à terme. Certaines sont vraisemblablement significatives des relations entre des niveaux hiérarchisés du fonctionnement urbain et les profils des hiérarchies sociales des centres. Ainsi, ce sont les services aux entreprises, indicatifs de niveaux très particuliers dans la hiérarchie des fonctions urbaines, qui entretiennent les relations directes les plus nombreuses avec les catégories sociales hiérarchiquement les plus favorisées (professions libérales, professeurs, cadres administratifs supérieurs, cadres moyens). Pour l'administration, ce nombre tombe à 3, il n'est plus que de 1 pour le secteur de la banque-assurances, les services aux particuliers...

Nous n'avons jusqu'ici rien dit des relations du secteur du bâtiment et des travaux publics, secteur dont le schéma de localisation s'est largement apparenté au cours de la période observée à celui des activités de service. Nous ne pensons pas que sur moyenne période les liaisons observées représentent autre chose que des associations momentanées avec les types de villes sur lesquels s'est portée la croissance démographique.

Ainsi se présentent les principaux schémas des inter-relations observables. Ils nous restituent à cette échelle, du fait de leur généralité, l'image la plus précise que l'on puisse donner des interférences existant dans les villes françaises entre structures sociales et d'activité, au-delà de la grande opposition qui leur donne en 1968 une première dimension presque commune, la seule que l'on perçoive en général.

On peut s'interroger sur la permanence de ces inter-relations structurelles. Appréhendées au niveau des composantes, ces interrelations résultent-elles en fin de période de l'évolution conju-

guée des profils de l'activité et de la société des villes au cours des deux dernières décennies ? Vérifie-t-on l'hypothèse selon laquelle les profils sociaux des villes se seraient lentement spécialisés, cependant que se développait un assez large mouvement de diversification des structures d'activités ? Si cette hypothèse se vérifiait, on s'acheminerait vers une situation où les disparités interurbaines relèveraient avant tout de spécificités sociales, en relation avec la généralisation, dans un nombre croissant de branches d'activité, de nouvelles formes de division géographique du travail.

La translation d'ensemble de la société urbaine entre 1954 et 1968 est assez importante. Elle procède plus de substitutions des catégories à l'intérieur des grands secteurs d'activité que d'un mouvement de tertiarisation, d'amplitude faible (la proportion des ouvriers passe de 45 à 43 % de l'emploi urbain). On observe une forte croissance du poids relatif des ouvriers spécialisés, des cadres moyens, des cadres supérieurs et des employés, tandis que les proportions des petits et grands patrons de l'industrie et du commerce et celle des ouvriers qualifiés (mineurs inclus) diminuent (tabl. 16).

Au cours de la période d'observation, les profils sociaux des agglomérations se sont dans l'ensemble homogénéisés du fait d'une uniformisation de l'importance relative dans les villes des catégories de salariés, et en particulier des catégories les moins qualifiées (tabl. 16). Le degré de concentration géographique des cadres, ouvriers qualifiés et techniciens est demeuré stable, alors que les cadres administratifs moyens, les employés et les ouvriers spécialisés se sont considérablement diffusés dans l'emploi urbain. Au contraire les non-salariés (petits et grands patrons de l'industrie et du commerce) se sont fortement rétractés géographiquement, en même temps que leur poids relatif diminuait dans les agglomérations.

Tout en enregistrant ces transformations, les composantes de la société urbaine conservent au cours de la période une assez grande stabilité (tabl. 17). La première composante garde la même signification, mais son importance s'est réduite (51 à 44 % de la variance totale), soulignant un rapprochement des structures sociales des villes les plus extrêmes. L'opposition qu'exprime la deuxième composante se renforce au contraire. Elle traduit une ségrégation croissante des agglomérations aux structures sociales les plus anciennes, par renforcement relatif des groupes de travailleurs indépendants. En réalité elle traduit l'immobilisme des structures sociales de certaines villes, faiblement atteintes par la croissance économique récente et le développement du salariat. La transformation la plus importante apparaît au niveau de la troisième composante. Nous l'analysons très précisément, car l'évolution qu'elle enregistre peut infirmer ou confirmer l'hypothèse d'une spécialisation des structures sociales urbaines selon le niveau de qualification du travail. Elle montre une complexité croissante des structures sociales. En 1954, l'opposition entre les distributions interurbaines des ouvriers qualifiés et des ouvriers spécialisés était plus tranchée. (Elle se doublait d'une autre opposition, celle des répartitions géographiques des militaires et des grands patrons de l'industrie et du commerce, associés au personnel de service).

En 1968, les distributions des deux catégories ouvrières se sont légèrement rapprochées. Ces deux catégories s'associent dans un certain nombre de villes à de nouvelles catégories sociales. Elles forment ainsi une opposition composite mais globalement fondée sur un niveau de qualification : ouvriers spécialisés et employés s'opposant aux ouvriers qualifiés cadres supérieurs et petits patrons. En réalité ces rapprochements n'impliquent pas la surreprésentation simultanée de toutes ces catégories dans les mêmes villes, mais des coïncidences partielles.

Le phénomène de ségrégation et de spécialisation sociale croissante est donc perceptible à ce niveau seulement. Si les modifications des structures sociales des villes reflètent, comme celles des structures d'activité, les transformations récentes du système urbain, les interrelations entre les composantes principales de l'activité et de la société urbaine n'évoluent en revanche que très lentement (tabl. 18). Cette permanence dans le niveau des liaisons exprime sans doute une certaine simultanéité des variations des deux structures, qui rend compte de la stabilité observée dans les dimensions du système urbain qu'elles constituent.

4.2. STRUCTURES D'ACTIVITE ET NIVEAUX DE VIE URBAINS

Sous-jacente à la recherche des interrelations entre structure urbaine d'activité et structure sociale, une nouvelle question se dessine. Existe-t-il à un moment donné des rapports entre les composantes de l'activité et les disparités inter-urbaines de niveau de vie ? Les relations existantes se sont-elles modifiées au cours de la période d'observation ?

La mesure des disparités de niveau de vie des villes peut être théoriquement réalisée de différentes manières. Dans la pratique, surtout si l'on projette d'effectuer cette mesure à différentes dates, les limites des sources disponibles imposent certains choix, dont celui d'une interprétation assez étroite de la notion de niveau de vie : niveau moyen des disponibilités financières qu'une population peut consacrer à la satisfaction de ses besoins ou projets individuels. Nos conclusions ne se situent qu'à l'intérieur de cette perspective étroite et très "monétariste". Les niveaux des salaires sont une composante importante de cette mesure. Nous les prenons donc en compte. Ils ne sont cependant que partiellement significatifs des disparités interurbaines. En effet on sait que la richesse d'une ville est largement conditionnée par le niveau des revenus des travailleurs indépendants. Or aucune statistique n'évalue à cette échelle géographique ces revenus en tant que tels. Nous avons donc cherché une mesure synthétique qui englobe aussi cette source très puissante de revenu urbain. L'indice de "richesse vive" (annexe n° 1) nous a paru un indicateur assez sastisfaisant d'un niveau de vie moyen. Etabli sur des bases d'une bonne fiabilité il est une mesure synthétique qui, à l'échelle de l'ensemble des agglomérations françaises et pour une période longue, donne une évaluation des disponibilités financières moyennes dont dispose un habitant. Il permet de classer les villes selon le niveau moyen de leur pouvoir d'achat et d'examiner les écarts qui apparaissent entre ce classement et celui introduit par les niveaux des salaires (annexe n° 1).

Il existe en fin de période pour les agglomérations de plus de 50 000 habitants *des relations assez fortes entre la première dimension de leur structure d'activité, l'opposition villes industrielles-villes tertiaires, et leur position relative pour la richesse moyenne* (fig. 13). On observe un rapport assez étroit entre la richesse d'une agglomération et la place des activités tertiaires dans sa structure d'emploi (corrélation entre la première composante d'activité et l'indice de "richesse vive" = + 0.7). Cette mesure du niveau de vie moyen d'une agglomération est indicative de la qualité des équipements existants pour le service des ménages. Elle concourt grandement à l'image de marque des villes, en association étroite avec la dimension définie par les premières composantes de l'activité et de la société urbaine.

Cette image est très largement diffusée. Elle tend à opposer les villes "riches" que l'on dit aussi "attractives" et des villes "pauvres" que l'on dit plus "répulsives", sans préciser si la répulsion qu'elles sont censées exercer est due à leur pauvreté, ou à la structure sociale qui l'accompagne. Ce schéma estompe une autre réalité beaucoup plus mal connue. Il n'existe pas de rapport

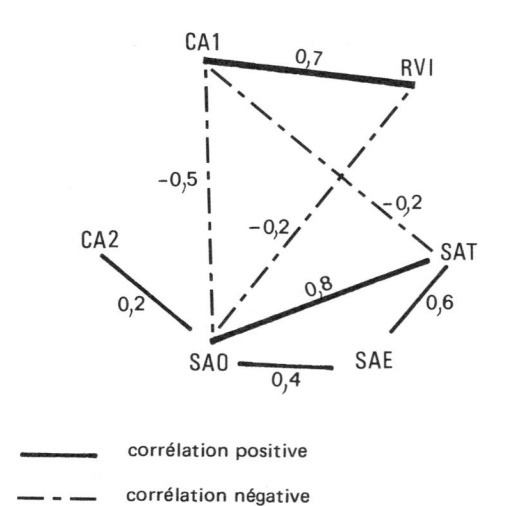

Figure 13 — Corrélations entre composantes d'activité et niveaux de vie en 1968-1971

entre cette image et le niveau relatif des salaires distribués. En effet *on n'observe en 1970 aucune relation entre le niveau moyen des salaires distribués et le niveau de vie défini par l'indice de "richesse vive"*. De la même manière, les corrélations existant entre niveaux des salaires et importance du secteur tertiaire dans la structure d'activité sont faibles, voire négatives, dans le cas des salaires d'employés. On s'étonne moins qu'une relation négative s'établisse entre les niveaux des salaires et la troisième composante d'activité, qui traduit l'inscription dans les structures urbaines de l'aggravation des ségrégations géographiques des activités en déclin.

On pourra certes prétendre que les salariés mal rémunérés des villes "riches", trouvent des compensations dans le niveau élevé des équipements collectifs publics que devrait susciter la présence du groupe plus ou moins favorisé et plus ou moins nombreux des actifs indépendants. L'étude des comptes d'agglomérations de Bouinot et Maarek (1974) réalisée en 1968 pour 98 unités urbaines de plus de 50 000 habitants, incite à la plus grande prudence dans l'affirmation d'une influence des structures socio-économiques sur le budget des agglomérations.

Entre 1954 et 1970, les disparités interurbaines de niveau de vie, qu'elles soient mesurées par l'indice de richesse vive ou par le niveau moyen des salaires, se sont atténuées (les coefficients de variation passent respectivement de 0,23 à 0,18 et de 0,11 à 0,08). Cette homogénéisation des niveaux de vie correspond à la fois à un relèvement des indices les plus faibles et à une réduction des plus élevés. Toutefois, les transformations de leur relation à la structure d'activité font apparaître un processus de redistribution sélective des niveaux de salaires et de pouvoir d'achat, lié à la situation socio-économique des agglomérations. Dès 1954, il existe une relation positive entre la première composante de l'activité urbaine et les disparités de niveau de vie des agglomérations (fig. 13). Cependant l'intensité de cette relation est moins grande à cette date qu'elle ne le devient par la suite (corrélation + 0.5 en 1954, + 0.7 en 1970). Cette observation tendrait à montrer qu'au cours de la période s'est effectuée une certaine *redistribution du pouvoir d'achat au profit de villes "riches" à combinaisons d'activités de plus en plus systématiquement tertiaires, et aux dépens de villes "pauvres", industrielles dans un nombre croissant de cas*. Dans le même temps s'accentue l'indépendance entre structure d'activité et niveau de richesse d'une part, et niveau des salaires des agglomérations d'autre part. En effet, les salaires, bien que très peu dépendants de la structure d'activité et en particulier de la première composante, sont cependant au début encore en relation positive avec elle. Les vingt dernières années auraient-elles accentué les distorsions interurbaines entre le niveau moyen de la richesse disponible pour la consommation et le niveau moyen des ressources des salariés ? Cette évolution pourrait pour une part résulter de la création dans les villes tertiaires d'un grand nombre d'emplois salariés industriels ou tertiaires, à faible niveau de qualification et donc de rémunération. Elle pourrait en outre renforcer l'hypothèse d'une spécialisation sociale croissante des villes en rapport avec les formes nouvelles de la division du travail.

4.3. STRUCTURES D'ACTIVITE ET CROISSANCE DEMOGRAPHIQUE

Au cours de la période étudiée, une croissance démographique rapide a été le plus souvent interprétée comme un signe de bonne santé urbaine. Depuis quelques années seulement cette opinion est remise en cause, le souci de la qualité de la vie urbaine primant la volonté d'expansion. D'ailleurs, les grandes villes françaises (ici les agglomérations de plus de 50 000 habitants en 1968) ont eu des taux de croissance élevés jusqu'en 1968 (2,1 % par an de 1954 à 1962 et 2 % de 1962 à 1968 en moyenne) et légèrement plus faibles de 1968 à 1975 (1,3 % par an en moyenne).

Le rythme de la croissance est un facteur très important de différenciation des agglomérations (les taux de variation des populations urbaines sont parmi nos indicateurs les plus dispersés statistiquement). Les disparités entre villes se sont même accentuées de 1954 à 1975, alors que la distribution géographique des taux de croissance demeurait à peu près stable. Cependant, la géographie de la croissance de la première période (1954-1962) se distingue un peu (corrélations + 0.6) de celles des périodes ultérieures, qui se ressemblent davantage (corrélation + 0.8).

L'originalité de cette première phase de croissance urbaine, qui fait suite à la période de reconstruction, se manifeste aussi par ses modalités. Les plus forts taux se sont portés à la fois sur les villes très industrialisées de la Lorraine et de la région Rhône-Alpes et sur certaines villes très tertiaires de l'Ouest et du Sud-Est. Cela explique la faible corrélation de ces taux de croissance avec la composante principale de l'activité urbaine, qu'elle décrive les situations initiales ou finales (fig. 14). Contrairement à cette première phase, à partir de 1962, l'opposition s'accuse

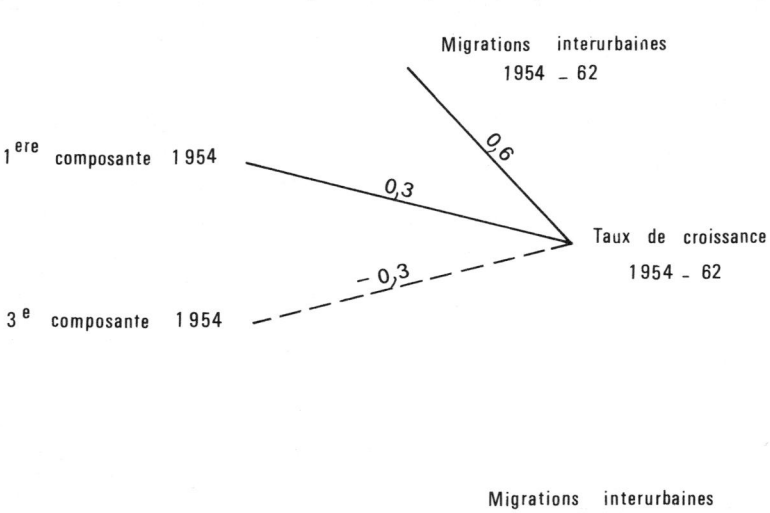

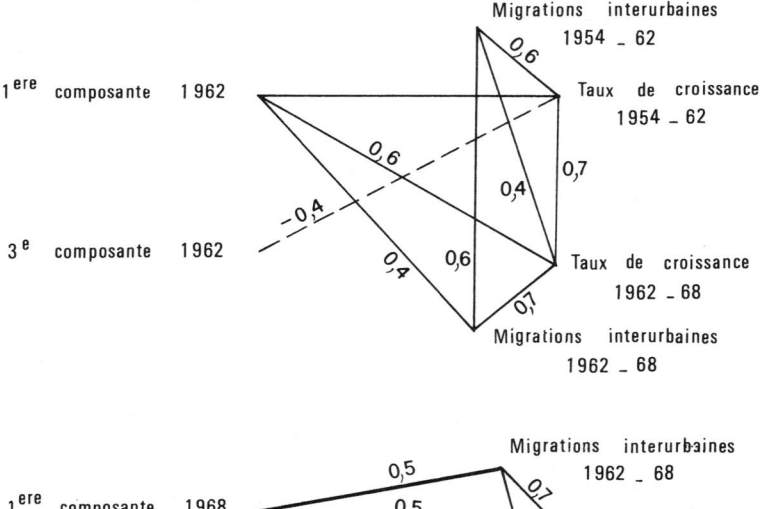

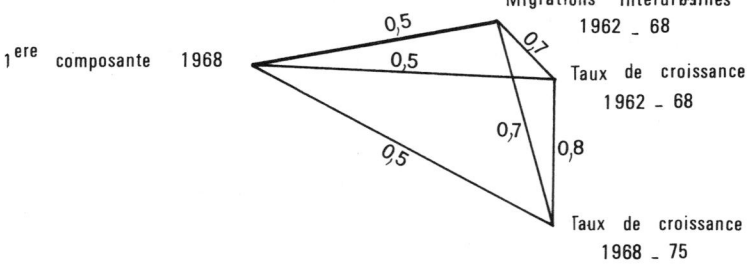

——— corrélation positive

— — — corrélation négative

Figure 14 — Corrélations entre structures d'activité et taux de croissance

entre la faible croissance des villes industrielles et ouvrières, et la forte croissance des villes tertiaires, où les catégories sociales les plus favorisées sont surreprésentées. D'ailleurs la croissance est légèrement mieux corrélée avec la première composante de la structure sociale qu'avec celle de la structure d'activité.

Les taux de croissance démographique affectent la taille des villes et donc leur position dans le réseau urbain. Ils ont une signification quantitative non négligeable, qui peut être complétée par une mesure plus qualitative d'attraction différentielle des agglomérations. Une approche en est donnée par un indice relatif aux seules migrations interurbaines. Ce "filtre migratoire" (Balley, Pumain, Robic, 1973) est le rapport du nombre des immigrants en provenance des unités urbaines de plus de 50 000 habitants au nombre des émigrants à destination de ces mêmes villes au terme d'une période intercensitaire (annexe 1). Dans la mesure où la croissance urbaine par ponction de zones rurales est un phénomène régionalement très différencié d'une part et en voie de tarissement d'autre part, cet indice est plus significatif que les taux de croissance du dynamisme profond des agglomérations et des modifications lointaines des positions des villes dans le système.

Là encore il est nécessaire de distinguer deux phases : *entre 1954 et 1962, le bilan des échanges migratoires interurbains est totalement indépendant de la structure d'activité.* Il constitue d'ailleurs une composante d'un poids relativement variable dans les taux de croissance des villes (corrélation + 0.6). La relation souvent invoquée entre le niveau des salaires et l'attraction migratoire lointaine, sans être tout-à-fait inexistante n'atteint cependant qu'un niveau d'intensité médiocre (+ 0,4, fig. 14). De 1962 à 1968, les échanges migratoires interurbains présentent un tout autre schéma de distribution géographique et d'interrelations avec le système urbain. Ils constituent une composante beaucoup plus générale des taux de croissance (corrélation 0,8). Surtout, ils ne sont plus indépendants de la structure d'activité. *Les villes caractérisées par des associations d'activités tertiaires ont tendance à avoir les bilans migratoires interurbains les plus positifs.* Ce sont donc les villes les moins ouvrières, où les catégories sociales les plus favorisées sont le mieux représentées, et où la richesse est la plus grande, qui exercent dans l'ensemble l'attraction la plus forte.

Qu'on l'apprécie dans sa totalité ou par l'une de ses composantes, on retrouve bien entre 1954 et 1975 deux phases de la croissance urbaine qui correspondent, avant et après 1962, à des schémas différents de transformation du système urbain français.

5. STRUCTURES SOCIO-ECONOMIQUES ET DEVENIRS URBAINS

Il nous a semblé intéressant de décrire la différenciation socio-économique du système urbain français en considérant simultanément les indicateurs jusqu'ici étudiés séparément : structure d'activité, structure socio-professionnelle, niveau des salaires, richesse vive, dynamisme démographique et attraction migratoire. Nous ne prétendons pas dégager ici une structure du système, au sens de celles mises en évidence pour les activités économiques ou les catégories socio-professionnelles. Il s'agit plutôt d'une image, assez globale mais d'interprétation limitée, des situations des villes pour l'ensemble des critères étudiés. Cette image souligne quelles liaisons s'opèrent, à travers les populations urbaines, entre les indicateurs de cette situation. Les modifications qu'elle enregistre de 1954 à 1975 sont susceptibles d'éclairer les modalités du changement : le schéma de liaison de certaines variables a-t-il changé au point de les signaler comme indicatrices de transformations du système urbain ? ou bien le changement se limite-t-il à des déplacements d'agglomération dans une structure socio-économique qui conserve les mêmes associations ?

5.1. LA SITUATION SOCIO-ECONOMIQUE DES VILLES VERS 1970

Cette image globale a été obtenue en effectuant une analyse en composantes principales et une classification hiérarchique ascendante (programme Jambu, distance euclidienne) sur 14 variables décrivant la position des 88 agglomérations de plus de 50 000 habitants : 4 composantes économiques (axes de l'ACP sur les activités regroupées en 1968), 4 composantes socio-professionnelles (axes de l'ACP sur les CSP en 10 groupes en 1968), 3 indices de salaires (total, employés, ouvriers) en 1970, un indice de richesse vive (Proscop 1971), le taux de croissance moyen annuel 1954-1975 et l'indice de filtre migratoire interurbain (1962-1968).

Ces analyses confirment que *deux principes majeurs de différenciation rendent compte de la disparité des situations des villes* (fig. 15) :

Le premier, qui traduit une certaine *"image de marque"* des villes, combine l'orientation principale de l'activité économique (production ou service) renforcée par la dominante sociale, le niveau de la richesse et le type d'évolution démographique. Il oppose à ses deux extrêmes des villes aux associations d'activité tertiaires, aux catégories sociales favorisées, riches, en forte croissance, très attractives (Cannes, Aix-en-Provence, Montpellier, Nice...) à des villes très marquées par des structures industrielles vieillies, très ouvrières, où le niveau de vie est faible, qui sont en stagnation démographique et ont des échanges migratoires interurbains déficitaires (Lens, Denain, Forbach, Bruay-en-Artois, Montceau-les-Mines, Douai...).

Le second principe ordonne les villes d'une manière totalement indépendante du premier. C'est en quelque sorte un *axe de modernité*. Il reflète assez bien la diffusion dans les villes d'un certain progrès économique et technique. Il combine le niveau des salaires (lié sans doute à des inégalités de productivité), l'importance relative des salariés et des travailleurs indépendants et le dynamisme des branches de production. Il oppose des villes où les salaires sont élevés, où les salariés — en particulier ceux du secteur administratif, cadres moyens et employés — sont nombreux, et qui ont pour la plupart connu un développement industriel nouveau (Lyon, Montbéliard, Dunkerque, Annecy...), à des villes où les salaires sont faibles, les structures sociales marquées par le nombre des travailleurs indépendants (petits commerçants notamment) et qui n'ont guère été touchées par les formes modernes d'industrialisation (Périgueux, Perpignan, Agen, Cherbourg...).

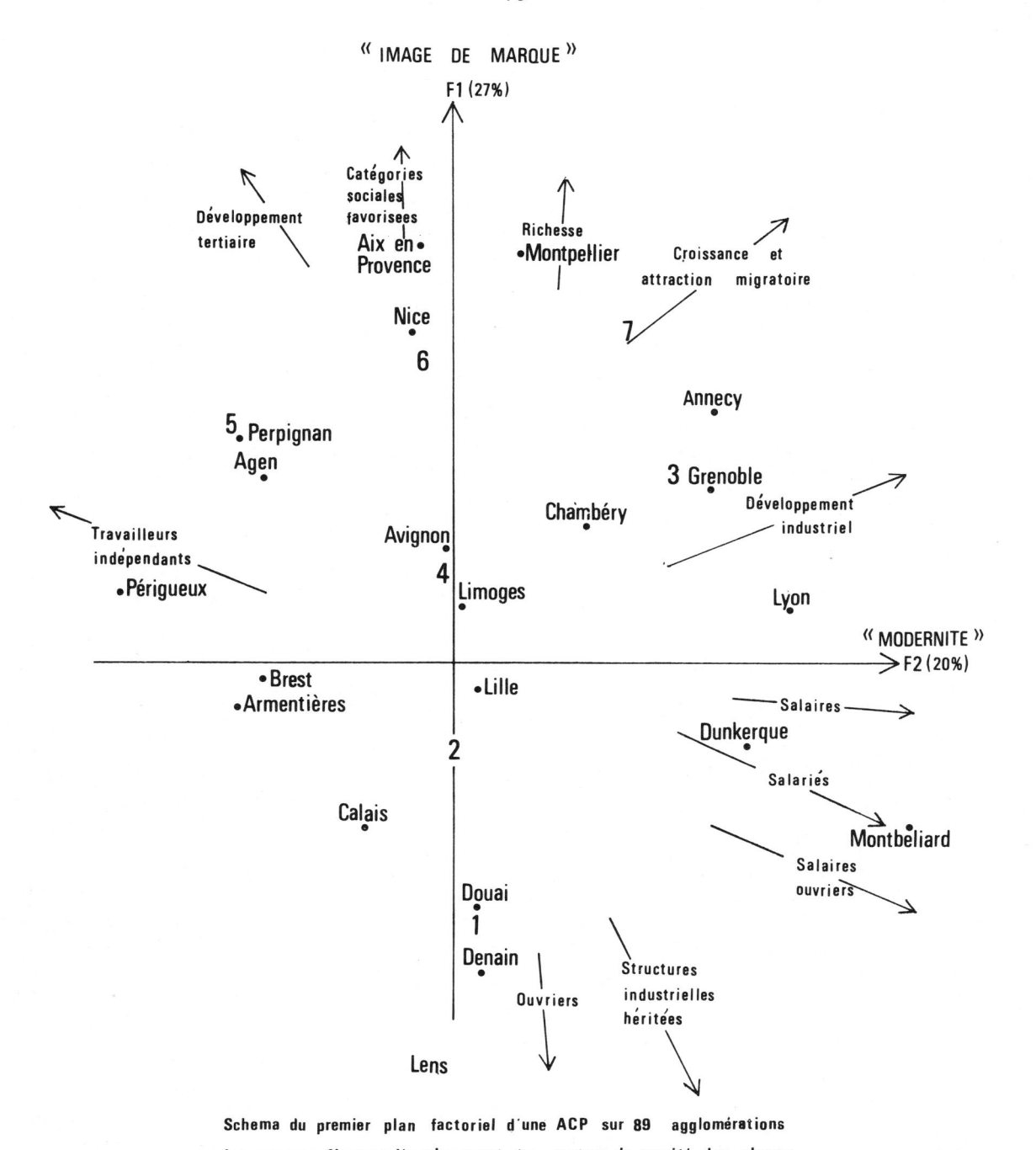

« IMAGE DE MARQUE »

F1 (27%)

Catégories sociales favorisées

Développement tertiaire

Aix en Provence

Richesse
•Montpellier

Croissance et attraction migratoire

Nice

6

Annecy

5•Perpignan
Agen

3 Grenoble

Chambéry

Développement industriel

Travailleurs indépendants
•Périgueux

Avignon

4

Limoges

Lyon

« MODERNITE »

F2 (20%)

•Brest
•Armentières

•Lille

Salaires

Dunkerque

Salariés

Calais

Montbéliard

Salaires ouvriers

Douai
•
1

Denain

Structures industrielles héritées

Ouvriers

Lens

Schema du premier plan factoriel d'une ACP sur 89 agglomérations
Les numeros figurent l'emplacement des centres de gravité des classes
[voir tableau 20]

Figure 15 — La situation socio économique des agglomérations vers 1970

TABLEAU 20 — SITUATION SOCIO-ECONOMIQUE DES VILLES VERS 1970 (1)

1 — Bethune, Bruay, Denain, Douai, Forbach, Lens, Longwy, Montceau-les-Mines, Thionville, Valenciennes

2 — Alès, Armentières, Belfort, Calais, Charleville, Cherbourg, Maubeuge, Montbéliard, Montluçon, Roanne, Saint-Chamond, Saint-Etienne, Saint-Nazaire, Troyes.

3 — Amiens, Besançon, Bourges, Châlon/Saône, Clermont-Ferrand, Colmar, Dunkerque, Lille, Limoges, Lyon, Mulhouse, Nancy, Nantes, Reims, Rouen, Saint-Quentin, Strasbourg, Valence, Le Mans.

4 — Bordeaux, Brest, Châlons/Marne, Dijon, Le Havre, Lorient, Marseille, Metz, Nevers, Nîmes, Sète, Tarbes, Toulon, La Rochelle.

5 — Agen, Angoulême, Bayonne, Béziers, Boulogne, Cannes, Nice, Périgueux, Perpignan, Quimper, Vichy.

6 — Albi, Angers, Arras, Avignon, Châteauroux, Niort, Pau, Poitiers, Rennes, Saint-Brieuc, Toulouse.

7 — Aix-en-Provence, Annecy, Caen, Chambéry, Chartres, Grenoble, Montpellier, Orléans, Tours.

(1) La position des centres de gravité des classes est repérée par leur numéro sur la Figure 15.

Ces deux principes, l'image de marque, la modernité, engendrent dans le système urbain des inégalités de situations qui ne se cumulent pas : certes l'opposition majeure entre villes ouvrières-industrielles-pauvres et villes bourgeoises-tertiaires-riches est créatrice de disparités fortement ressenties. Mais la ségrégation entre d'autres groupes d'agglomérations, davantage fondée sur les inégalités des potentiels de développement économique est une forme de différenciation presque aussi importante. Les clivages ainsi créés entre centres de croissance et noyaux "périphériques" attardés risquent de s'accuser dans la conjoncture économique défavorable actuelle.

Ces deux principes indépendants n'opposent pas de manière tranchée des groupes de villes, mais différencient continûment les agglomérations. De nombreuses combinaisons se trouvent ainsi réalisées, qu'il est possible de regrouper en utilisant un algorithme de classification automatique.

Les centres de gravité des classes ont été reportés sur le plan factoriel (fig. 15), la liste des villes est donnée dans le tableau 20, et la distribution géographique des différents types est analysée dans la troisième partie (carte 114).

5.2. MODIFICATIONS DES POSITIONS RELATIVES DANS LE SYSTEME URBAIN

Les disparités des situations socio-économiques des agglomérations, telles qu'elles apparaissent vers 1970 sont-elles anciennes, ou résultent-elles de modifications récentes, dans le sens d'une amélioration ou d'une détérioration de leurs structures ?

L'étude du changement de situations définies par des critères très divers est encore plus difficile que lorsque ceux-ci sont de même nature. Beaucoup de nos indicateurs de situation urbaine étant des indices, nous avons observé seulement les changements de position des villes les unes par rapport aux autres (leurs évolutions relatives, ou différentielles). La technique utilisée consiste à effectuer pour chaque variable une régression de sa distribution en 1968 sur celle de 1954. Les résidus de ces régressions simples ont été ensuite soumis à une analyse en composantes principales. Pour affiner les résultats, nous avons utilisé les variables originales et non plus les scores factoriels, ce qui en porte le nombre à 33 (20 CAE, 10 catégories socio-professionnelles, et 3 indicateurs : taux de croissance 54-62 et 68-75, niveaux de salaires 1963 et 1970, indices de richesse vive 1957 et 1970).

Dans l'ensemble, les changements relatifs (résidus de régression) de position des agglomérations pour chaque variable sont assez peu corrélés (fig. 16 : les deux premiers facteurs n'extraient que 16 et 10 % de la variance totale). Malgré cette grande diversité des directions d'évolution, on observe une certaine concommittance entre les modifications enregistrées pour des variables

déjà associées dans la structure socio-économique. Ainsi, les déplacement différentiels de plus grande ampleur et les plus fréquents consistent-ils en deux mouvements opposés : l'un de surindustrialisation, et surtout d'accroissement relatif de la proportion d'ouvriers, associé à une diminution relative de pouvoir d'achat ; l'autre de surtertiarisation, d'enrichissement relatif et de progression de la proportion des cadres : ce que l'on peut résumer par régression ou amélioration de position sur un axe d'image de marque.

Dans le processus de modification des positions relatives des villes, comme dans l'état de la différenciation socio-économique du système urbain, au début comme à la fin de la période, certaines variables sont donc toujours intensément liées en association ou en exclusion. Ce sont celles qui décrivent la dimension socio-économique principale du système urbain. Cette dimension a donc toutes chances de se maintenir, dans la mesure où l'évolution ne perturbe pas le sens des associations de variables qui la définissent à un moment donné.

La deuxième composante du changement dessine une opposition entre des variables caractérisant une croissance assez rapide et un rajeunissement des structures urbaines et des variables descriptives d'un certain vieillissement de ces structures. Cette dimension rappelle la deuxième

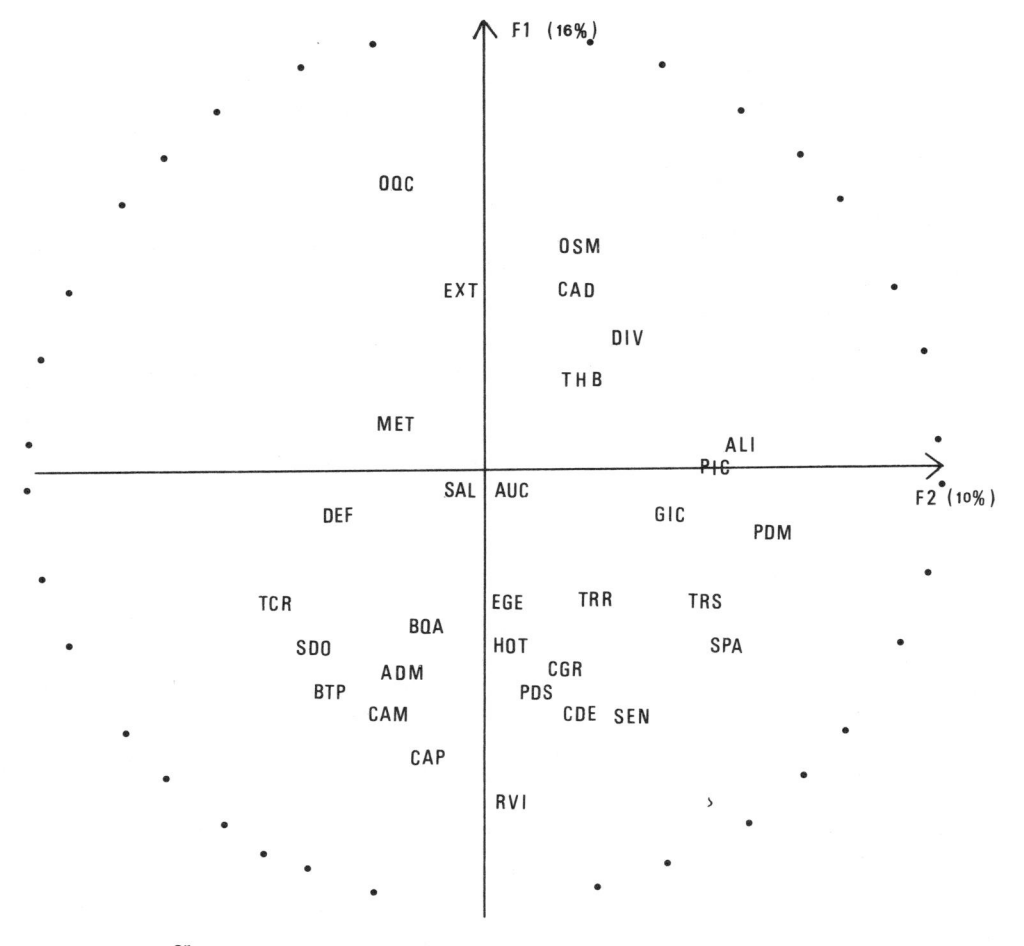

1er plan factoriel de l'ACP des résidus de régression de chaque variable avec elle-même, valeur finale sur valeur initiale.

Figure 16 — Les composantes socio-économiques des changements différentiels

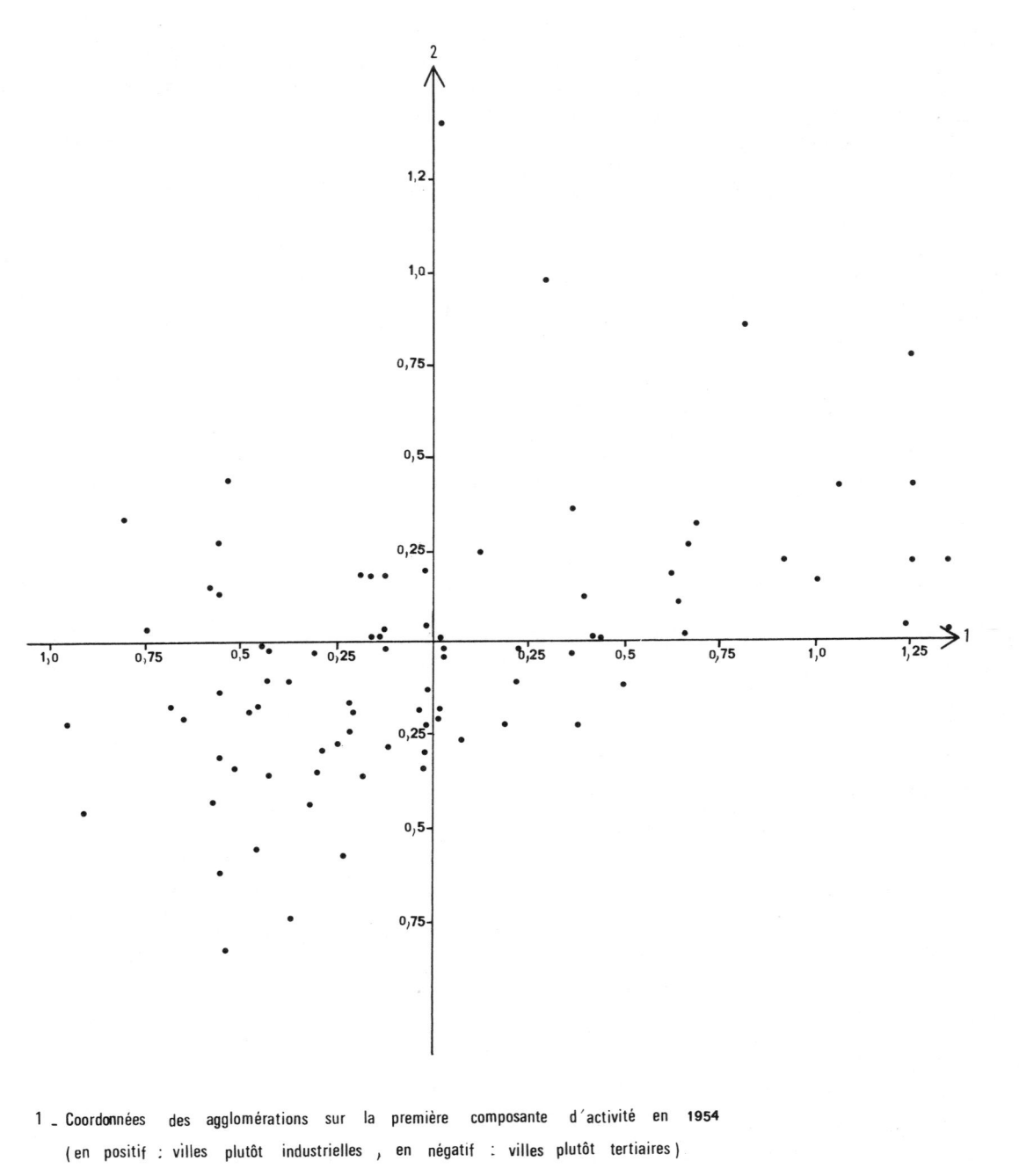

1 _ Coordonnées des agglomérations sur la première composante d´activité en **1954**
(en positif : villes plutôt industrielles , en négatif : villes plutôt tertiaires)

2 _ Coordonnées des agglomérations sur la première composante de l´ACP des résidus de régression
(en négatif : amélioration de " l´image de marque " , en positif : détérioration de " l´image
de marque ")

Figure 17 — Changement et situation sur l'axe de l'image de marque

composante de la situation socio-économique des villes vers 1970, que nous avons dite de "modernité". Elle en diffère cependant : les taux de croissance interviennent davantage dans la différenciation du changement ; au contraire, la distribution des résidus des salaires en est indépendante. Cette deuxième composante n'a en revanche que peu de ressemblance avec celle de l'état du système en 1954. On retrouve ici un fait déjà observé à propos de l'évolution différentielle des structures d'activité : un processus sélectif d'évolution, introduisant entre des caractéristiques urbaines des liaisons qui n'existaient pas dans l'état initial, aboutit à l'expression de ces liaisons dans la structure finale.

En revanche, les autres associations de résidus de régression, indépendantes des deux premières et d'importance moindre, sont sans rapport avec celles qui composent l'état initial et l'état final de la structure du système urbain. Ces liaisons, bien que susceptibles de modifier la structure par leur caractère nouveau, n'ont pas persisté suffisamment ni conservé assez d'ampleur pour l'altérer en fait.

Dans quelle mesure la situation initiale des agglomérations détermine-t-elle les modifications de leurs positions relatives et les transformations du système urbain ? Une réponse globale à cette question est incertaine. On peut cependant noter un résultat intéressant (fig. 17) : de 1954 à 1968, il semble qu'une corrélation positive existe entre le niveau d'industrialisation des villes industrielles et leur évolution : les agglomérations moyennement industrialisées ont amé-

TABLEAU 21 — MODIFICATION DES POSITIONS RELATIVES DANS LE SYSTEME URBAIN

1) Amélioration de position pour l'image de marque et la modernité

Aix-en-Provence, Angers, Clermont-Ferrand, Dijon, Grenoble, Montpellier, Nîmes, Orléans, Pau, Poitiers, Reims, Toulouse, Tours.

2) Amélioration de position pour l'image de marque

Albi, La Rochelle, Limoges, Marseille, Nantes, Nice, Perpignan, Rennes.

3) Amélioration de position pour la modernité

Caen, Châlon-sur-Saône, Cherbourg, Colmar, Saint-Brieuc.

4) Amélioration de position pour l'image de marque et régression pour la modernité

Agen, Béziers, Boulogne, Cannes, Le Havre, Lille, Lorient, Niort, Périgueux, Quimper, Saint-Nazaire.

5) Amélioration de position pour la modernité et régression pour l'image de marque

Annecy, Avignon, Besançon, Bourges, Châlons/Marne, Chambéry, Chartres, Mulhouse.

6) Régression pour la modernité

Angoulême, Chateauroux, Forbach, Longwy.

7) Régression pour l'image de marque

Denain, Douai, Lens, Montbéliard, Saint-Chamond, Valenciennes,

8) Régression pour l'image de marque et la modernité

Alès, Armentières, Bruay-en-Artois, Calais, Maubeuge, Montceau-les-Mines, Thionville.

9) Stabilité des positions

Amiens, Arras, Bayonne, Belfort, Bordeaux, Brest, Charleville, Dunkerque, Le Mans, Lyon, Montluçon, Nancy, Nevers, Roanne, Rouen, Saint Etienne, Saint Quentin, Sète, Strasbourg, Tarbes, Toulon, Troyes, Valence, Vichy.

lioré leur situation, tandis que les plus industrialisées (et les villes minières) ont régressé sur cet axe. Au contraire, les villes à l'origine plutôt tertiaires et peu ouvrières ont eu des mouvements sur cet axe, totalement indépendants de leur degré initial de tertiarisation et de richesse.

Les structures antérieures n'ont donc déterminé le devenir des agglomérations avec une certaine régularité, que pour celles dont les caractéristiques traduisent des associations géographiques et/ou des processus d'interaction en rapport avec un taux d'industrialisation élevé et un développement industriel déjà ancien. Les autres liaisons déterminant les modifications des positions relatives des villes dans le réseau, ont un caractère plus "accidentel" par rapport à leur situation initiale, et ne fonctionnent de manière identique que pour des petits groupes de villes. Il faudra vérifier si les positions géographiques des villes, leur insertion dans la trame urbaine française, peuvent être considérées comme un élément d'explication de ces évolutions différentielles. plus pertinent que les situations socio-économiques initiales.

Du fait même des particularismes de ces évolutions différentielles, les types de déplacements urbains que nous définissons ne prennent en compte qu'une part limitée de ces changements. Ils ont avant tout valeur indicative de la direction principale des transformations de chaque ville, compte-tenu de l'évolution de toutes les autres (tabl. 21, carte 118).

CONCLUSION

Les conclusions formulées au terme des différentes étapes de cette étude répondent à certaines interrogations concernant les structures particulières et les devenirs des villes dans le système urbain national. Ces conclusions sont les résultats des vérifications d'hypothèses théoriques ou d'actions d'après lesquelles ont souvent été estimés et interprétés certains signes du changement des structures urbaines au cours de cette période récente. A ce titre elles peuvent en outre intéresser tous ceux qui sont chargés de préparer le futur urbain ou de critiquer celui qu'on leur prépare ou propose. Notre démarche a donc été volontairement analytique et démonstrative, afin que les conclusions auxquelles nous sommes parvenues puissent éventuellement être réinterprétées.

Le premier bilan concerne les transformations des structures urbaines d'activité entre 1954 et 1975. Beaucoup d'écrits et de discours tendent à accréditer l'idée que ces vingt dernières années auraient introduit des bouleversements importants dans ces structures. Nous avons pu montrer que certains aspects de cette affirmation avaient des fondements fragiles.

Contrairement aux apparences les composantes principales de l'activité urbaine ne se sont que très lentement modifiées. En 1975 comme en 1954 (ou 1962, ou 1968), la principale composante d'activité exprime avant tout les disparités interurbaines de la tertiarisation et de l'industrialisation et les différents stades de développement sensibles dans le système urbain français. *Ces disparités, ces différences décrivent* pendant toute la période *une part aussi grande de la structure*, même si l'on peut raisonnablement penser que certaines de leurs expressions ont changé.

La deuxième composante exprime d'une manière assez nette des types d'association entre activités tertiaires et industries. Elle est, elle aussi, d'une extrême stabilité. Tout au plus son évolution exprime-t-elle la banalisation de certains services, alors que persiste sa très grande indépendance par rapport à tous les autres caractères urbains considérés.

Dans cette structure d'ensemble le changement se matérialise par l'opposition progressive d'une troisième composante qui s'affirme déjà nettement en 1968 et prend encore plus de poids en 1975. Elle témoigne que *la vitesse différentielle d'évolution des activités économiques a été un fait structurant important du système urbain*, au cours de ces vingt années. Ce fait se traduit par un processus croissant de ségrégation des villes françaises selon que leur combinaison d'activité repose plutôt sur des activités en croissance ou sur des activités en déclin. La mise en évidence de l'existence, et surtout du renforcement progressif, de cette troisième composante est une conclusion importante de nos travaux, dans la mesure où ce caractère de la transformation du système urbain français n'a jusqu'ici guère retenu l'attention. Or, si ces ségrégations devaient s'approfondir, elles créeraient entre les villes françaises de nouvelles disparités, différentes et au moins aussi préoccupantes que celles que décrit la première composante d'activité.

Dans ce cadre d'ensemble, la transformation des profils urbains d'activité s'est effectuée selon deux mouvements distincts. Le premier est avant tout l'expression pour chaque ville de la translation générale des structures urbaines, en rapport avec les modalités particulières de la croissance économique de la période observée. C'est sans aucun doute la perception plus ou

moins claire de cette translation qui a prématurément fait conclure au bouleversement des structures. Ce mouvement résulte pour chacune des étapes (1954-62, 1962-68, 1968-75) de la combinaison de deux processus de transformation dominants : tertiarisation très généralisée surtout à partir de 1962 et jusqu'en 1968, se combinant à une substitution dans les villes des activités en croissance (industrielles ou tertiaires) aux activités en déclin. Entre 1968 et 1975 le processus de substitution devient dominant, cependant que pendant cette dernière période se ralentit très fortement la tendance à la tertiarisation.

Le second mouvement, expression de la transformation différentielle de chaque ville, est caractéristique de changements structurels très spécifiques. Ces derniers s'effectuent dans des directions très variées (à des vitesses d'ailleurs inégales) et sont caractéristiques de processus de rattrapage ou de détérioration des bases du développement urbain. Ces changements doivent être interprétés comme la composante locale de l'évolution structurelle urbaine. Nous aurons à vérifier (3e partie) si cette composante relève de mécanismes s'exerçant à une échelle plus large, échelle régionale par exemple.

Le deuxième ensemble de conclusions a trait à la nature et à la transformation récente des rapports existant entre les structures d'activité et certains autres caractères fondamentaux du système urbain. Il existe au début des années 70, des rapports étroits, mais complexes, entre structure urbaine d'activité, structure sociale des villes et le niveau de vie urbain. Ces interrelations passent avant tout par le niveau de tertiarisation de l'activité urbaine. Ce dernier est toujours étroitement lié à l'importance de la surreprésentation des catégories sociales les plus favorisées et au niveau du pouvoir d'achat des agglomérations considérées. Cette dimension fondamentale du système urbain français donne aux villes leur image de marque. Celle-ci est sans rapport avec les niveaux de rémunération du travail salarié qui en sont totalement indépendants. Les niveaux des salaires interviennent dans la définition d'une deuxième dimension socio-économique, en association avec les composantes de l'activité et de la société urbaine représentatives des formes les plus récentes du développement. Nous avons défini cette deuxième dimension comme celle de la modernité du système.

L'évolution de ces interrelations a été au cours des vingt dernières années assez fortement dans la dépendance de celle des activités économiques urbaines, de leur dynamique de croissance, de leurs tendances à la diffusion ou à la concentration et de leur rétraction ou extension dans l'emploi urbain. Par delà l'ampleur des translations d'ensemble du système urbain liés aux changements économiques et sociaux se dessinent des évolutions urbaines différentielles susceptibles d'en modifier la forme à long terme.

Troisième partie

Structures socio-économiques et trame spatiale du système urbain

L'objet de cette dernière partie est d'analyser les relations entre les structures d'activité urbaine et l'organisation géographique des villes. L'arrangement spatial des types de villes est une préoccupation des aménageurs. Leur action doit tenir compte des exigences de couverture et d'encadrement du territoire, des faits de concurrence, de concentration et de saturation dans l'espace, des nécessités d'organiser les relations qui fondent toute politique d'aménagement du réseau urbain. Cette analyse des rapports entre organisation économique et organisation spatiale des sytèmes urbains a été menée jusqu'à présent plus comme une projection de la première sur la seconde que comme une étude systématique de leurs interdépendances (von Böventer, 1973). Sur une courte période, il paraît d'ailleurs plus réaliste de considérer la trame urbaine (taille et espacement des villes) comme la variable indépendante. Elle agit davantage comme une donnée susceptible d'influencer les structures d'activités et leurs évolutions, qu'elle n'est modifiée par ces dernières.

Dans cette perspective, les éléments de référence pour l'analyse de la trame des types de villes sont fournis par la théorie des lieux centraux et les modèles de localisation des activités économiques. Les transformations de cette trame se réfèrent à trois grands types d'interprétation : la théorie de l'avantage initial (inertie des localisations), les modèles de diffusion des activités économiques, les théories du développement régional.

Trois questions ont orienté ce travail :

— Quelles régularités spatiales présente l'organisation des structures d'activité économique du système urbain français ?

— Quels rapports existent entre la structure définie par la nature des activités et la hiérarchie urbaine fondée par la taille et le pouvoir de commandement ?

— Quels sont les degrés de pertinence respectifs des échelles nationale et régionale pour la définition des structures d'activité urbaine ?

1. DISTRIBUTION SPATIALE DES STRUCTURES URBAINES

Avant toute confrontation il est nécessaire de décrire avec précision la forme des distributions spatiales des différents types urbains.

La méthode retenue est l'analyse comparée de cartes figurant la position des agglomérations dans le système urbain, du fait de leurs fonctions, de la combinaison interne de leurs activités et de leurs évolutions (atlas, cartes 112 à 118). L'analyse de ces cartes ne peut malheureusement pas être menée, à notre connaissance, à l'aide de références théoriques pertinentes. La théorie des lieux centraux, qui définit l'organisation spatiale des niveaux hiérarchiques urbains n'intègre qu'une certaine catégorie de fonctions. Les théories de localisation des activités économiques ne prennent en compte, chacune, que quelques attributs des villes. Ces théories ne correspondent pas au cadre de notre travail. Les techniques d'analyse spatiale ne nous aideraient pas davantage à formaliser la structure des répartitions interurbaines des activités économiques. Aussi, deux questions classiques ont-elles guidé cette description : existe-t-il des régularités dans les arrangements spatiaux des types de villes ? L'évolution récente éclaire-t-elle la fonctionalité de la trame observée ?

D'après la carte 112, *il n'existe pas de régularité dans la distribution spatiale des types de fonctions urbains*, à quelque niveau géographique que l'on se place. Il n'y a jamais plus de trois villes immédiatement voisines qui exercent la même fonction. On ne trouve nulle part la répétition de la même association spatiale de types fonctionnels comportant plus de trois villes proches. La trame de chaque type fonctionnel n'atteint jamais ni l'extrême concentration géographique, ni une distribution uniforme, ni une très grande régularité de semis. L'absence de principes d'organisation spatiale lisibles dans la trame fonctionnelle urbaine actuelle, nous incite à interpréter les quelques sur- ou sous-représentations locales qui apparaissent pour certains types par les recouvrements successifs de trames antérieures.

Il n'est en effet guère surprenant de ne pas trouver d'arrangement spatial simple pour des objets ayant des rapports à l'espace aussi complexes que les villes, à travers une nomenclature d'activités à fondement non spatial (définie par la nature de la production ou du service), et dont les rapports à l'espace (la géographie des branches) sont fort différents et ont varié dans le temps.

L'origine de l'arrangement actuel réside dans les réutilisations ou modifications successives d'une trame urbaine ancienne par le développement des branches d'activité. Ce processus combine toujours les fonctions urbaines antérieures, les facteurs de localisation des activités, et leurs cycles de concentration ou de diffusion géographiques. Les grandes lignes de cette évolution sont bien connues pour la France. A partir du schéma, hypothétique et mal situé dans le temps (Pinchemel, 1969), d'une distribution à peu près régulière de lieux centraux, alliant les activités de commerce, de services, d'administration et de défense — plus entérinée que bouleversée par le découpage administratif de la Révolution — les déformations successives les plus importantes de ce réseau simple correspondent à l'exploitation de ressources, impliquant toujours une dissociation géographique de l'offre et de la demande finale. et suscitant des spécialisations fonctionnelles urbaines. Le processus de concentration géographique correspond soit à l'exploitation de facteurs de production ayant des contraintes de localisation très fortes soit à la rétraction, dans des conditions technologiques nouvelles, d'un semis hérité plus diffus (exemples : bassins miniers, concentration du trafic portuaire en quelques points privilégiés, rétraction

géographique de l'industrie textile, concentration de l'exploitation touristique et de la défense). Les perturbations du réseau sont beaucoup moins sensibles lorsqu'une branche se diffuse (par exemple la métallurgie dans la période récente), ce processus n'impliquant pas de substitution de fonctions, mais seulement une complexité croissante de celles-ci. Ce n'est plus alors la forme de la trame fonctionnelle dans son ensemble qui est modifiée, mais les positions relatives des villes dans la hiérarchie des tailles et/ou dans l'opposition fonction de production, fonction de service dominante. Ce processus ne conduit à une réelle déformation du réseau que s'il opère une sélection durable parmi les villes.

La fonction de place centrale, définie en 1968 par l'association de spécificités dans l'administration, les services aux particuliers et la défense, se traduit par une trame de villes à peu près équidistantes dans les régions de l'Ouest, du Sud-Est, et de l'Est du Bassin parisien (fig. 18). Ailleurs, ce rôle est sans doute joué par des villes dont la fonction de place centrale n'atteint pas ce niveau de spécificité à l'échelle française : dans le Sud-Ouest, il s'agit de villes à profil très moyen ; dans le Centre-Est, ce sont des villes classées parmi les villes industrielles, avec une très faible spécificité dans la métallurgie. Ces deux types de villes accroissent la densité du réseau des lieux centraux dans l'Est de la France et l'Ouest du Bassin parisien. Le maillage obtenu

Agglomérations assimilables à des « lieux centraux » :

| spécificités tertiaires moyennes

X spécificités tertiaires faibles

● spécificités industrielles faibles (plutôt textiles)

▲ spécificités industrielles faibles (plutôt métallurgiques)

Figure 18 — Le semis des "lieux centraux"

couvre alors la presque totalité du territoire, avec un semis plus ou moins régulier selon le relief et les densités d'urbanisation. *Sur cette trame se superposent tous les effets des concentrations géographiques successives* de certaines activités. Les spécificités les plus marquées, minières et industrielles, sont concentrées dans le Nord et l'Est de la France. Dans ces régions se trouvent aussi légèrement surreprésentées les villes à spécificité industrielle moyenne, tandis que les villes à spécificités tertiaires (autres que les lieux centraux) sont presque en totalité en situation littorale. Les modifications fonctionnelles observées au cours de la période 1954-1968 n'ont pas suffisamment altéré cette trame pour que leur localisation précise ait quelque signification (tabl. 6), et n'ont donc pas été cartographiées.

La dissémination des fonctions urbaines sur le territoire semble être une règle assez générale, même si elle n'aboutit pas à une parfaite identité des schémas régionaux. De la même manière, les types économiques urbains (tabl. 12) ont des répartitions très dispersées (carte 113). Toutefois, les combinaisons à fondement industriel sont sous-représentées dans l'Ouest, le Sud-Ouest et le Sud-Est, tandis que les combinaisons à fondement tertiaire sont sous-représentées dans le Nord et l'Est. Seuls le Bassin Parisien et le Centre-Est associent également ces deux types.

Si l'on évalue ces combinaisons par leurs potentialités de croissance, les répartitions sont tout aussi irrégulières mais laissent apparaître une certaine homogénéité régionale. Les structures héritées sont concentrées dans le Nord, l'Est et la périphérie orientale du Massif Central ; le structures marquées par des activités bloquées sont plus fréquentes dans l'Ouest et le Sud-Ouest ; le Bassin Parisien, la région Rhône-Alpes et la Franche-Comté regroupent la presque totalité des villes dont les combinaisons d'acitivité sont en mesure d'entretenir un certain développement industriel.

Ces régularités régionales sont largement confirmées par la distribution des situations socio-économiques des villes (carte 114). Au début des années 1970, plus de la moitié des agglomérations caractérisées à la fois par une bonne image de marque (activités tertiaires, cadres, revenus élevés. . .) et par des structures marquées par les développements technologiques les plus récents (activités en croissance, salaires élevés. . .), se concentrent dans deux régions seulement : Bassin parisien (10 villes) et Centre-Est (6 villes), où elles représentent la moitié de l'effectif régional. Dans quelle mesure ces situations sont-elles en rapport avec la proximité des grandes métropoles, Paris et Lyon ?

A cause de son assez grande stabilité, la forme générale de cette trame est bien connue. Cependant, les modifications récentes des profils d'activité (de 1954 à 1968 et de 1968 à 1975) sont susceptibles de la transformer, si elles se poursuivent dans le long terme. *La trame des changements des positions relatives des villes révèle certains remaniements en cours dans l'organisation spatio-économique du réseau urbain* (cartes 115 à 118). Par ordre de généralité et de continuité, ces tendances sont les suivantes (fig. 19) :

— *un rééquilibrage de la trame*, qui réduit la déformation majeure du réseau urbain français, en atténuant l'extrême spécialisation des villes les plus industrielles de la région du Nord et de la bordure orientale du Massif Central. Ces villes ont connu un processus de diversification des activités qui est une correction de leur sous-équipement tertiaire. Ce rattrapage s'est même accentué entre 1968 et 1975, puisqu'elles continuent toutes à se tertiariser, alors que les deux-tiers des agglomérations ont cessé de le faire. Cependant, ce réajustement semble limité aux seules structures d'activité, dans la mesure où les situations socio-économiques relatives de ces villes ont continué à se dégrader (Carte 118).

— *la dynamisation d'une portion connexe de la trame, centrée sur la Région Parisienne.* C'est la seule transformation de la trame qui ait atteint de proche en proche un aussi grand nombre de villes. Cette dynamisation a touché toutes les agglomérations, quelle que soit leur structure d'activité, et s'est manifestée par une industrialisation et une croissance démographique sensibles. Elle correspond pour l'essentiel à un processus de diffusion géographique d'activités en forte croissance. Cette diffusion s'effectue à l'échelle nationale, en rapport avec l'éclatement de la croissance de la Région parisienne, la diminution relative de sa concentration, et sans interven-

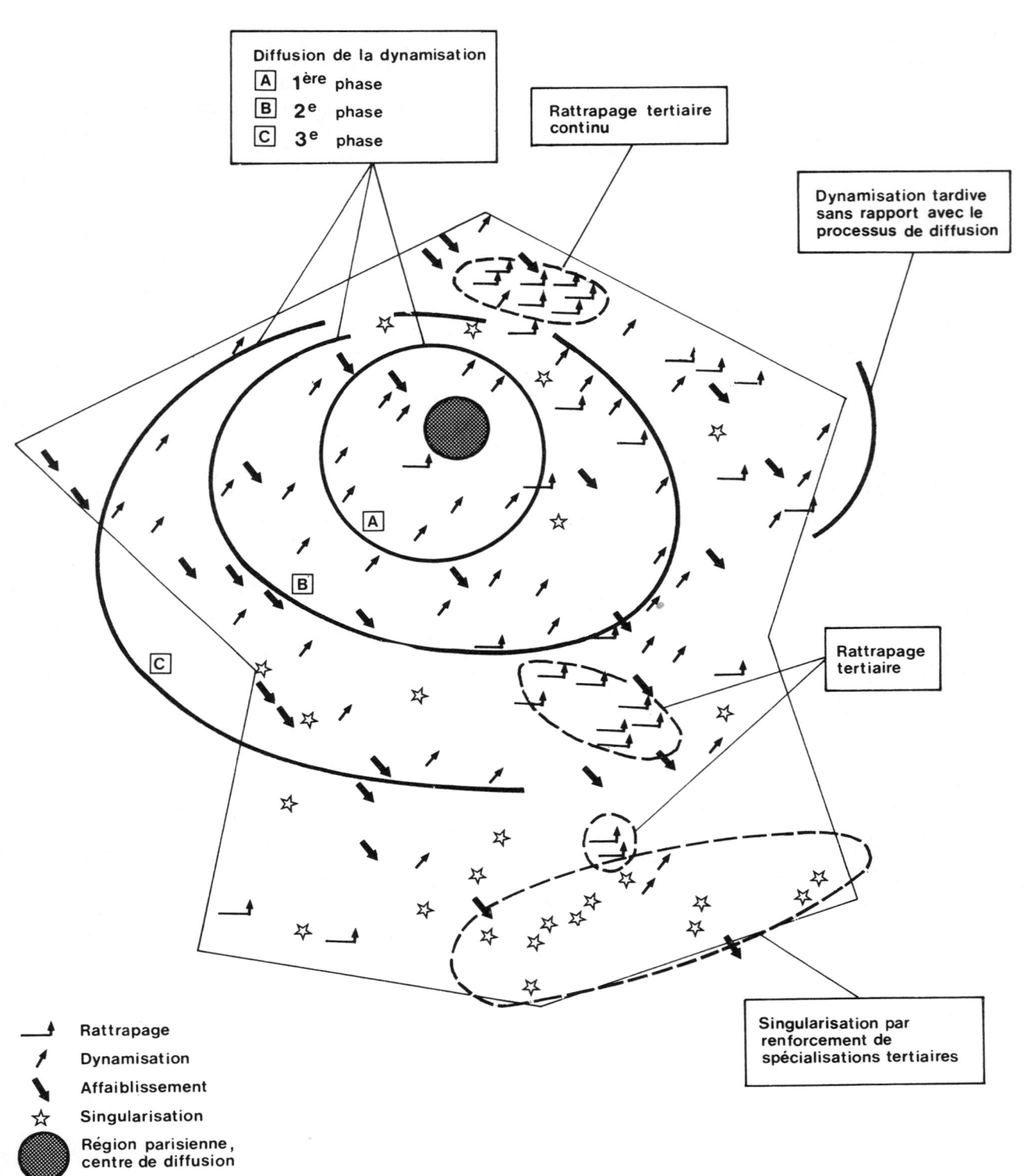

Figure 19 — Trame des changements

tion continue de centres secondaires de diffusion (Saint-Julien, 1973). La vague a concerné d'abord les villes immédiatement périphériques, puis s'est étendue entre 1962 et 1968 jusqu'aux limites du Bassin parisien, pour atteindre, entre 1968 et 1975, le Nord de l'Aquitaine et l'Alsace. Les effets de cette diffusion ont sensiblement modifié la qualité de la trame (dynamisme démographique et complexité croissante des fonctions), lorsque les villes atteintes étaient plutôt tertiaires. En revanche, la position relative dans la trame des villes du Nord, dont on sait par ailleurs qu'elles ont bénéficié de ce flux, n'en a pas été changée. L'observation des cartes montre que la durée de la vague est assez différente d'une ville à l'autre (elle persiste de 1954 à 1975 à Evreux, Blois... elle reprend à Chartres, Dijon... après une interruption entre 1962 et 1968, elle a cessé totalement après 1962 à Reims, Chalon s/Marne...). Il est donc probable que cette dynamisation zonale de la trame urbaine ne laisse à terme que des traces plus ponctuelles. Cette éventualité est confirmée par les grands contrastes des évolutions différentielles des structures socio-économiques de ces villes (carte 118) : très défavorable pour Orléans et Tours, favorable pour Caen, Chartres et Bourges, régressive pour Angoulême et Châteauroux, limitée à une surtertiarisation pour La Rochelle, Lorient et Quimper.

— *l'affaiblissement de quelques points de la trame*. Un quart des villes françaises, dispersées le long de la frontière Nord de la France, dans le Centre-Ouest et à la périphérie orientale et méridionale du Massif Central ont vraisemblablement connu, sous l'apparent rééquilibrage de leurs activités, une détérioration de leurs structures. Il peut s'agir de rééquilibrage par tertiarisation ou par industrialisation, mais dans tous les cas avec accroissement relatif des activités en déclin. Cet affaiblissement concerne surtout des petites villes (Vierzon, Rochefort, Castres...), il touche la totalité des régions à l'exception de l'Ouest du Bassin Parisien, mais sans jamais détériorer complètement une zone de la trame urbaine.

— *la singularisation de quelques nœuds*. Cette transformation va à l'encontre d'une image simple d'homogénéisation des structures d'activité et de rééquilibrage de la trame urbaine. Elle n'a de continuité territoriale que dans les régions méditerranéennes, où la spécialisation fonctionnelle tertiaire correpond à une attraction régionale spécifique. Ailleurs, ces faits de spécialisation relative sont beaucoup plus isolés dans la trame urbaine, ils se prolongent rarement (pour les grandes villes) au delà de 1968. C'est la persistance de ces tendances à la spécialisation et leur dispersion géographique qui entretient la difficulté d'un ajustement de la trame française à une trame urbaine régulière. C'et elle qui pose la question de la nécessité, à un moment donné, de la diversité fonctionnelle des villes d'une même région. En outre, les grandes divergences de leurs évolutions socio-économiques relatives renforcent peut-être le caractère aléatoire de la distribution spatiale de ces villes.

Le résultat le plus frappant de notre analyse cartographique est *l'hétérogénéité spatiale de la distribution des fonctions, des combinaisons d'activités et des évolutions des villes*. Ce phénomène doit s'interpréter par l'inertie des localisations héritées de trames fonctionnelles antérieures, mais aussi par le fonctionnement actuel du réseau urbain. Il reste à vérifier si cette hétérogénéité, biaisée par celle de l'arrangement spatial des villes de taille différente, ne recouvre pas en fait certaines régularités mettant en relation hiérarchie des villes et structures socio-économiques.

2. STRUCTURES SOCIO-ECONOMIQUES ET HIERARCHIE URBAINE

De l'énorme problématique des relations entre organisation économique du réseau urbain et trame hiérarchique des villes, nous retenons trois questions qui se situent dans la perspective de notre travail. Comment s'articulent, en France, ces deux dimensions du système urbain que sont la taille des villes et l'organisation interurbaine des activités (Berry, 1972) ? Existe-t-il des profils d'activité propres à chaque niveau de la hiérarchie urbaine, ou des variations continues de l'activité en fonction de la taille des villes ? (Gibbs, 1962). Les niveaux hiérarchiques fonctionnels supérieurs, qui ont été privilégiés pour la restructuration de l'espace français, correspondent-ils à des modèles particuliers de profils et d'évolution socio-économique ?

L'incidence de la hiérarchie des villes sur l'organisation économique du système urbain peut être diversement appréhendée. La distribution interurbaine des différentes activités économiques d'une part, et les profils d'activité des villes d'autre part, sont confrontés aux deux références les plus utilisées pour la hiérarchie urbaine : la taille des agglomérations et l'ordre défini par l'exercice des fonctions tertiaires. Enfin, les caractères communs au groupe des métropoles d'équilibre, d'une part, et des capitales régionales d'autre part, sont mis en évidence.

2.1. STRUCTURE SOCIO-ECONOMIQUE ET TAILLE DES VILLES

Berry (1972) a montré que la dimension principale de tous les systèmes urbains réside dans l'inégalité des tailles des agglomérations. L'expérience quotidienne suffit d'ailleurs à établir les différences qualitatives qui, toutes choses égales d'ailleurs, distinguent grandes et petites villes. En réalité, ce n'est pas tant la taille qui est significative de ces différences, et donc de la place des villes dans le système urbain, que l'existence de niveaux hiérarchiques, assez bien définis pour certaines fonctions tertiaires. Dans quelle mesure la hiérarchie urbaine, définie par la taille ou par des niveaux de fonctions, correspond-elle à la forme de la distribution interurbaine de l'activité économique ?

Le niveau des corrélations entre les effectifs de chacune des activités dans les villes rend bien compte des modalités de leurs distributions et de leurs associations géographiques : les distributions des effectifs employés dans les activités tertiaires, ainsi que ceux du bâtiment et des travaux publics, sont très semblables (coefficients 0,9, tabl. 22). La répartition des emplois des industries alimentaires et diverses, ainsi que celle des transports est encore très proche de celle des activités tertiaires (coefficients de corrélation compris entre 0,8 et 0,9). Celles des industries chimiques et métallurgiques et de la défense s'en écartent davantage (coefficients voisins de 0,7). Ce sont les industries textiles, et surtout l'extraction qui ont les distributions d'emploi les plus différentes de celles des autres activités (coefficients voisins de 0,5 pour le textile, proches de 0 pour l'extraction). Toutefois, si l'on met à part l'extraction, la corrélation entre les effectifs des emplois des différentes industries n'est jamais inférieure à 0,4.

Il est donc évident que le facteur de loin le plus important pour l'explication de la distribution des emplois urbains est la taille des agglomérations : plus l'agglomération est grande, et plus est grand l'effectif de ses emplois dans la plupart des activités. Seule la masse des emplois affectés localement à une activité peu représentée ailleurs est susceptible de diminuer le rang que l'agglomération, du fait de sa taille, occupe pour l'ensemble des autres activités. Ces rangs ne sont donc pas tant l'expression d'une organisation hiérarchique urbaine qu'ils ne

reflètent *un compromis entre la taille des agglomérations et le degré d'ubiquité des activités qu'elles regroupent.* De plus, si la répartition géographique de ces masses d'emploi par branche est fondamentale pour une approche sectorielle de l'activité économique, par exemple au moyen des quotients de localisation (Carrière, Pinchemel, 1963 — Noël, Pottier, 1973), sa prise en compte exclusive d'un point de vue urbain risque de masquer les spécificités fonctionnelles des villes sous la généralité et l'ampleur du facteur de taille. C'est ce que démontre une analyse en composantes principales effectuée sur les effectifs employés par les 20 catégories d'activité économique dans chacune des 138 agglomérations en 1968. La forme des distributions justifie que l'on utilise les logarithmes ; cette transformation ne modifie ni l'importance, ni la nature des facteurs de l'analyse, elle n'a pour effet que de resserrer un peu les intervalles entre les plus grandes villes, sans changer l'ordre des coordonnées. Le résultat essentiel est l'existence d'un premier facteur qui prend en compte 75 % de la variance totale et qui, étant donné les très fortes corrélations entre la presque totalité des activités, est un facteur de taille des agglomérations. Les facteurs suivants, de très faible importance (5, 4, 3 % de la variance) mettent en évidence les distributions particulières des activités les plus discriminantes.

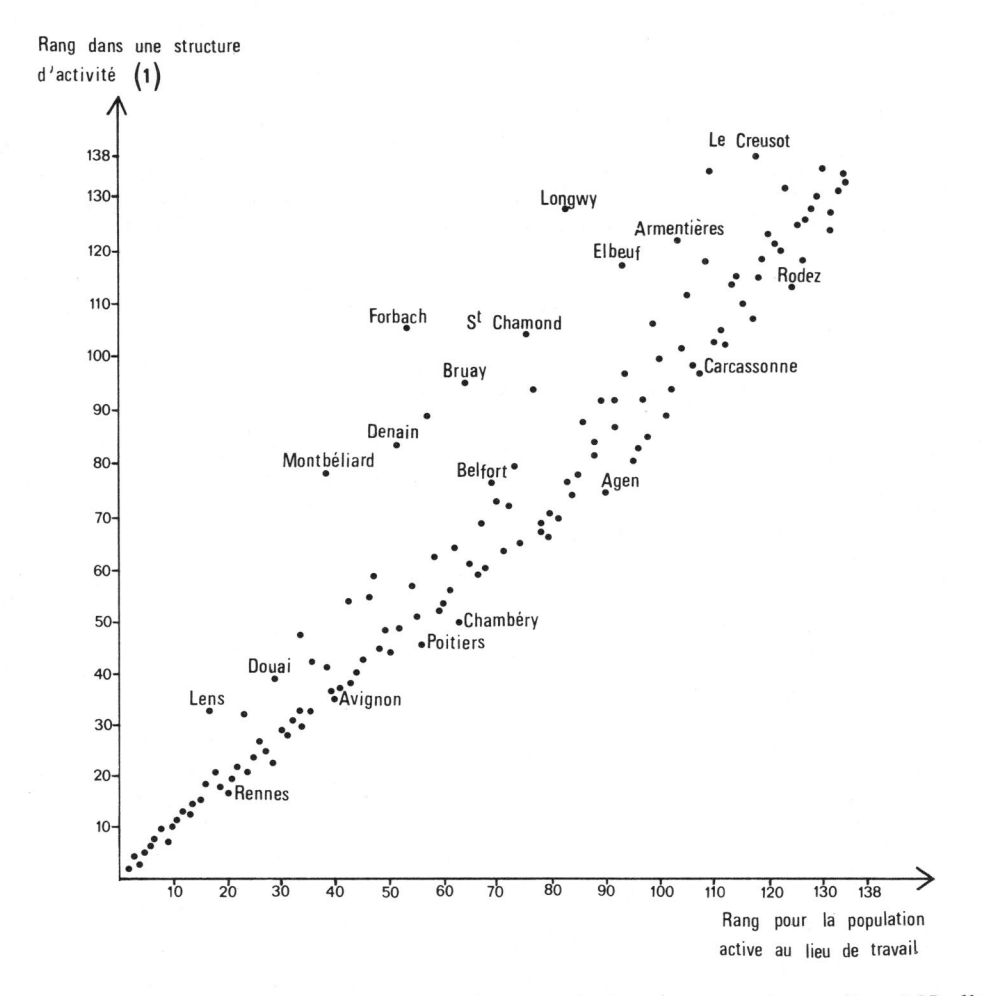

(1) Rang défini par les coordonnées des agglomérations sur le premier axe d'une ACP effectuée sur les logarithmes des effectifs employés dans 20 CAE

Figure 20 — Taille des agglomérations et rang dans une structure d'activité

Cette structure établit donc pour l'essentiel, entre les agglomérations, un ordre qui diffère de celui induit par la taille de deux manières (fig. 20) :

— le sous-classement des villes ayant les plus fortes spécialisations fonctionnelles dans les activités les plus discriminantes ;

— le surclassement des villes les plus spécialisées dans les activités qui sont le plus fréquemment associées géographiquement.

Pour une spécialisation donnée, ces déclassements ne provoquent jamais d'inversion par rapport au rang de taille. Il en résulte une corrélation très élevée entre l'ordre des villes sur ce facteur et celui que donne le volume de leur population active en 1968 (r = 0,96).

Cette mesure "quantitative" (seule la masse des emplois est prise en compte) est finalement très proche de la mesure "qualitative" (niveau, rareté et portée des services) la plus systématique qui ait été appliquée au réseau urbain français. Le coefficient de corrélation entre le rang des villes sur notre premier facteur et le rang du classement final établi par Hautreux, Lecourt, Rochefort (1964) est de + 0,88. Les écarts entre les deux classements sont assez facilement interprétables (fig. 21). Les villes surclassées pour le niveau hiérarchique tertiaire sont, dans la

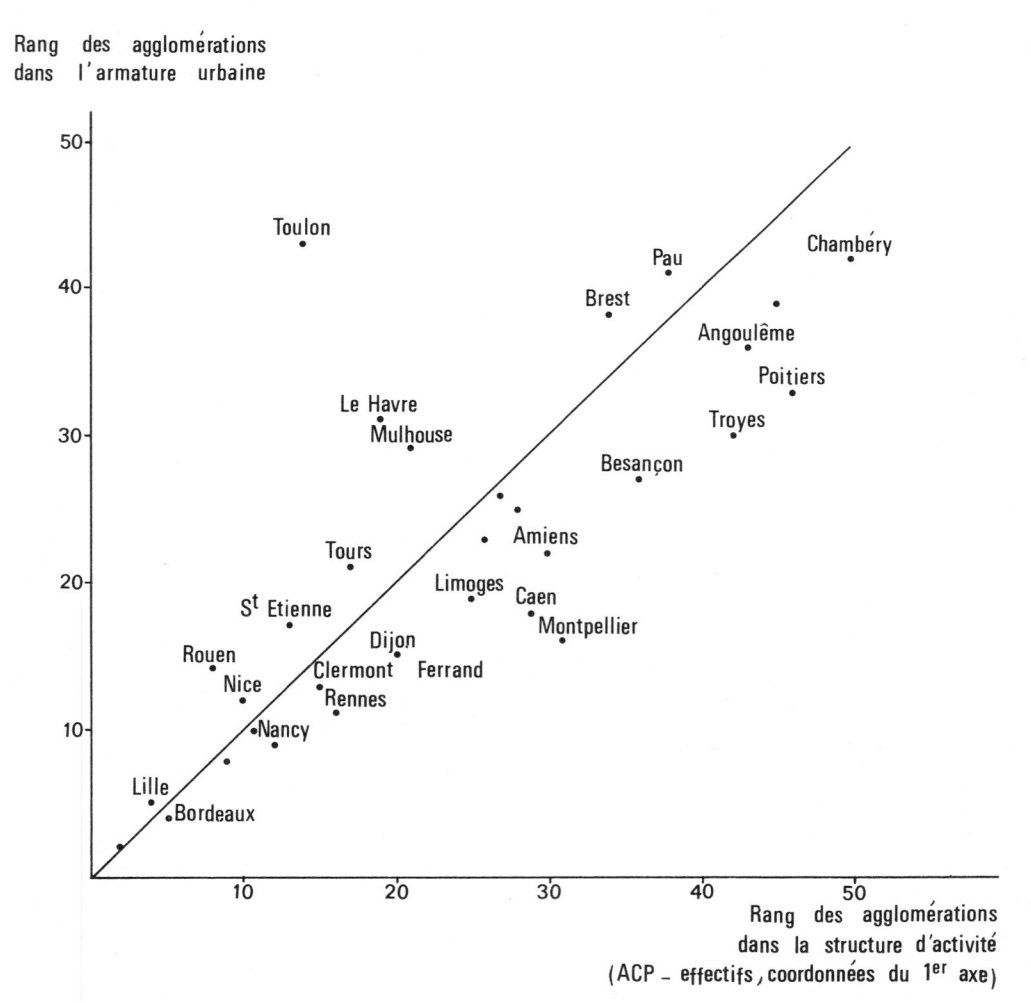

Figure 21 — Classement hiérarchique et rang dans une structure d'activité

plupart des cas, des unités urbaines isolées en milieu rural, peu soumises à la concurrence immédiate d'autres centres (Bourges, Poitiers, Caen...). Inversement, les villes à forte spécificité, secondaire ou tertiaire, sont abaissées dans le classement de Hautreux et Rochefort (Le Havre, Mulhouse, Toulon...), ou bien n'ont même pas été prises en compte dans l'analyse de l'armature urbaine française (Lens, Douai, Montbéliard).

Il n'est évidemment pas question de déduire de cette grande ressemblance, qu'il suffit d'une analyse multivariée des effectifs employés par activité dans les villes, pour retrouver une hiérarchie urbaine conceptuellement fondée. En réalité, la taille des villes détermine dans les systèmes urbains des disparités telles qu'on ne peut que la retrouver, si on l'introduit tant soit peu. L'effet de taille mis en évidence par l'analyse en composantes principales n'est-il alors qu'un artifice ou exprime-t-il un trait structurel fondamental du système urbain ? la question mérite d'être posée, dans la mesure où l'étude sur les niveaux de l'armature urbaine française précise bien qu'il existe une forte relation entre la masse des actifs, et surtout des actifs tertiaires, et la concentration des fonctions tertiaires de niveau supérieur (fig. 21).

TABLEAU 22 — CORRELATIONS ENTRE LES EFFECTIFS DES ACTIVITES

	EXT	BTP	MET	CHI	ALI	THB	DIV	TRS	CGR	CAD	CDE	HOT	BQA	SEN	SDO	SPA	EGE	TRR	ADM	DEF
EXT	1.																			
BTP	.03	1.																		
MET	.04	.78	1.																	
CHI	.04	.73	.64	1.																
ALI	.00	.83	.63	.60	1.															
THB	.01	.54	.51	.44	.65	1.														
DIV	−.03	.88	.76	.75	.83	.69	1.													
TRS	−.0	.84	.63	.64	.87	.42	.76	1.												
CGR	−.0	.94	.73	.70	.93	.65	.92	.88	1.											
CAD	.11	.95	.77	.72	.89	.62	.88	.86	.95	1.										
CDE	.02	.97	.74	.71	.92	.66	.91	.86	.98	.96	1.									
HOT	.01	.96	.72	.69	.83	.58	.86	.80	.91	.92	.95	1.								
BQA	−.04	.94	.78	.73	.87	.64	.94	.84	.96	.92	.96	.90	1.							
SEN	−.03	.94	.78	.73	.85	.55	.92	.86	.92	.90	.93	.91	.96	1.						
SDO	−.04	.95	.69	.68	.87	.57	.87	.86	.96	.92	.96	.94	.92	.89	1.					
SPA	−.03	.98	.77	.74	.88	.60	.92	.86	.96	.95	.98	.95	.98	.97	.95	1.				
EGE	.04	.96	.76	.70	.89	.53	87	.89	.94	.93	.96	.91	.93	.95	.93	.96	1.			
TRR	−.05	.93	.71	.73	.88	.57	.90	.86	.95	.90	.94	.88	.95	.93	.92	.96	.93	1.		
ADM	.02	.96	.73	.72	.90	.58	.89	.86	.97	.94	.97	.90	.94	.93	.94	.97	.95	.96	1.	
DEF	−.08	.69	.47	.45	.59	.23	.53	.60	.66	.65	.68	.62	.62	.62	.66	.67	.66	.67	.69	1.

Ce poids écrasant de la taille des villes dans le système urbain, dont on saisit encore mal ce qu'il recouvre, n'apparaît plus guère si l'on observe les différents *types de répartition interne des activités dans les villes*. Que l'on définisse cette structure d'activité par les niveaux ou la nature des spécialisations fonctionnelles, ou par les combinaisons intraurbaines d'activité, on ne retrouve ni corrélation d'ensemble ni homogénéité par classes de taille. Notre étude empirique infirme plusieurs hypothèses communément avancées. Ainsi, *aucune activité n'a de sur- ou sous-représentation croissante en fonction de la taille des villes* (tabl. 1 : la plus forte corrélation entre la proportion d'une activité et la taille des villes n'est que de + 0,4, elle concerne les services domestiques...). On ne vérifie donc pas l'idée souvent émise, selon laquelle l'importance relative des services aux entreprises croît avec la taille des villes, sous prétexte que cette branche d'activité capte, surtout dans les grandes villes, la demande d'une multitude de petites entreprises incapables d'intégrer ces services (Evans, 1972). L'observation est d'autant plus étonnante que cette activité a crû très vite dans la période récente, et que certains la considèrent comme de plus en plus significative des fonctions supérieures de la hiérarchie urbaine (Aydalot, 1965).

Si les disparités des poids relatifs des activités semblent s'atténuer avec la taille des agglomérations (on observe en particulier un relèvement des pourcentages minima), il n'existe en revanche pas de relation continue entre degré de spécialisation et taille des villes. Tout au plus le groupe des plus grandes villes montre-t-il des profils d'activité assez homogènes, à un niveau élevé de diversification (annexe 4). Par ailleurs, que l'activité soit définie par la nature du produit ou de l'échange, ou qu'on l'interprète par rapport au niveau général de qualification de l'emploi et au sens de son évolution, on ne trouve pas de relation significative entre les combinaisons d'activité et la taille des agglomérations (tabl. 23).

TABLEAU 23 — COMBINAISONS D'ACTIVITES ET TAILLE DES AGGLOMERATIONS — 1968

Types / Taille	A dominante d'association tertiaire							A dominante d'association industrielle						Total
	1.	2.1	2.2	3.1	3.2	4.1	4.2	7.	6.1	6.2	5.1	5.2	5.3	
> 700 000		1								1			1	3
300. à 700 000	2		1	3	2			1		1				10
200. à 300 000	1	1		1					1	1			1	6
100. à 200 000	4	1	7	4	2			2	2	2	1		3	28
80. à 100 000	1		3	2	1	1		1		1	1			11
60. à 80 000	3		2		1				1	2	1	1	6	17
50. à 60 000	5	2	2	1	1			2	1					14
40. à 50 000	5		1	4	2		1	1		3	1		3	21
30. à 40 000	5	3	1	2	1	1				2		2		17
20. à 30 000		1	2	1		1	1	1		1		1	2	11
	26	9	19	18	10	3	2	8	5	14	4	4	16	138

Types 1 : Centres de croissance tertiaire
    2 : Points de contrôle territorial
    3 : Centres de croissance à structure moyenne

4 : Points de blocage struturel
5 : Centres de croissance industrielle
6 : Agglomérations à structures industrielles héritées.

Les régularités semblent un peu plus grandes si l'on s'intéresse aux grands types de déplacement d'ensemble des villes dans la structure générale d'activité (tabl. 24). *Le processus de tertiarisation*, continu jusqu'en 1968, a atteint plus systématiquement les très grandes agglomérations (9 des 12 agglomérations de plus de 300000 habitants) et les plus petites (24 des 48 villes de moins de 50000 habitants en 1968). Au contraire le *processus d'industrialisation* de première phase s'est porté sur des unités urbaines de taille moyenne en 1968 (18 des 30 agglomérations dont la taille varie entre 100 et 300000 habitants et 20 des 33 dont la taille est comprise entre 50 et 100 000 habitants). Cependant, au vu de la nature de ce mouvement relatif d'industrialisation, nous devrons nous interroger sur la part réelle qui revient à la taille des villes considérées, et celle qui relève de la proximité géographique d'agglomérations de même taille.

Les régularités observables entre déplacements différentiels et taille des agglomérations sont beaucoup plus faibles (tabl. 24). Tout au plus note-t-on que pour plus de la moitié des agglomérations de plus de 100000 habitants (22 sur 41), le déplacement différentiel s'est effectué dans le sens d'un processus de surtertiarisation.

TABLEAU 24 — DEPLACEMENTS DANS LA STRUCTURE ET TAILLE DES AGGLOMERATIONS — 1954-1968

Types / Taille	Déplacement général							Déplacement différentiel									
	1.1	1.2	2.1	2.2	3	4	5	1.1	1.2	2.1	2.2	2.3	2.4	3.1	3.2	4.1	4.2
+ de 700 000	2	1									1		1	1			
300-700 000	2	4	1	2							1	1		4	3		
200-300 000	1		2	1	1			1						1	2	1	
100-200 000	1	6	7	8		2	1	3		1	3	2		9	2	1	3
80-100 000	1	2	4	1			2					4		3	1		2
60- 80 000	2	1	6	4	1	1		3	2	2	1	3		1		3	1
50- 60 000	2	4	1	4	2			3	3			2		1	3		1
40- 50 000	6	4	1	5	1	4		6	5		1		3	3		2	1
30- 40 000	4	4	1	4	2	1		2	1		1	3	2	6			
20- 30 000	4	2	1			1	3	1	2		1		1	2	1	1	2

Déplacement général

Type 1. Processus continu de tertiarisation :

    1.1. de villes industrielles en 1954 ;
    1.2. de villes tertiaires en 1954.

Type 2. Processus d'industrialisation de 1ère phase :

    2.1. de villes industrielles en 1954 ;
    2.2. de villes tertiaires en 1954.

Type 3. Processus d'industrialisation de 2e phase.

Type 4. Processus continu d'industrialisation.

Type 5. Processus de substitution inverse.

(voir tableau 13)

Déplacement différentiel

Type 1. Processus de rattrapage industriel ;

    1.1. avec renforcement relatif des activités en croissance ;
    1.2. avec augmentation relative plus rapide d'industries à faible croissance.

Type 2. Processus de rattrapage tertiaire :

    2.1. avec développement relatif d'industries de croissance ;
    2.2. avec amélioration des structures industrielles ;
    2.3. avec gain relatif d'emploi dans les activités en déclin ;
    2.4. avec détérioration relative des structures industrielles.

Type 3. Processus de surtertiarisation ;

    3.1. avec substitution au profit d'activités industrielles en croissance ;
    3.2. avec accroissement relatif de la part des activités en déclin.

Type 4. Processus de surindustrialisation :

    4.1. avec renforcement relatif de spécialisation dans des activités en croissance ;
    4.2. avec détérioration relative des structures industrielles.

(voir tableau 15)

TABLEAU 25 — DEPLACEMENT DANS LA STRUCTURE ET TAILLE DES AGGLOMERATIONS 1968-1975

Taille	Types de déplacement					
	1.1	1.2	2.1	2.2	3.1	3.2
+ de 700 000	2		1			
300-700 000	3		3		3	
200-300 000	2		1		1	1
100-200 000	10	1	6		9	1
80-100 000	4		2		4	
60- 80 000	6		4		5	2
50- 60 000	6			1	6	1
Total	33	1	17	1	28	5

Types 1. Poursuite du déplacement antérieur (1962-68) :

    1.1. Processus de tertiarisation ;
    1.2. Processus d'industrialisation.

Types 2. Arrêt du déplacement antérieur (1962-68) :

    2.1. Processus de tertiarisation ;
    2.2. Processus d'industrialisation.

Types 3. Changement de tendance :

    3.1. Processus d'industrialisation prolongeant le processus de tertiarisation ;
    3.2. Processus de tertiarisation prolongeant le processus d'industrialisation.

(voir tableau 14).

Le fait que la plupart de ces régularités disparaissent entre 1968 et 1975 (tabl. 25) renforce l'hypothèse selon laquelle ces relations taille-structure d'activité ont été conjoncturelles et sans doute en rapport avec certaines formes de la diffusion dans l'espace de la croissance économique de la période considérée.

2.2 STRUCTURE SOCIO-ECONOMIQUE ET
FONCTIONS DE NIVEAU SUPERIEUR

L'absence de régularité, et donc d'une signification uniforme de la taille des villes pour la distribution des activités économiques, provient peut-être de la diversité profonde des fonctions urbaines réunies dans un même réseau. Nous avons donc sélectionné des sous-ensembles de villes, plus homogènes par leur niveau hiérarchique, et recherché s'ils possèdaient des caractères propres de structure et d'évolution : il s'agit d'une part des huit métropoles d'équilibre et d'autre part des 12 autres capitales de région-programme.

1) Les métropoles d'équilibre des villes "moyennes"

Nettement caractérisées pour leur position dans le système urbain français, ces agglomérations ont été désignées depuis une dizaine d'années pour jouer un rôle croissant dans le rééquilibrage du territoire. Elles ont bénéficié de programmes importants d'équipement et de développement d'activité. Jusqu'à présent, aucun bilan d'ensemble de cette politique n'a été proposé. Nous recherchons si une structure d'activité particulière correspond à ce niveau hiérarchique élevé et si l'évolution des structures socio-économiques des métropoles paraît infléchie par l'attribution de fonctions communes.

Bien que, dans les classifications de l'ensemble des villes françaises, les 8 métropoles d'équilibre ne s'isolent jamais en un groupe très homogène, elles ont en commun quelques traits carac-

téristiques (fig. 22). Elles ont toutes des *profils d'activité très proches du profil moyen.* Toutes ont des combinaisons d'activité à dominante tertiaire, sauf Lyon et Lille. Leurs spécificités ne sont jamais très marquées, et ne s'exercent que dans cinq activités : la métallurgie, les industries textiles, alimentaires et diverses, et les transports. Dans la division territoriale du travail, leurs fonctions de production et de transit ont donc plus de poids que leurs activités de places centrales. Leurs structures sociales sont assez peu différentes. A l'exception de Lille, elles sont peu ouvrières, mais ne peuvent pour autant être définies comme des villes "bourgeoises". Leur société est plutôt caractérisée par la prépondérance des salariés du secteur tertiaire. Leurs *niveaux de vie,* tant pour les revenus que pour les salaires, sans être extrêmement élevés, se situent toujours *nettement au-dessus de la moyenne.*

De 1954 à 1975, l'évolution des structures d'activité tend à beaucoup rapprocher ces villes les unes des autres. Bordeaux, Toulouse, Nancy et Strasbourg ont connu des phases d'industrialisation, alors que Lyon et Lille se sont tertiarisées pendant toute la période. Elles ont, de 1954 à 1975, des *taux de croissance* proches de la moyenne de leur catégorie de taille, c'est-à-dire *faibles* par rapport à ceux de l'ensemble des villes. Au cours de cette période, leur situation socio-économique dans le système urbain a été d'une grande stabilité relative (fig. 23).

Il est difficile de déterminer ce qui, dans ces observations, est strictement imputable au rôle de métropole d'équilibre de ces agglomérations. En effet, on a trouvé dans d'autres pays industriels des caractères d'activité analogues pour beaucoup de villes de cette taille (Borchert, 1972). Ces observations empiriques ont même été rattachées à une théorie de la croissance économique : selon Thompson (1965), au-delà de 200 ou 250 000 habitants, une agglomération est assurée d'une certaine croissance du fait d'une base économique suffisamment large et diversifiée. L'importance de la masse initiale de ces agglomérations explique que leurs taux de croissance, exprimés en valeur relative, restent faibles. Cette grande taille explique aussi les progrès de la diversification des activités, en multipliant les possibilités d'innovation. Elle exclut des spécificités marquées dans les activités étroitement liées au service des ménages.

2) Les capitales régionales : des "pôles de croissance" ?

Les douze autres capitales de région-programme forment un échantillon plus hétérogène. Différentes par la taille (de 70 000 habitants à Poitiers, à 350 000 à Rouen), en général plutôt tertiaires, avec des structures sociales du même type que celles des métropoles d'équilibre, elles ont toutefois des *profils d'activité un peu plus disparates.* Poitiers et Montpellier, en particulier, se distinguent de l'ensemble par l'exclusivité de leur fonction administrative et de services aux particuliers, qui rejaillit largement sur leur structure sociale. Dijon, pour la structure d'activité, et Rennes, pour la structure sociale, se rapprochent de ces deux villes. Clermont-Ferrand s'individualise plus fortement pour sa fonction industrielle que pour sa structure sociale, un peu plus ouvrière, mais voisine de celles de Rouen, Besançon et Reims (Annexe 4).

Ce sont en fait d'autres caractéristiques socio-économiques qui soulignent l'hétérogénéité de ce groupe des capitales régionales et le distinguent du groupe plus homogène des métropoles d'équilibre : Caen et Orléans se signalent par leur forte croissance et leur attraction migratoire, Montpellier par sa forte croissance, Poitiers et Rennes par les bas salaires, Amiens et Limogres pour la fragilité de leurs potentialités d'évolution, Rouen, Besançon, Clermont-Ferrand et Reims pour leurs salaires plus élevés, en rapport avec une plus grande proportion d'ouvriers (fig. 22).

C'est surtout par leur évolution que le groupe des capitales régionales se distingue des métropoles d'équilibre. Leurs taux de croissance ont toujours été supérieurs, en moyenne, à ceux des villes de même catégorie de taille, et cet écart s'est même accentué entre 1954 et 1975. Leurs évolutions structurelles sont un peu moins convergentes que celles des métropoles d'équilibre. Quelle que soit leur situation initiale, elles ont toutes, à l'exception de Montpellier, connu au moins une phase d'industrialisation. La plupart ont amélioré leur position relative dans le réseau urbain en termes de modernité des structures socio-économiques, à l'exception d'Amiens, Rouen et Limoges. En outre, les structures d'activité de ces villes se modifient dans l'ensemble plus rapidement qu'ailleurs (fig. 23).

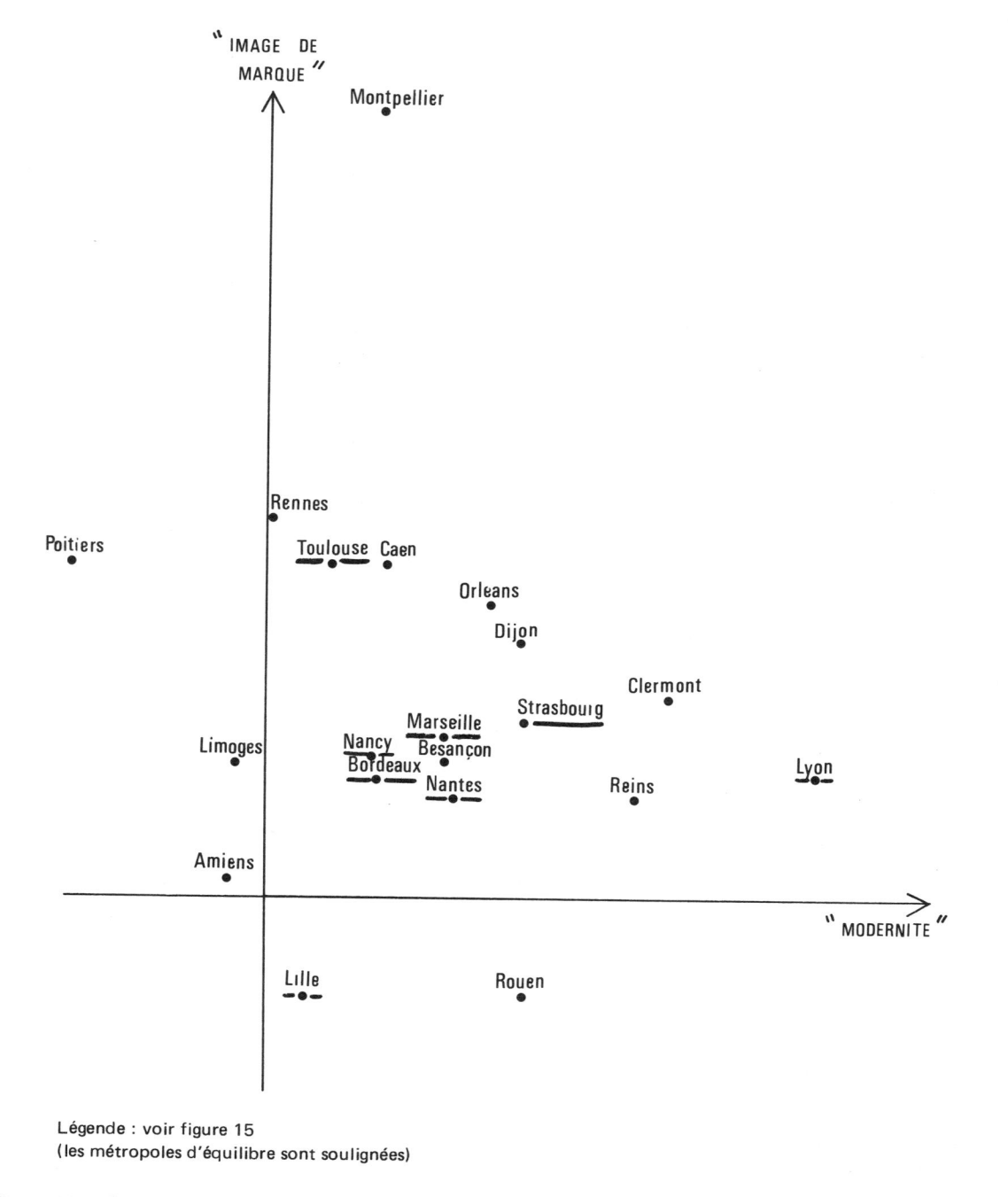

Légende : voir figure 15
(les métropoles d'équilibre sont soulignées)

Figure 22 — Situations socio-économiques des métropoles d'équilibre et des capitales régionales vers 1970

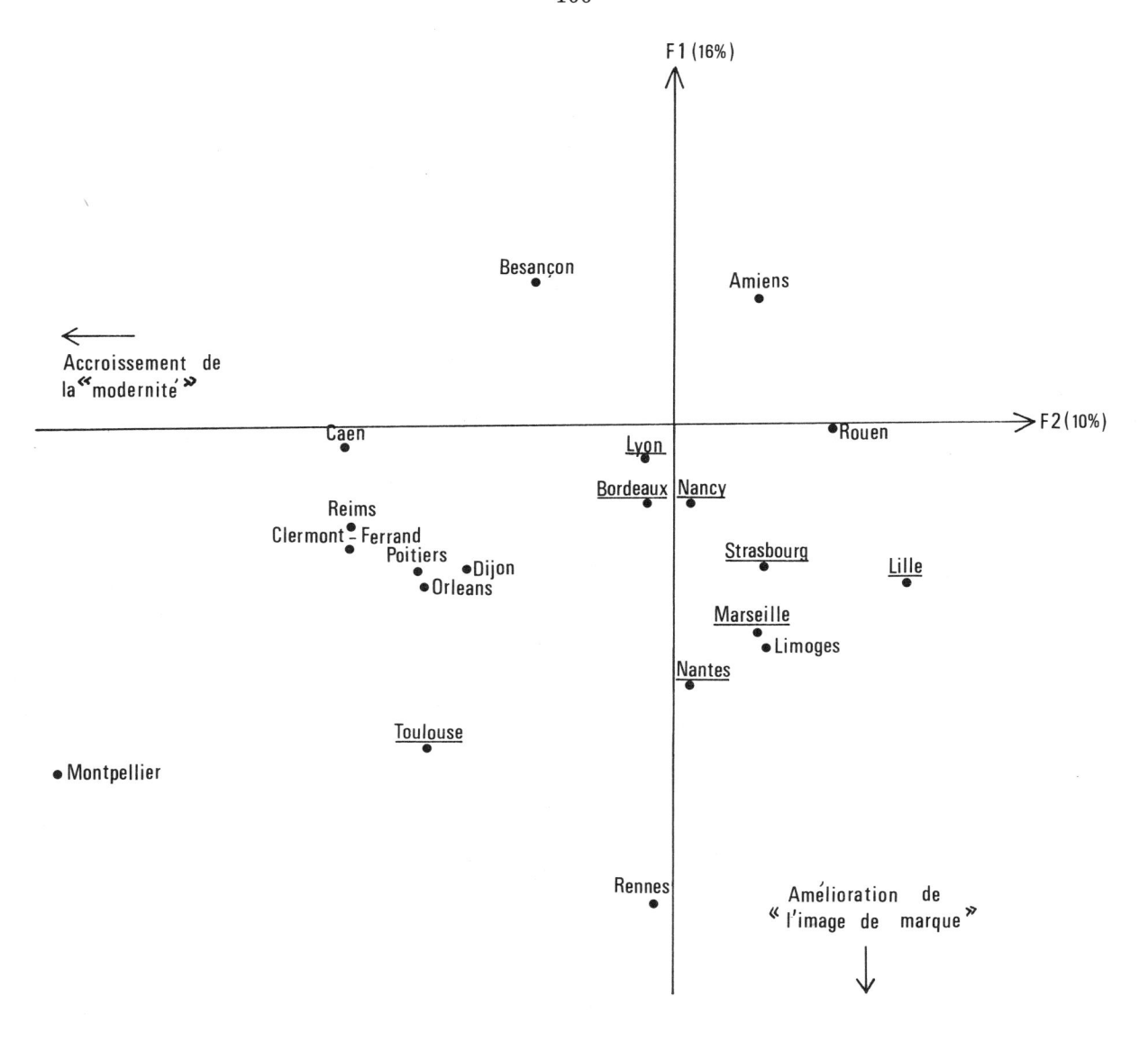

D'après l'ACP des résidus de régression des variables 1968/1954 (voir figure 16)

Figure 23 — Modification des positions relatives des métropoles d'équilibre et des capitales régionales dans le système urbain

Ce qui les caractérise est donc bien *leur dynamisme démographique et structurel.* Pour peu qu'elles sachent transmettre cette impulsion à leur environnement, ces agglomérations mériteront peut être l'appellation de "pôle de croissance".

3. LES STRUCTURES URBAINES REGIONALES

Pour une étude d'ensemble du système urbain, la référence nationale était indispensable. Elle a pu toutefois masquer certaines particularités régionales, qu'il faut retrouver en modifiant l'échelle d'analyse. C'est en observant chaque structure urbaine régionale que l'on peut apporter quelques éléments de réponse à trois questions :

— l'hétérogénéité spatiale des structures d'activité décrites dans le cadre national s'explique-t-elle par la juxtaposition de structures régionales plus homogènes, ou par la répétition d'une même structure régionale différenciée sur l'ensemble du territoire ?

— des combinaisons d'activité différentes, insérées dans des milieux régionaux différents, peuvent-elles avoir une même signification fonctionnelle ?

— existe-t-il des modèles régionaux de développement des structures urbaines ?

Nous avons retenu les cadres régionaux définis par les sept Zones d'Etude et d'Aménagement du Territoire (ZEAT) (annexe 1). Centrées chacune sur une métropole d'équilibre (ou sur la Région Parisienne pour le Bassin Parisien), elles sont pertinentes pour des études relatives à l'organisation urbaine. Elles contiennent entre 14 et 38 agglomérations de notre échantillon. Pour chacun de ces sous-ensembles de villes, nous avons dégagé, par les mêmes techniques que précédemment, une structure et des types fonctionnels en 1954 et en 1968, et confronté les combinaisons d'activité et les autres indicateurs urbains.

L'enseignement majeur de ce changement d'échelle d'observation est qu'il existe une *grande identité des structures fonctionnelles régionales*. C'est donc bien la répétition du même schéma sur l'ensemble du territoire qui explique l'éclatement des localisations des types urbains nationaux, et non pas la juxtaposition de sous-ensembles régionaux mal individualisés par la référence à la moyenne nationale.

A partir d'une référence qui est le profil moyen régional, *l'organisation fonctionnelle de chaque région reproduit le modèle national*. Un petit nombre de villes (moins du tiers de l'effectif régional) a des spécificités fonctionnelles très marquées. Ces fonctions très spécifiques sont de nature industrielle dans toutes les régions (seule la défense crée dans deux régions — Ouest et Méditerranée — quelques cas de forte spécificité tertiaire). Le reste des agglomérations se partage en deux groupes beaucoup plus proches du profil moyen régional. Ils se distinguent nettement par le poids relatif de l'emploi secondaire, de part et d'autre du seuil de 40 %, et par la nature de leurs activités spécifiques. De plus, les associations définissant la fonction du groupe des villes tertiaires varient très peu d'une région à l'autre (tabl. 26).

Seules deux régions s'ajustent difficilement à ce modèle. Dans le Nord, les villes à fonction très spécifique sont les plus nombreuses (8 sur 14). Malgré des spécificités de nature différente, elles se ressemblent beaucoup plus entre elles qu'elles ne ressemblent au reste des villes de la région. Dans la région Méditerranée, les villes de spécificités moyennes forment deux groupes à fonction tertiaire, très faiblement industrialisés (emploi secondaire : 35 %). Seul l'un d'eux ajoute une légère surreprésentation des industries alimentaires et diverses à une spécificité dans les transports.

La grande ressemblance de la plupart des structures fonctionnelles régionales provient de la *diversité des profils d'activité interne à chaque région, qui surpasse presque toujours en importance les écarts interrégionaux de structures d'activité.*

Tableau 26 — STRUCTURES FONCTIONNELLES REGIONALES

SPECIFICITES FONCTIONNELLES	ZEAT	BASSIN PARISIEN	NORD	SUD-EST	SUD-OUEST	EST	CENTRE-EST	OUEST
TRES SPECIFIQUE	Nombre d'unités urbaines	5	8	3	3	4	7	6
	Nature des spécificités	CHI, THB	EXT, MET	EXT, DEF	THB MET	EXT, MET	EXT-MET THB-MET CHI, DIV	DIV-THB DEF
	% moyen d'emploi secondaire	63, 68	66, 60		46, 41	71, 71	67, 58, 55, 54	54, 44
SPECIFIQUE INDUSTRIEL	Nombre d'unités urbaines	9	4	6	6	7	6	8
	Nature des spécificités	CHI, MET	THB-DIV-SPA		CHI-DIV-SDO	THB-DIV	DIV-BQA SEN-HOT	MET
	% moyen d'emploi secondaire	55, 50	54		41	47	49	45
SPECIFIQUE TERTIAIRE	Nombre d'unités urbaine	24	2	13	5	5	5	8
	Nature des spécificités		ADM-CGR SPA-BQA ALI-BTP	ADM-SPA BQA-BTP TRS	ADM-SPA BQA-BTP	SPA-TRS AL	ADM-SPA BTP-HOT	ADM-SPA BTP-HOT
	% moyen d'emploi secondaire	39	38	34, 27	31	36	36	

CHI, THB Activités définissant chacune une spécificité
ADM-CGR-SPA- etc. . . Activités associées dans la définition d'une spécificité.

Une assez grande généralité se manifeste aussi dans les relations qui lient structures d'activité, structures sociales, dynamisme démographique et niveau de vie (fig. 24). Les deux principales composantes socio-économiques des réseaux urbains régionaux français sont, à quelques exceptions près, les mêmes. La première diffère d'une région à l'autre, plus du fait de son poids dans la structuration de ces réseaux (25 à 54 % de la variance en 1968), que des liaisons qui la fondent et des oppositions qu'elle décrit. Pour la presque totalité des régions (Sud-Ouest excepté), elle reclasse bien les agglomérations selon l'état de leur développement industriel ou tertiaire, sur la base d'associations et d'exclusions d'activités économiques et de catégories socio-professionnelles, déjà observées dans la structure d'ensemble. Cependant des liaisons régionales originales apparaissent entre cette structure et les indicateurs de croissance démographique et de niveaux de vie. Elles témoignent que les processus récents de transformation des structures fonctionnelles des villes ne se sont que progressivement diffusés et que les différents réseaux régionaux n'ont été atteints ni au même moment ni au même rythme (tabl. 27).

La deuxième composante est dans presque toutes les régions au terme de la période très semblable à celle du niveau national. Elle exprime des mécanismes de ségrégation croissante des unités urbaines par renforcement relatif, pour certaines d'entre elles, de caractères structurels régressifs. On observe en outre que cette deuxième dimension urbaine s'est assez largement généralisée dans l'ensemble des régions au cours de ces vingt ans, rapprochant assez sensiblement les différentes structures régionales. Cependant cette homogénéisation n'a pas effacé quelques différences très sensibles.

Du fait des vitesses différentielles avec lesquelles ces transformations se sont effectuées dans l'espace, les réseaux urbains régionaux se situent encore à des niveaux très différents de développement par delà la ressemblance croissante des schémas de liaison qui fondent leur structure.

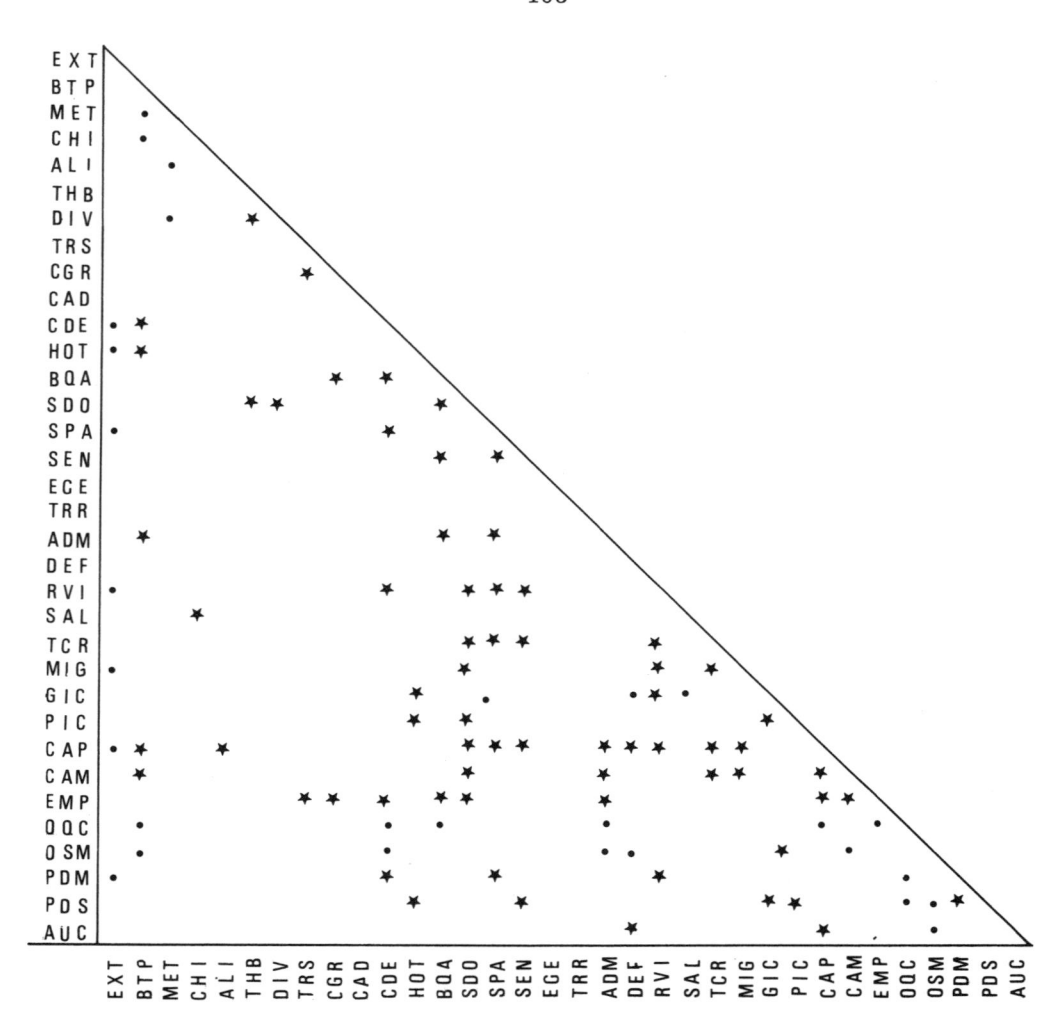

★ Corrélation positive

• Corrélation négative

Figure 24 — Liaisons socio-économiques communes à toutes les régions

Le Nord reste, du point de vue urbain, la plus originale des régions françaises. Elle se distingue par sa très forte concentration industrielle et ouvrière (55 % des emplois) et par un nombre élevé d'agglomérations à fonctions très spécifiques (tabl. 26). L'évolution de cet ensemble, depuis l'après-guerre semble avoir renforcé le caractère extrême de sa situation dans le système urbain français. Certes les villes de la région ont effectué un rattrapage pour des activités tertiaires de service aux ménages : commerce alimentaire de détail et services aux particuliers, mais le niveau de ces activités reste toujours inférieur à la moyenne nationale. Surtout, on y observe parallèlement *une concentration des emplois de certaines industries, déjà génératrices de fortes spécialisations.* Cette concentration est relative pour l'extraction, la métallurgie et le textile (la proportion de ces branches dans la population active des villes du Nord diminue), et absolue pour la

— 104 —

chimie. Le type des emplois offerts (tabl. 27) n'a pas permis de modifications profondes de la société urbaine : la proportion de cadres moyens a crû plus lentement qu'ailleurs, celle des cadres supérieurs et des employés est demeurée stable. On peut donc parler d'une aggravation relative du monolithisme des structures sociales des villes du Nord.

TABLEAU 27 — PROFILS SOCIO-ECONOMIQUES DES RESEAUX URBAINS REGIONAUX

Ré- gions	Bassin Parisien		Nord		Est		Ouest		Sud-Ouest		Sud-Est		Centre-Est	
	1954	1968	1954	1968	1954	1968	1954	1968	1954	1968	1954	1968	1954	1968
GIC	2,1	1,2	2,0	1,2	2,0	1,0	2,4	1,5	2,5	2,0	2,5	2,0	2,5	1,5
PIC	10,4	6,7	11,7	8,1	8,0	5,2	12,4	7,5	14,0	9,3	15,8	10,7	12,2	8,3
CAP	4,5	6,1	3,6	4,3	4,8	6,2	5,0	6,8	5,2	7,0	5,1	7,3	4,5	5,9
CAM	8,7	12,4	7,5	10,3	8,5	12,3	9,5	13,6	10,0	13,3	8,8	12,5	8,5	12,5
EMP	18,6	20,0	13,5	14,6	16,3	18,7	18,0	20,8	19,0	21,0	18,3	19,0	16,9	17,9
OQC	27,0	21,0	33,1	27,5	27,0	20,6	25,0	17,2	23,0	16,0	21,3	16,6	24,4	20,1
OSM	19,0	23,3	22,1	28,0	24,0	27,5	16,0	21,0	14,0	21,0	15,6	20,2	22,3	25,6
PDM	4,2	2,7	2,9	2,1	3,0	2,0	5,0	3,6	6,0	3,3	4,1	2,7	3,4	2,1
PDS	2,7	3,3	1,7	2,2	3,0	3,0	3,0	3,6	3,3	3,7	4,5	4,7	3,3	3,2
AUC	2,9	3,0	1,8	2,0	3,4	3,0	3,9	4,5	3,4	4,1	3,9	3,9	2,0	2,2
RVI	110	104	94	79	118	109	105	108	131	118	132	120	132	112
SAL	83	90	87	89	90	97	81	89	80	85	87	90	91	95
TCR	2,2	1,6	1,4	0,4	2,6	0,9	2,4	1,5	2,0	1,2	2,3	1,5	2,4	1,4
MIG	0,73	0,89	0,80	0,85	1,0	0,80	0,77	0,80	0,88	0,57	0,97	1,20	0,88	0,90

De plus, les positions des agglomérations de la région dans la hiérarchie des fonctions urbaines semblent s'être détériorées. Les deux activités (service aux entreprises et commerce de gros) qui se sont le plus redistribuées géographiquement, et dont la localisation a tendu à se rapprocher des centres de commandement, sont de plus en plus sous-représentées dans toutes ces villes.

Très hétérogènes par leurs structures d'activité, les villes de la région ont connu des *évolutions démographiques et socio-économiques très contrastées* (fig. 25) qui tendent à accentuer les disparités internes : c'est la seule région de France où cette évolution semble largement déterminée par les structures initiales. Ainsi les villes minières tendent à former un groupe de plus en plus homogène, aux structures peu différenciées et à la démographie déclinante. Au contraire les agglomérations les plus tertiaires (Arras, Lille) ont les taux de croissance les plus élevés et améliorent leur "image de marque". Les agglomérations dont l'activité était dominée par les industries textiles (Calais, Armentières) ou alimentaires (Boulogne s/Mer), ont vu se détériorer leurs structures sociales (progression des emplois non qualifiés) et leur niveau moyen de salaire.

Beaucoup des problèmes de la région du Nord sont liés à la spécialisation économique et à la faible diversification des structures sociales. Au plan urbain, les vingt dernières années semblent avoir rendu la situation plus préoccupante encore, tant par rapport à l'évolution des autres villes françaises, qu'en ce qui concerne les disparités à l'intérieur de la région.

— *L'Est* rassemble des villes aux structures socio-économiques très hétérogènes. Comme la région du Nord, elle garde une proportion d'emploi industriel élevée (50 %) et son degré de spécialisation industrielle s'est accentué (concentration absolue dans l'extraction et la métallurgie et déclin relatif de toutes les autres industries). Toutefois, ces villes ont connu un rattrapage très significatif dans toutes les activités tertiaires, acquérant même un niveau supérieur à la moyenne nationale pour les services aux particuliers et aux entreprises. Leur évolution sociale (tabl. 27) est aussi nettement plus favorable que celle des villes du Nord : moins éloignées du profil moyen à l'origine (à l'exception d'une sous-représentation marquée des petits industriels et commerçants) elles s'en sont encore rapprochées (par une diminution de la proportion d'ou-

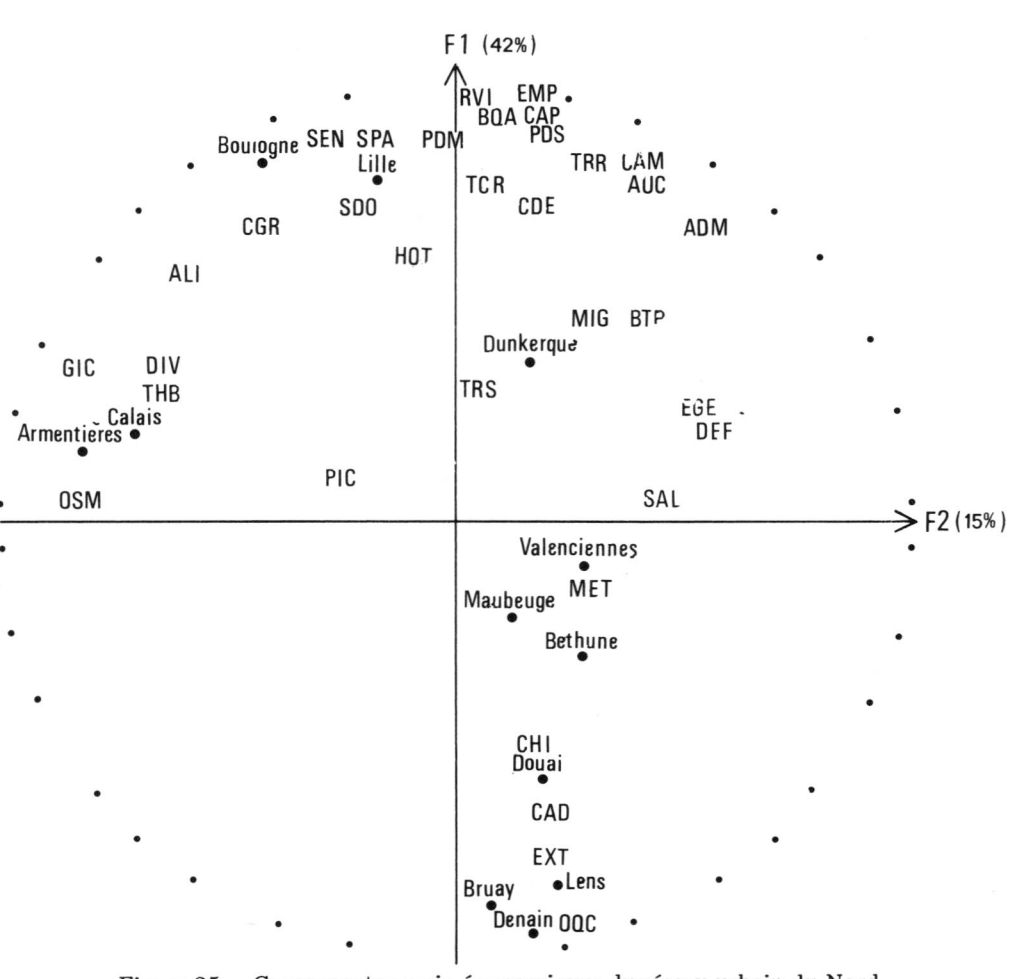

Figure 25 — Composantes socio-économiques du réseau urbain du Nord.

vriers notamment : de 51 à 48 % de l'emploi). Toutes les autres catégories ont évolué comme la moyenne française.

Les villes de la région avaient dès 1954 un niveau de vie (richesse vive et salaires) légèrement supérieur à la moyenne et elles ont conservé cet avantage. En revanche, leur situation pour la croissance démographique et les échanges migratoires interurbains s'est nettement détériorée. Ce renversement est essentiellement le fait des agglomérations industrielles et minières de la Lorraine (Forbach, Longwy, Thionville), qui sont passées, de bilans très positifs avant 1962, à des bilans déficitaires.

Les situations socio-économiques relatives des villes à l'intérieur de la région, ne se sont que peu modifiées (fig. 26). Les grandes villes, en croissance démographique depuis 1962, ont acquis quelques spécificités industrielles (Nancy, Strasbourg). Mulhouse a effectué un certain rattrapage tertiaire. Au contraire, Metz et Montbéliard ont renforcé relativement des spécialisations déjà très poussées. Le déclin démographique n'a provoqué de bouleversement sensible des structures sociales qu'à Forbach, où la forte diminution des ouvriers qualifiés (dont les mineurs) a été compensée par une progression des employés et cadres moyens

— *Le Sud-Est.* Nous avons souligné les particularités des structures des villes de cette région. Elles consistent essentiellement en une extrême sous-représentation de l'emploi secondaire

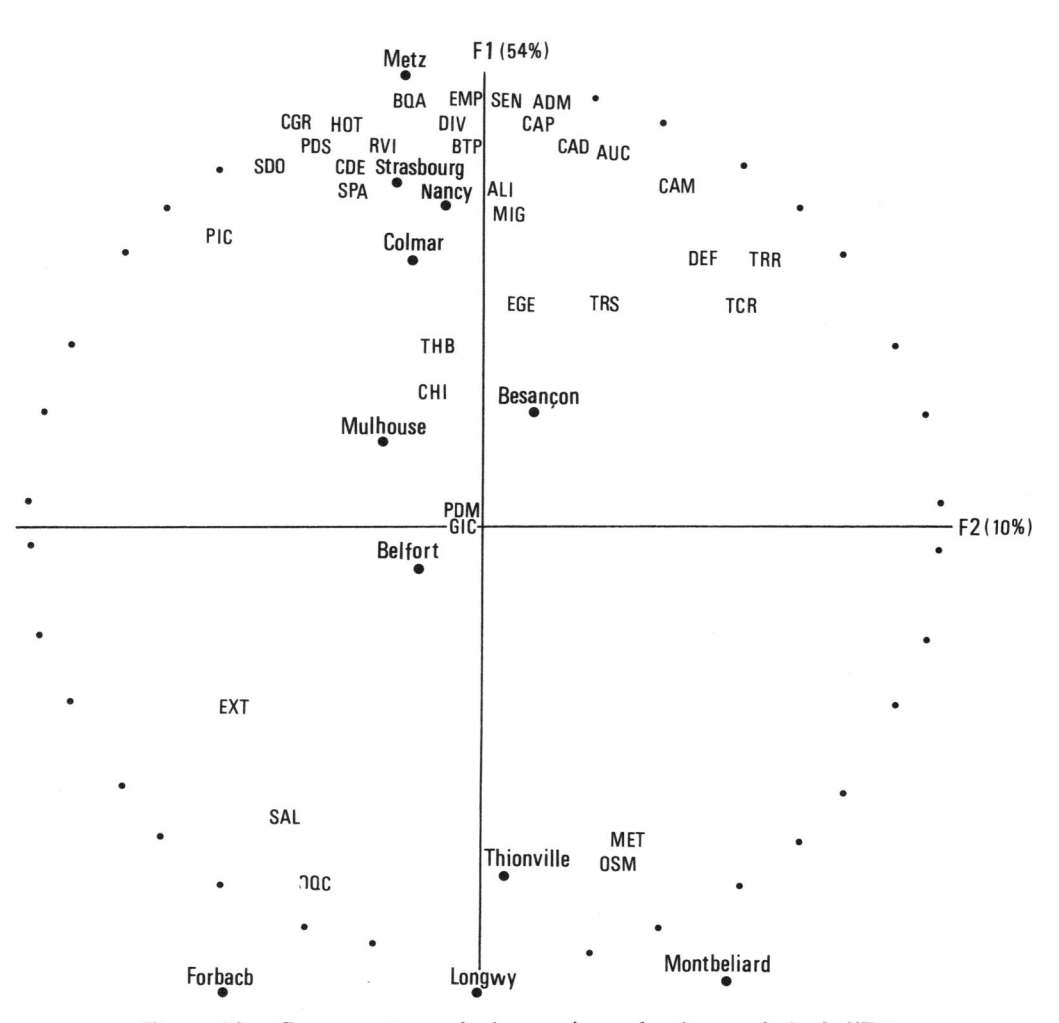

Figure 26 — Composantes socio-économiques du réseau urbain de l'Est

(35 %) et ouvrier (37 %). Cette carence ne s'est pas atténuée (tabl. 27). Au contraire, les fonctions tertiaires spécifiques de ces villes se sont relativement renforcées. Elles se traduisent par le rôle exceptionnel qu'y jouent les transports et l'hôtellerie dans l'économie régionale et par la surreprésentation des patrons de l'industrie et du commerce et du personnel de service. La bonne image de marque de la plupart de ces villes résulte moins de leur croissance démographique et du niveau de leurs salaires, proches des moyennes nationales, que d'une attractivité nettement supérieure, d'un pouvoir d'achat très élevé et d'une surreprésentation des catégories sociales les plus favorisées.

Les structures socio-économiques des grandes villes (fig. 27) se sont rapprochées du modèle national. Les caractères urbains liés à l'activité touristique sont moins discriminants ; le processus de substitution a fortement redéfini les situations relatives des villes. Montpellier, Nimes et Marseille se sont réorientées vers un complexe d'activités en croissance, Toulon s'est rapprochée d'une situation moyenne, tandis que la spécialisation économique et sociale de Cannes s'accentue relativement. Les petites villes, quelle que soit leur structure d'activité, se développent plus lentement et conservent assez largement leur spécificité antérieure (Carcassonne, Narbonne, Arles, Perpignan. . .).

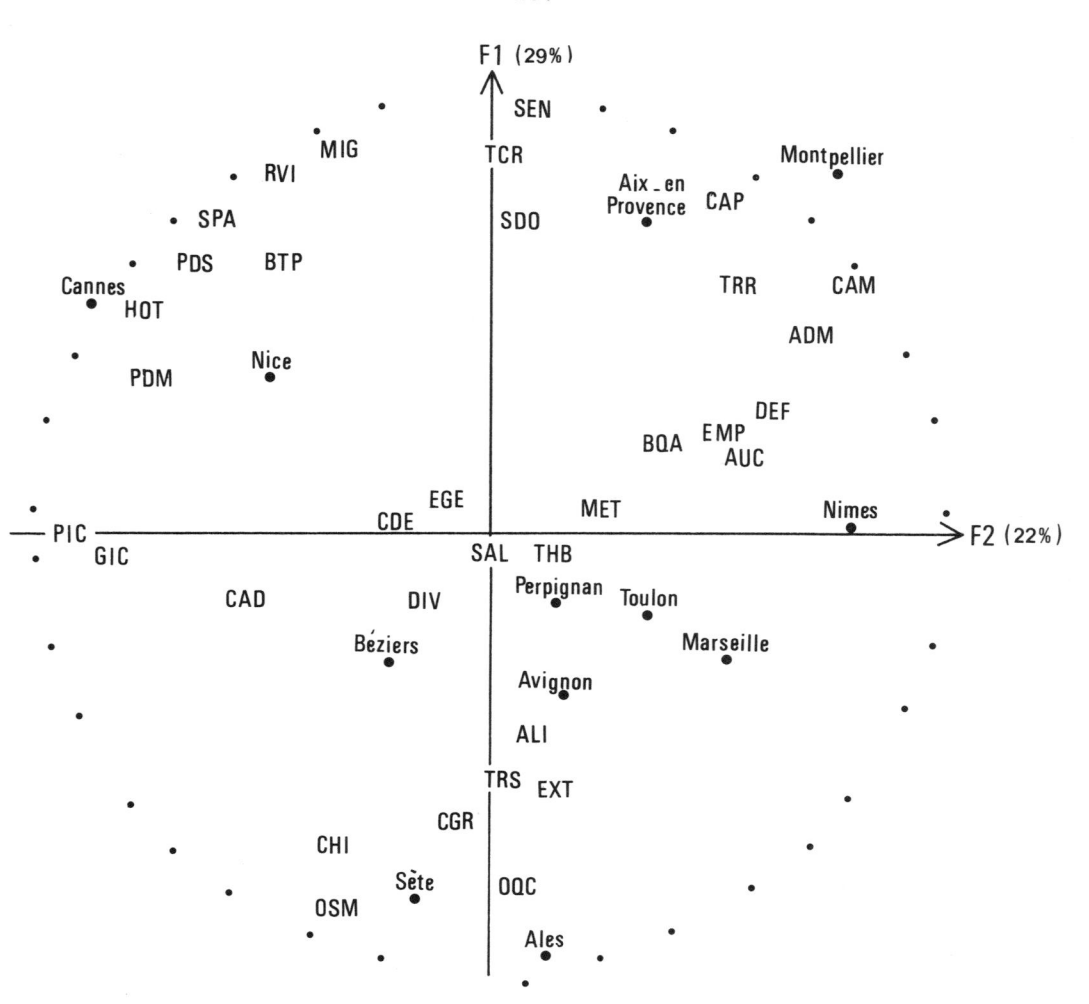

Figure 27 — Composantes socio-économiques du réseau urbain du Sud-Est

Les composantes socio-économiques des villes du sud-est se sont donc un peu rapprochées de la structure nationale, du fait des associations qui les fondent. Cependant, la nature des spécificités, et les niveaux auxquels elles se situent ne se sont pas fondamentalement modifiés.

— *Le Centre-Est*. Les villes de cette région ont pour caractéristique d'associer, à un degré d'industrialisation relativement élevé (48 %), des surreprésentations qui vont s'accentuant dans deux activités tertiaires : banque assurances, service aux entreprises. On admet communément que de telles surreprésentations sont significatives d'un bon niveau de développement régional. Cette observation est confirmée par la densité régionale de villes dont la fonction s'exprime par des spécificités simultanées dans les services aux entreprises, le secteur banque-assurances et quelques activités industrielles (par exemple Lyon, Grenoble, Annecy, Valence..., tabl. 26).

C'est dans cette région que l'on retrouve l'opposition la plus tranchée entre des villes à structures d'activité dynamiques, à base industrielle ou tertiaire, en croissance démographique rapide et continue d'une part, (les villes citées ci-dessus auxquelles s'ajoutent Bourg-en-Bresse et Clermont-Ferrand), et d'autre part des agglomérations caractérisées par la faible qualification

des emplois ouvriers, l'importance des activités en déclin et la médiocrité des taux de croissance (Montluçon, Saint-Etienne, Vichy. . .).

Enfin, cette région est celle où les structures socio-économiques sont demeurées les plus stables (fig. 28), tant par les positions relatives des villes que par les schémas de liaison des variables. Cette stabilité n'exprime-t-elle pas l'apparition plus précoce (dès les années 50), dans cette région, de modalités d'associations qui se sont diffusées progressivement dans l'ensemble du système urbain au cours des 20 dernières années ?

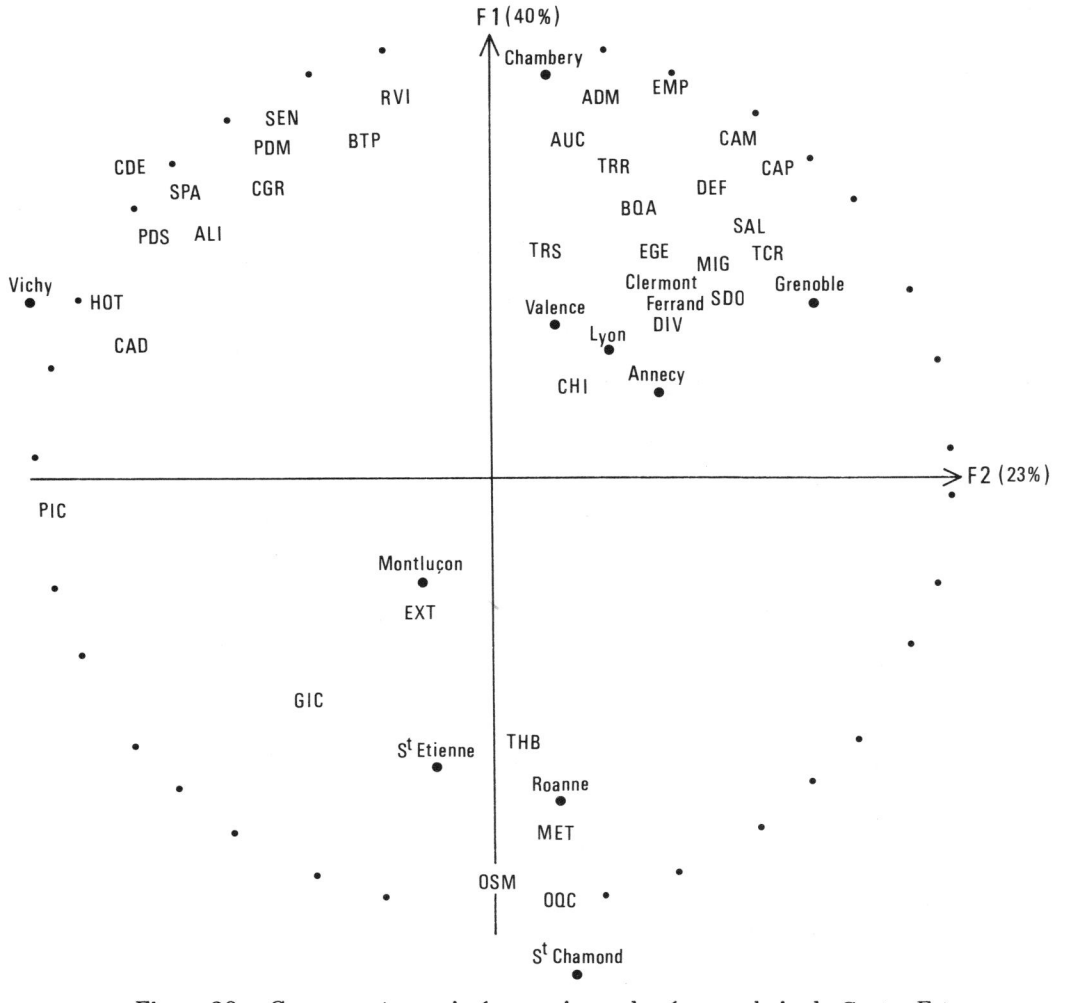

Figure 28 — Composantes socio-économiques du réseau urbain du Centre-Est

— *Le Sud-Ouest*. Cet ensemble de villes est sans doute le plus homogène, et, après le Sud-Est le plus sous industrialisé de France. Aussi même les fonctions spécifiques les plus extrêmes (tabl. 26 : textile à Castres, métallurgie à Brive et à Tarbes) n'y entraînent que des niveaux d'industrialisation très moyens. Surtout, l'organisation des structures socio-économiques de ce réseau régional repose sur un schéma différent de liaisons. Les composantes en sont moins hiérarchisées. La première isole Bayonne où prévalent des associations liées à la fonction de commerce et de

défense, et l'oppose à des villes qui associent les fonctions administratives à quelques activités industrielles (textile, métallurgie) où l'emploi ouvrier est plus développé. La deuxième composante tend à opposer les plus grandes villes aux fonctions diversifiées et qui apparaissent comme les plus dynamiques (Bordeaux, Toulouse, Pau, Limoges), aux villes plus petites, avant tout administratives (Agen, Périgueux, Albi).

L'originalité de cette région (fig. 29) tient à ce qu'on n'y retrouve, ni la grande dichotomie villes "tertiaires-bourgeoises-riches", villes "industrielles-ouvrières-pauvres", ni la ségrégation entre structures modernes en croissance et structures archaïques en déclin.

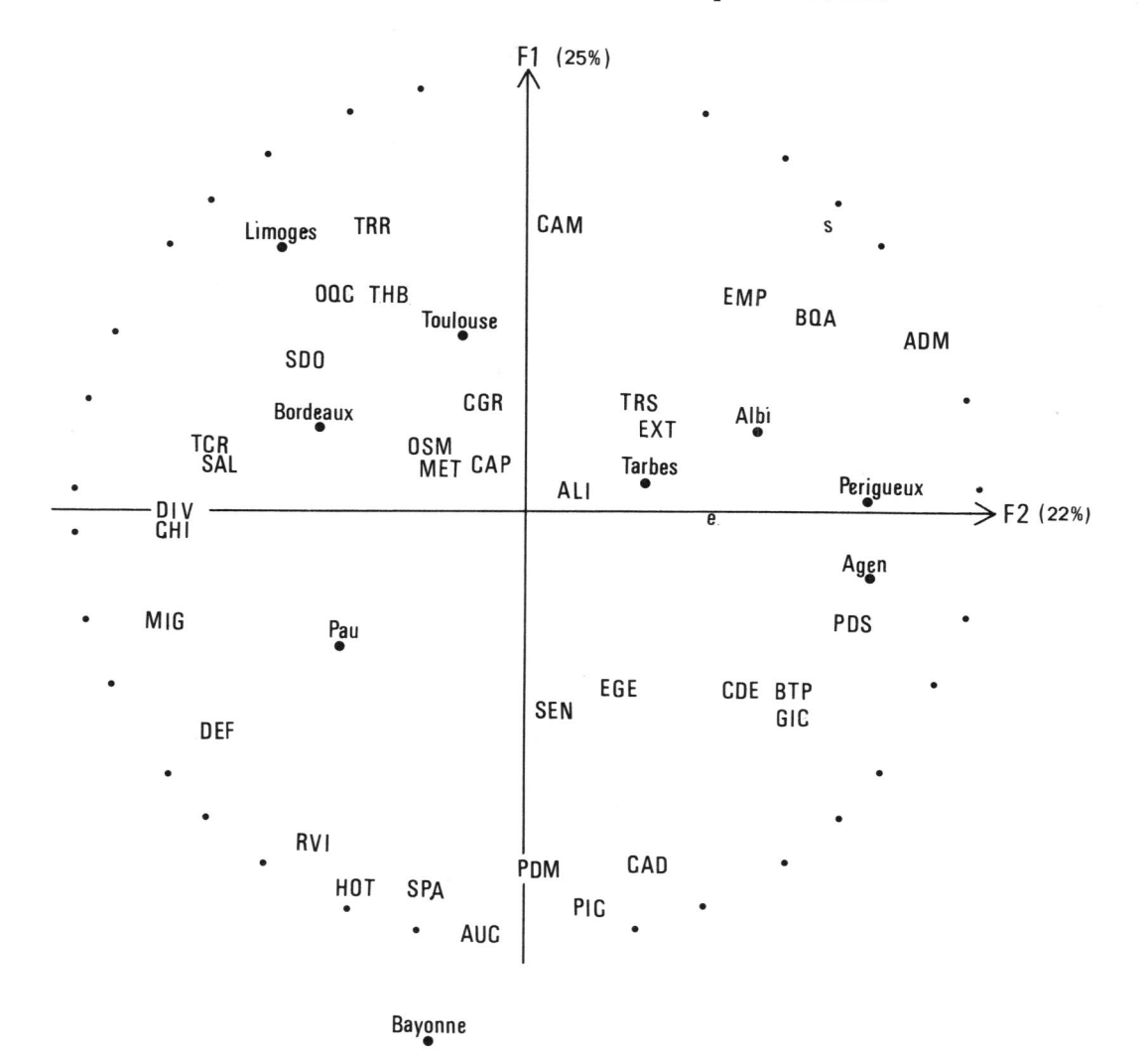

Figure 29 — Composantes socio-économiques du réseau urbain du Sud-Ouest

Cet état résulte-t-il de la diffusion inachevée ici des processus nationaux de réorganisation des fonctions urbaines ? Cette hypothèse pourrait être confirmée par la très grande instabilité, au cours de la période, des liaisons qui fondent cette structure urbaine régionale. Le déclin local relatif de la plupart des industries explique sans doute cet inachèvement et témoigne peut-être d'un retard croissant de cette région périphérique.

— *Le Bassin parisien.* La structure urbaine de cette région est, au début des années 70, proche de la structure d'ensemble des villes françaises (fig. 30) avec un niveau d'industrialisation moyen. Toutefois la dichotomie principale repose sur les particularités socio-économiques des trois agglomérations encore dominées par l'activité extractive (Montceau-les-Mines) et les industries textiles (Troyes — Saint-Quentin). Les industries métallurgiques et chimiques y sont plus également diffusées dans les grandes villes et donc beaucoup moins discriminantes. Les villes à fonction administrative (tabl. 26), très nombreuses du fait de la concurrence exercée en matière d'industrialisation par l'agglomération parisienne, ont les taux d'emploi industriel les plus élevés de France pour les villes de cette catégorie (39 %).

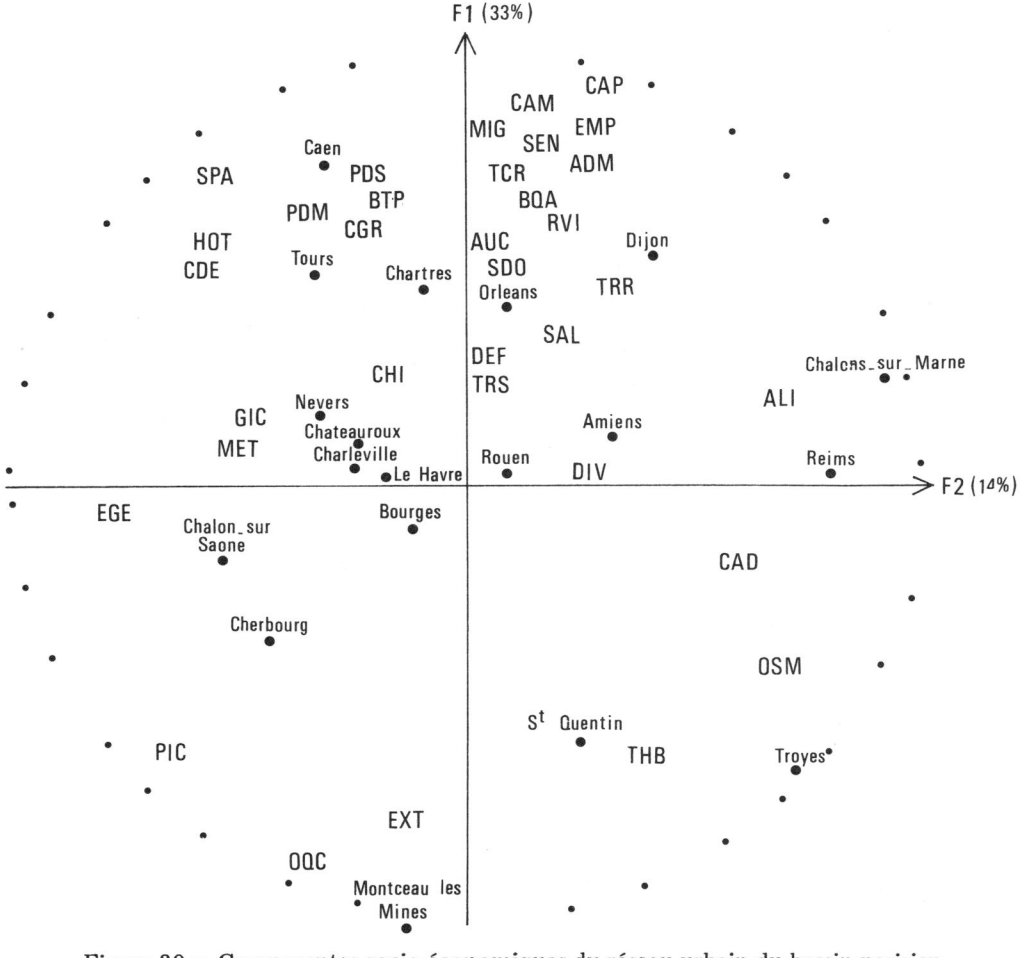

Figure 30 — Composantes socio-économiques du réseau urbain du bassin parisien

Cette structure est demeurée stable de 1954 à 1968. Seules quelques agglomérations ont changé de fonction (fig. 30), passant du groupe des villes administratives à celui des villes moyennement industrialisées, en acquérant des spécificités dans des activités industrielles en croissance (métallurgie et chimie ; exemple : Compiègne, Bourges, Soissons, Chalon s/Saône). D'ailleurs les situations socio-économiques intra-régionales de ces villes ne se sont que peu modifiées entre 1954 et 1968.

— *L'Ouest*. Comme celle du Bassin Parisien, la structure urbaine de cette région est assez proche dans sa forme de celle de l'ensemble des villes françaises. Elle se situe cependant à un niveau moindre d'industrialisation, 41 % d'emplois secondaires, 38 % d'ouvriers, tandis que les emplois tertiaires (employés, cadres moyens et supérieurs) y sont légèrement surreprésentés.

Cette région est celle qui a connu les plus fortes modifications des positions relatives des villes en ce qui concerne les structures d'activité. Six villes aux spécificités moyennes ont modifié la nature de leurs fonctions : Quimper et Angers ont perdu de leur spécificité industrielle pour n'être plus qu'administratives ; Nantes, Le Mans et Laval ont substitué la métallurgie à d'autres spécificités industrielles déclinantes, La Rochelle a acquis une spécificité dans la métallurgie. Six autres villes ont, soit réduit leur spécialisation métallurgique (Lorient, Brest, Saint-Nazaire, Châtellerault), ou au contraire, comme Niort et Angoulême, accru leur spécificité dans les industries textiles et diverses. Tous ces changements n'ont eu qu'assez peu de répercussion sur les structures sociales et sur les situations socio-économiques intra-régionales des ces agglomérations (fig. 31).

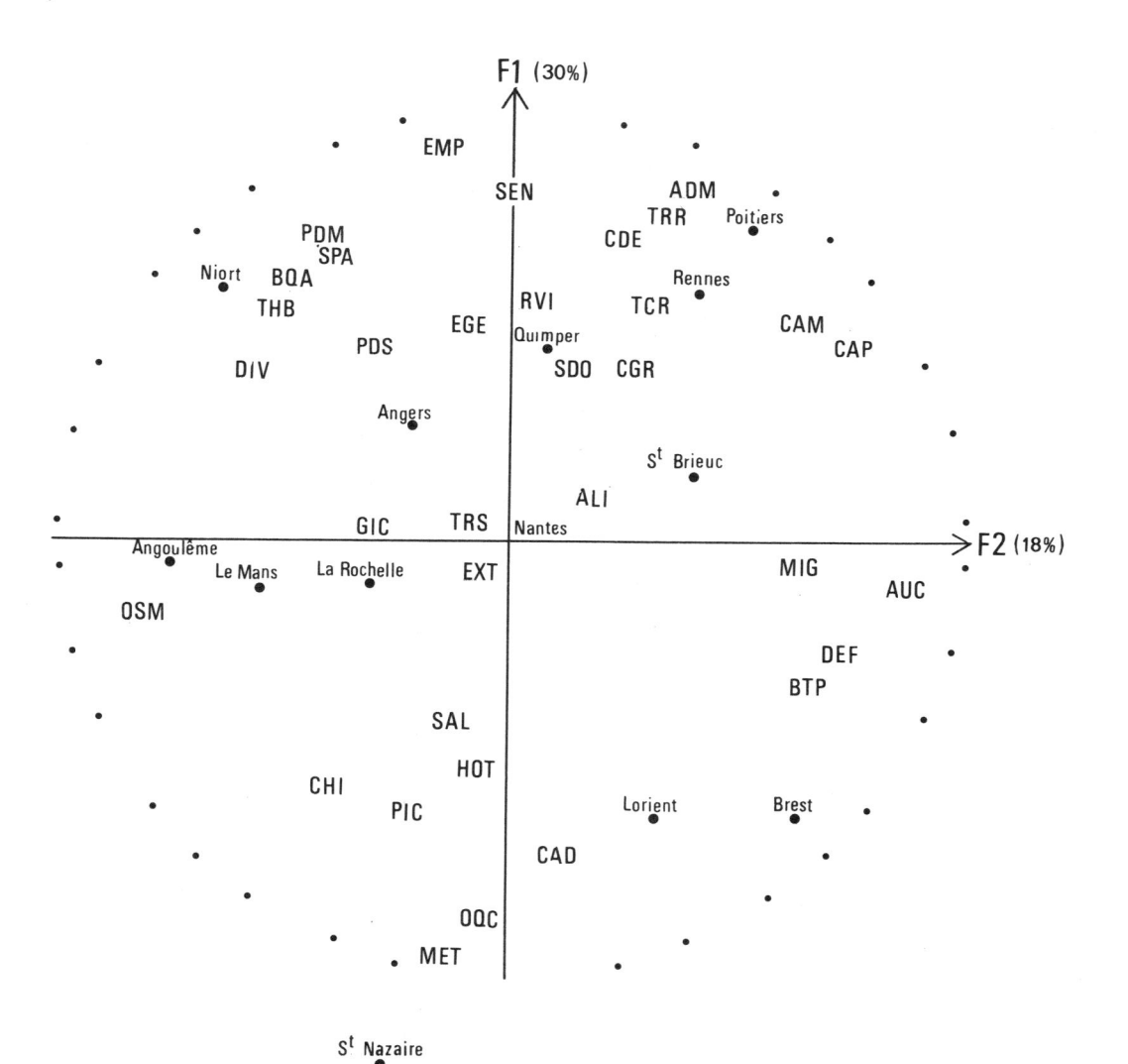

Figure 31 — Composantes socio-économiques du réseau urbain de l'Ouest

Cet ample mouvement de substitution d'activités n'a eu sur ces structures que des effets apparemment modestes, du fait de l'extrême importance à l'origine de la ruralité de cet ensemble régional. C'est sans aucun doute à ce processus qu'on peut attribuer le rattrapage observé dans la quasi totalité des villes de l'Ouest pour le niveau des salaires et du pouvoir d'achat : bien inférieurs à la moyenne nationale dans les années 50, ils se sont très fortement rapprochés de cette dernière. En revanche, la croissance de l'emploi industriel régional s'est effectuée par prélèvement sur le secteur primaire et n'a pas modifié de manière significative le poids relatif du secteur secondaire dans l'emploi urbain. Ceci est largement confirmé par le niveau élevé des taux de croissance, traduisant le dynamisme démographique et les fortes densités rurales régionales. En effet, l'attractivité interurbaine de ces agglomérations reste relativement faible.

CONCLUSION

Trois thèmes se dégagent de l'étude des relations entre les structures d'activité urbaines et l'organisation géographique des villes. Le fait le plus important est *l'assez grande homogénéité, à l'échelle française, de la distribution des fonctions et des combinaisons d'activité urbaines.* Dans n'importe quelle portion d'espace prise au hasard, chaque grand type urbain défini est représenté au moins une fois. La diversité des arrangements spatiaux de ces types explique que le schéma d'ensemble ne comporte pas de régularité.

Cette situation peut être interprétée comme le passif d'un héritage : la trame urbaine conserve les traces des spécialisations antérieures, liées soit à la pérennité d'une contrainte de localisation, soit à l'inertie et/ou à la substitution sur place de facteurs de production. Elle doit aussi s'interpréter comme l'expression d'une nécessité fonctionnelle actuelle. D'une part il ne faut assimiler inertie des localisations ni à irrationnalité économique, ni à dysfonctionnement. D'autre part, les conduites actuelles des agents économiques concourent à maintenir, à différentes échelles, une certaine diversité des structures d'activité.

Certains particularismes régionaux de l'évolution des structures urbaines sont apparus, mais comme des faits mineurs, à côté de la translation générale du système urbain de 1954 à 1975. Certains éléments de cette évolution dépendent du niveau initial du développement régional ; ils vont en général dans le sens d'un rééquilibrage par rapport à la moyenne nationale. Cela ne suffit cependant pas à fonder l'idée de l'autonomie des évolutions régionales. En effet, certaines transformations de réseaux urbains régionaux relèvent de mécanismes généraux du développement économique, même s'ils ont eu une expression spatiale sélective et régionalisée (diffusion industrielle dans l'Ouest, "phénomène Midi"...). De la même manière, ce sont bien les attributs d'une fonction définie à l'échelle nationale et émanant du pouvoir central, qui fondent la généralité du dynamisme des capitales régionales, malgré la diversité des structures locales.

En France, comme dans la plupart des pays, les inégalités de taille des villes sont une dimension fondamentale du système urbain, à peu près complètement indépendante des structures socio-économiques. Seules les plus grandes villes tendent à se ressembler sur beaucoup de points. Cette convergence vers un modèle "grande ville" est particulièrement sensible pour les métropoles d'équilibre.

Conclusion générale

Cette étude ne prétend pas avoir exploré toutes les dimensions qui fondent la différenciation interurbaine en France. En nous centrant sur les structures d'activité, nous réduisons l'observation du système urbain à une approche fonctionnaliste. Nous avons en outre souligné, qu'en l'absence de données fines sur l'organisation hiérarchique des fonctions urbaines, notre travail se limite à la comparaison des structures d'emploi.

Bien qu'étroite, cette perspective débouche cependant sur la définition d'une dimension importante du système urbain, dans la mesure où les structures d'activité interfèrent sensiblement avec les niveaux de vie, le dynamisme et les structures sociales des agglomérations. Le degré d'intérêt et de pertinence des mesures effectuées résultent, non pas tant de la description de l'état du système à un moment donné, mais de l'observation des changements des structures.

En effet, il semble admis qu'il existe une relation entre *la variété des types fonctionnels* articulés dans un système urbain, *le stade de développement* de celui-ci et son degré *d'intégration économique*.

Nous n'avons pas pu vérifier l'hypothèse selon laquelle (Théorie de la croissance urbaine par étapes — Martin, 1968) les profils d'activité urbains expriment des stades successifs du développement du chaque ville : étape des implantations originales, puis étape des implantations liées et/ou causées par les économies externes, enfin étape de la métropole. Certains de nos résultats concordent avec cette perspective (cf. le raprochement des structures des plus grandes agglomérations françaises), mais la vérification demanderait des observations sur un plus long terme.

On peut situer à un niveau plus général la relation entre différenciation fonctionnelle et stade de développement d'un réseau urbain en s'inspirant de la théorie des organisations : "il existe une relation stable entre la diversification structurelle d'un système et la diversité de ses liaisons externes, un accroissement de diversification structurelle engendre un progrès de l'intégration" (Boudeville, 1968, p. 180). Nous avons retenu l'idée que le degré des disparités des types urbains dépend à la fois de la succession des différents stades de développement économique atteints par les unités urbaines, et des cycles de diffusion ou de concentration géographiques des activités. L'interaction de ces deux processus au cours d'une période d'une trentaine d'années de croissance urbaine rapide et de redistribution spatiale des activités, se traduit par des modifications sensibles de l'organisation socio-économique du système urbain. Ces mouvements peuvent être classés en trois types, selon la généralité de leur incidence :

— *un mouvement de translation de l'ensemble du système*. Il affecte toutes les agglomérations, par des transformations quantitatives et qualitatives, liées à l'évolution démographique, économique et sociale générale. Les principaux processus qui composent ce mouvement sont : la croissance démographique urbaine (près de 2 % par an de 1954 à 1975), la tertiarisation (de 51 à 55 % de l'emploi), la substitution des activités, l'élévation du niveau de vie, la généralisation du salariat aux dépens du travail indépendant, la progression des cadres et des ouvriers spécialisés et la diminution du nombre des ouvriers qualifiés, artisans et commerçants.

C'est ce mouvement qui a contribué le plus fortement à modifier le contenu des structures urbaines depuis la 2e guerre mondiale. Il est sans doute le mieux connu parce que le plus général et le plus sensible. Il n'est toutefois générateur de changement dans la forme du système urbain que lorsqu'il ne se limite pas à une transformation homothétique. Les processus qui le composent se sont parfois combinés pour provoquer des évolutions différentielles de certaines agglomérations.

— *un mouvement de réorganisation du système urbain* existe lorsque des combinaisons spécifiques des processus généraux se sont appliquées à des groupes d'agglomérations en situation particulière. Deux processus tendant à modifier les fondements structurels de la différenciation interurbaine sont ainsi discernables, surtout depuis 1962.

Le plus important par sa généralité et son ampleur affecte la principale dimension de l'organisation des structures socio-économiques urbaines : tout en renforçant la généralité et l'intensité des liaisons qui fondent cette dimension, il tend à réduire les disparités qu'elle exprime entre les agglomérations. *Ce processus d'homogénéisation des profils* d'activité, des structures socio-professionnelles et des niveaux de vie urbains s'est manifesté essentiellement par une réduction des situations les plus extrêmes. Une question reste en suspens : s'agit-il d'une phase transitoire, liée à une étape de développement technico-économique où la vitesse de diffusion l'emporte sur celle de l'apparition des innovations ?

Le second processus est lié au précédent, dans la mesure où il exprime une ségrégation croissante des agglomérations dans le système, par rapport au mouvement de modernisation des structures. Il s'est opéré à la faveur de la substitution des activités. Là encore, on peut se demander si l'écart croissant entre les agglomérations "avancées" et celles qui prennent du retard se maintiendra et s'affirmera comme une dimension nouvelle du système urbain, ou bien si cette tension n'est que provisoire et traduit un phénomène de résistance inégale à la diffusion. A l'échelle de l'ensemble du système urbain français, l'hypothèse d'une spécialisation croissante des structures sociales des agglomérations, en liaison avec ces nouvelles modalités de division spatiale du travail, n'est que très partiellement vérifiée.

Les autres modifications des positions relatives des agglomérations sont sans effet sur la forme générale du système urbain, dans la mesure où, s'appliquant à des situations initiales diversifiées, elles se compensent globalement. Ces transformations des structures de telle ou telle agglomération, "accidentelles", non déterminées par les situations initiales, ne se réalisent toutefois pas de manière aléatoire par rapport aux dimensions du système : elles tendent à toucher simultanément tous les aspects de la vie urbaine qui sont liés par ces dimensions. La similitude des schémas de liaisons des structures et des évolutions différentielles est remarquable. Elle contribue à la stabilité de l'organisation socio-économique du système urbain. Elle invite à une étude plus fine et plus explicative de la nature de ces enchaînements.

Nous avons volontairement limité notre champ d'étude aux unités urbaines de province. La présence de la Région Ile de France ne saurait cependant être totalement passée sous silence : elle est en effet au centre du seul processus de transformation du système urbain qui ait une expression spatiale tant soit peu régulière et continue, en dehors des quelques régularités héritées de trames fonctionnelles anciennes (semis des lieux centraux, concentrations nées de la première révolution industrielle...). Il s'agit de la diffusion dans l'espace du processus de substitution des activités qui, à partir de la périphérie du Bassin Parisien, s'est élargi en auréoles successives jusqu'aux limites du territoire. La variété des situations initiales, l'inégale incidence de ce processus et quelques facteurs régionaux isolés ont toutefois minimisé l'effet régulateur qu'un tel processus aurait pu avoir sur l'organisation du système. Aussi l'observation géographique essentielle reste-t-elle l'impossibilité de résumer par un modèle spatial simple la trame fonctionnelle des villes françaises.

Annexe 1 : Les sources

Les transformations du système urbain français sont observées entre 1954 et 1975. Les quatre recensements successifs de la population donnent à cette étude quatre dates de référence 1954, 1962, 1968, 1975.

1. LES VARIABLES

a) *La structure d'activité* (Tableau I)

Cette structure est décrite par la répartition des emplois de l'agglomération dans les différentes catégories d'activité économique(1). "A chaque personne active recensée et ayant un emploi est en effet attribuée l'activité

TABLEAU I — CATEGORIES D'ACTIVITE ECONOMIQUE

20 CATEGORIES		25 CATEGORIES	
Industrie extractive	EXT	EXT	Industrie extractive
Bâtiment & Travaux Publics	BTP	BTP	Bâtiment & Travaux publics
Industries métallurgiques, mécaniques et électriques	MET		Production et première transformation des métaux
		PTM	
		MEC	Industries mécaniques
		AMD	Articles métalliques divers
		REP	Réparations mécaniques et électriques
Chimie,matériaux de construction	CHI		
		PCH	Industries chimiques
Industries agricoles & alimentaires	ALI	ALI	Industries agricoles et alimentaires
Industries du textile et de l'habillement	THB		
		TEX	Industries textiles
		HAB	Industries de l'habillement
Industries diverses	DIV		
		IND	Industries diverses et matériaux de construction
Transports	TRS	TRS	Transports
Commerce de gros	CGR	CGR	Commerce de gros
Commerce alimentaire de détail	CAD	CAD	Commerce alimentaire de détail
Autres commerces de détail	CDE	CDE	Autres commerces de détail
Hôtellerie,débits de boisson	HOT	HOT	Hôtellerie,débits de boisson
Banques-Assurance, intermédiaires du commerce et de l'industrie	BQA	BQA	Banques-Assurances, intermédiaires du commerce et de l'industrie
Services aux entreprises	SEN	SEN	Services aux entreprises
Services domestiques	SDO	SDO	Services domestiques
Services aux particuliers	SPA	SPA	Services aux particuliers
Eau, Gaz, Electricité	EGE	EGE	Eau, Gaz, Electricité
Transmissions, radio	TRR	TRR	Transmissions,radio
Administration publique	ADM	ADM	Administration publique
Défense nationale	DEF	DEF	Défense nationale.

(1) Bien que nous ayons employé indifféremment les termes de catégorie, secteur et branche, il s'agit toujours dans ce texte des catégories d'activité économique de cette nomenclature.

économique principale de l'établissement où elle travaille" (INSEE, Recensement de la population). Une nomenclature fixe la définition de ces différentes catégories. Les données étudiées relèvent de trois nomenclatures différentes : 1954 de la nomenclature de 1949, 1962 et 1968 de celle de 1959, et 1975 de celle de 1973.

Par rapport à 1954, les discontinuités introduites par la nomenclature de 1959 n'entrainent pas de différence significative, au niveau d'agrégation que nous avons retenu(1) et du fait des méthodes d'analyse adoptées. En 1975, pour retrouver une correspondance satisfaisante avec la nomenclature antérieure, les agrégats en 20 et 25 catégories ont été reconstitués à partir des activités définies dans la nomenclature à trois chiffres.

L'activité est ici avant tout définie par la *nature du bien produit ou du service offert*. Cette perception de l'activité urbaine demeure nécessaire, car c'est par elle que passe toute tentative de restructuration des fondements de l'économie et de l'emploi des villes. On doit cependant bien définir les limites d'une telle approche : elle ne prend en effet pas directement en compte la hiérarchie fonctionnelle interne à chaque branche, les niveaux de concentration technique et économique, les différences de productivité et celles de la qualification du travail. De telles données ne sont pas disponibles à cette échelle et pour la période étudiée. Cependant nous pensons que la mesure des transformations des profils d'activité des villes permet de discerner les tendances essentielles du changement.

Enfin, dans l'analyse et l'interprétation des résultats, nous avons dû tenir le plus grand compte de quelques limites des nomenclatures dues à l'hétérogénéité des définitions qui, tantôt privilégient les technologies mises en œuvre ou la nature des produits fabriqués, tantôt la nature du service rendu ou le marché particulier auquel il s'adresse, quand ce n'est pas, comme pour l'administration par exemple, le statut de l'entrepreneur. Chaque fois que de tels glissements étaient en mesure d'infléchir certains résultats nous l'avons explicitement mentionné dans les démonstrations.

b) *La structure sociale* (Tableau II)

Elle est décrite par la répartition des emplois de l'agglomération dans les différentes catégories socio-professionnelles. Selon l'INSEE "la classification en catégories socio-professionnelles répartit l'ensemble de la population active en un nombre restreint de grandes catégories présentant chacune une certaine homogénéité sociale qui tient compte de diverses caractéristiques de l'activité : profession ou métier individuel, statut, nombre de salariés pour les employeurs, qualification professionnelle pour les ouvriers et éventuellement activité économique". (code des catégories socio-professionnelles — 5e édition — INSEE 1969).

Tout paraît avoir été dit sur les limites d'une telle nomenclature du fait de l'assez grande hétérogénéité des caractères qui définissent l'identité de chacune de ces catégories. Nous rappelons seulement qu'aux niveaux d'agrégation retenus certaines catégories, ou bien recouvrent une catégorie économique, ou n'en sont qu'un sous-ensemble. Elles se réfèrent parfois plus spécialement à un niveau hiérarchique de fonction individuelle ou bien à une catégorie de qualification. Enfin, certains statuts sont avant tout individualisés par la nature de l'entreprise.

On peut par ailleurs regretter que toutes les comparaisons dans le temps aient reposé sur une structure définie par 10 catégories seulement. On ne dispose pas pour 1954 de données plus désagrégées.

c) *La croissance démographique*

Elle a été appréciée de deux manières :

1) Les taux de croissance des agglomérations au cours des trois périodes intercensitaires (1954-62, 1962-68, 1968-75) ont été pris en considération.

2) Nous avons d'autre part décrit l'attraction des villes au cours de ces périodes, en tenant compte de leur fonction de "filtre migratoire". Cette mesure a été mise au point par Balley, Pumain, Robic (1974). Elle consiste à calculer pour chaque agglomération le rapport existant entre le nombre de ses immigrants et celui de ses émigrants au cours d'une période intercensitaire. Nous avons repris ces rapports, mais en ne tenant compte que des échanges s'effectuant entre chaque agglomération et celles de plus de 50 000 habitants. L'indice de filtre migratoire utilisé est donc une mesure d'attraction interurbaine.

d) *Les niveaux de vie des agglomérations.*

Les statistiques françaises sont en la matière d'une extrême pauvreté. Deux types d'indicateurs ont pu être retenus. Le premier concerne les niveaux moyens des salaires des agglomérations françaises.

Les premières données publiées à cette échelle l'ont été par l'INSEE pour l'année 1963 (Etudes et Conjoncture, Nov. 1965, pp. 73 et 74). Par la suite des statistiques similaires n'ont été régulièrement publiées qu'à partir

(1) Comparaison et correspondance des deux nomenclatures : Pirot, Lini, 1969.

TABLEAU II — CATEGORIES SOCIO-PROFESSIONNELLES

10 CATEGORIES		24 CATEGORIES	
Grands patrons de l'industrie et du commerce	GIC		
		PIC	Patrons de l'industrie
		GCO	Gros commerçants
Petits patrons de l'industrie & du commerce	PIC		
		PAR	Patrons artisans
		PCO	Petits commerçants
Cadres supérieurs et professions libérales	CAP		
		PLI	Professions libérales
		PRO	Professeurs
		ING	Ingénieurs
		CAS	Cadres administratifs supérieurs
Cadres moyens	CAM		
		INS	Instituteurs
		SMS	Services médicaux et sociaux
		TEC	Techniciens
		CAM	Cadres administratifs moyens
Employés	EMP		
		EMP	Employés de bureau
		EMC	Employés de commerce
Ouvriers qualifiés, contremaîtres	OQC		
		CON	Contremaîtres
		OQU	Ouvriers qualifiés
		MIN	Mineurs
Ouvriers spécialisés, manœuvres	OSM		
		OSP	Ouvriers spécialisés
		APP	Apprentis
		MAN	Manœuvres
Personnel de maison	PDM		
		DOM	Gens de maison
		FME	Femmes de ménage
Autres personnels de service	PDS	APS	Autres personnels de service
Autres catégories	AUC	AUC	Autres catégories

de 1970. (Les collections de l'INSEE, série M, n° 29). Nous avons retenu, pour 1963 et 1970, l'indice du niveau moyen des salaires de chaque agglomération.

Les niveaux des salaires, descripteurs fondamentaux des niveaux de vie urbains, en sont une approche incomplète ; ils laissent dans l'ombre tout ce qui surclasse ou déclasse une agglomération du fait des revenus de tous ses actifs indépendants. Or même si au cours de la période cette catégorie d'actifs est en recul continu, le niveau de ses ressources est en rapport étroit avec certains caractères spécifiques des structures économiques des villes. Aucun organisme officiel ne s'est jusqu'ici hasardé à une telle évaluation. L'institut PROSCOP a entrepris de publier annuellement, à partir de 1959, et dans une perspective de marketing, un *indice de richesse vive des grandes agglomérations françaises* qui indique leur position relative par rapport au "potentiel d'achat" ou "pouvoir d'achat instantané". Les modalités du calcul de cet indice et ses limites ont été présentées à plusieurs reprises par leurs auteurs (Emery et Nicolas, Le Marché Français, 1958, PROSCOP 1971). Sans doute ces indices sont-ils très fortement marqués par l'objectif qui leur est assigné. Ils nous paraissent cependant donner, dans ces limites et avec d'assez bonnes garanties d'élaboration, une certaine image des revenus urbains qui corrige utilement celle des seuls salaires.

TABLEAU III — NOMBRE D'AGGLOMERATIONS DECRITES

Types de variables		1954	1962	1968	1975
Population active en 20 CAE	lieu de • résidence	138	—	—	99
	• travail	—	138	138	—
Population active en 25 CAE	lieu de • résidence	—	—	—	99
	• travail	—	138	138	—
Population active en 10 CSP		138	—	138	—
Population active en 24 CSP		—	—	138	—
Salaires Niveau relatif SAT	• Toutes catégories	—	88*	88*	—
SAO	• Ouvriers	—	—	88*	—
SAE	• Employés	—	—	88*	—
Indice de richesse vive RVI		88*	—	88*	—
Taux de croissance TCR			138	138	138
Filtre migratoire MIG			88	88	—

* Les dates ne sont pas exactement celles des recensements
  Salaires : 1963 et 1970
  Indice de richesse vive : 1957 et 1971.

PART DE L'EMPLOI ETUDIE (138 agglomérations) DANS L'EMPLOI NATIONAL EN 1968

CAE	en % de l'emploi national	CAE	en % de l'emploi national	CSP	en % de l'emploi national	CSP	en % de l'emploi national
EXT	30	SPA	42	PIC	35	OQU	46
BTP	38	EGE	40	GCO	40	MIN	61
MET	46	TRR	40	PAR	28	OSP	35
CHI	38	ADM	46	PCO	29	APP	35
ALI	35	DEF	44	PLI	40	MAN	35
THB	52			PRO	48	DOM	31
DIV	30	PTM	51	ING	37	FME	38
TRS	46	MEC	43	CAS	41	APS	36
CGR	47	AMD	30	INS	39	AUC	41
CAD	40	CEL	38	SMS	46		
CDE	42	REP	33	TEC	41		
HOT	32	PCH	42	CAM	42		
BQA	50	TEX	48	EMP	41		
SEN	36	HAB	44	EMC	46		
SDO	35	IND	30	CON	43		
Population active							35

2) LES AGGLOMERATIONS (Tableau III)

Nous étudions les 138 agglomérations françaises qui avaient au moins 20 000 habitants en 1954(1) (fig. 1). Ces agglomérations ont été à chaque date considérées dans leur délimitation au recensement correspondant. Toutefois, une dizaine d'entre elles, agrégées à une date ultérieure, ont été regroupées dès 1954 sous le nom de l'unité urbaine principale (ex : Lille - Roubaix - Tourcoing, Lens - Liévin - Henin - Liétard, Cannes - Grasse - Antibes, ...etc.).

Cet échantillon a dû être réduit à 88, (agglomérations ayant au moins 50 000 habitants en 1968) quand on a introduit dans les différents traitements les variables relatives au "filtre migratoire", à la "richesse vive" et aux niveaux de salaires. L'échantillon est de 99 (agglomérations ayant au moins 50 000 habitants en 1975) quand sont utilisés des résultats du recensement de 1975 relatifs à la population active (pour les plus petites agglomérations, les données ne sont pas publiées à la date où nous écrivons).

En 1954 et en 1975 les agglomérations sont définies par leur population active résidente ; en 1962 et en 1968 par leur population active recensée au lieu de travail. Nous avons vérifié que ce changement de définition n'introduit pas de modification pouvant altérer la signification des résultats obtenus. Nous avons comparé systématiquement la composition de la population active, au lieu de résidence et au lieu de travail, des agglomérations en 1968. Excepté deux agglomérations, la différence n'excède jamais pour une catégorie (d'activité ou socioprofessionnelle) 1/10e de la part de l'emploi que cette catégorie occupe dans la ville. Nous avons donc fait l'hypothèse que l'ordre de grandeur des variations était à peu près stable au cours de la période, et donc négligeable, compte-tenu de la nature des traitements auxquels ces données ont été soumises. Il faut par ailleurs rappeler que seuls les recensements de 1954 et de 1962 ont fait l'objet de dépouillements exhaustifs. En 1968 et 1975 les populations urbaines n'ont été définies qu'à partir de sondages. Travaillant sur des agrégats très importants, il ne nous a pas paru nécessaire de tenir compte de cette différence.

Pour toutes ces raisons cependant (agglomérations à limites variables, variations des définitions des populations, ...) le changement a été étudié en analysant les différences existant entre plusieurs états successifs des structures (répartitions en %) et non en mesurant des variations d'effectifs.

3) LES ZONES D'ETUDES ET D'AMENAGEMENT DU TERRITOIRE (tabl. IV)

Le choix d'une échelle pertinente d'analyse des systèmes urbains régionaux s'est porté sur les ZEAT. Ces unités régionales ont été définies en 1967 par le Commissariat Général au Plan et la Délégation à l'Aménagement du Territoire et à l'Action Régionale. Elles représentent un niveau intermédiaire entre les Régions de programme et les Régions du Plan. Elles sont au nombre de 9 (nous n'incluons pas bien sûr dans cette étude la Région Parisienne) (Cf. Tabl. IV)

TABLEAU IV — NOMBRE D'AGGLOMERATIONS PAR Z.E.A.T.

Z.E.A.T.	Agglomérations ayant au moins 20 000 hab. en 1954	Agglomérations ayant au moins 50 000 hab. en 1968
Bassin Parisien	38	19
Nord	14	13
Est	16	11
Centre-Est	18	11
Sud-Est	16	12
Sud-Ouest	14	9
Ouest	22	13
Total	138	88

(1) agglomérations de la Région Ile de France et de la Corse exclues.

Annexe 2 : Les méthodes

Les méthodes d'analyse mises en œuvre sont pour certaines bien connues, en particulier celles qui visent à analyser un état.

L'analyse factorielle des correspondances et l'analyse en composantes principales ont été dans cette étude des techniques d'analyse essentielles. Elles sont aujourd'hui très largement pratiquées ; nous ne jugeons pas utile d'en rappeler les fondements.

Toutes les classifications réalisées l'ont été par la technique de la classification hiérarchique ascendante qui utilise comme indice de similarité entre individus soit la distance du X^2 (tableaux de contingence) soit la distance euclidienne, et comme critère de choix de partition, la maximisation du moment centré d'ordre 2. Cette méthode a été mise au point par Jambu (Techniques de classification ascendante hiérarchique appliquées à des données "Sciences humaines" — Thèse de 3e cycle (L.S.M. — I. S.V.P. — Université de Paris VI). Elle a été présentée et appliquée à une étude de géographie urbaine par D. Pumain (1976). Cette technique de classification permet d'interpréter les classes obtenues à l'aide des paramètres suivants :

— rho2 = distance (x^2) du centre de gravité d'une classe au centre de gravité de l'ensemble ;

— contributions absolues : contribution de chaque variable à la distance de la classe au centre de gravité.

— contributions relatives : rapport entre la contribution de chaque variable et la distance de la classe au centre de gravité.

En outre, le profil de chaque classe de la hiérarchie est calculé.

L'analyse du changement pose des problèmes méthodologiques beaucoup plus complexes. Plusieurs orientations et démarches peuvent guider cette analyse.

• On peut s'intéresser à la structure de la variation temporelle, aux composantes de ce changement. Les sources que nous avons utilisées nous interdisaient, du moins dans une première étape, de nous orienter dans cette voie.

• On peut aussi chercher à évaluer la nature et l'ampleur des modifications de la structure observée. C'est avant tout cette orientation qui a guidé nos recherches et donc le choix des techniques finalement adoptées. Plusieurs options pouvaient être retenues. Trois d'entre elles ont été par nous privilégiées (au-delà bien entendu de toute analyse statistique simple qui donne dans ses grandes lignes l'image du changement et dont les résultats figurent dans l'annexe 4) :

Les techniques classiques de l'analyse factorielle ont été jusqu'ici très communément utilisées selon 2 modalités :

Analyse des histoires. Le tableau des données est constitué par la juxtaposition de l'ensemble des tableaux aux différentes dates, de telle manière que la population étudiée (en ligne) soit décrite par autant de variables qu'il y a de caractères, multipliés par le nombre des tableaux successifs (en colonne).

indi-vidus	CARACTERES					
	T_1		T_2		T_3	
		J_1		J_2		J_3
i						

Dans ce cas l'analyse nous renseigne avant tout sur les changements intervenus dans les distributions de chacun des caractères au cours du temps, synthétisant un peu les enseignements que l'on tire de l'examen de la simple matrice des corrélations entre les variables aux différentes dates (annexe 4).

Analyse des états. Nous avons appliqué la technique factorielle à l'analyse des états, car elle permet de discerner pour chaque individu le sens et l'ampleur de la transformation subie au cours de la période. Elle s'effectue à partir d'un tableau à double entrée juxtaposant (en ligne) les séries des mêmes individus pris à des dates différentes et décrits (en colonne) par l'ensemble des variables.

(Dans le cas de notre étude chaque individu a fait l'objet d'au moins 3 mesures et en général de 4).

Individu	CARACTERES	
	J	
T_1 i_1		
T_2 i_2		
T_3 i_3		

La structure factorielle obtenue est une structure théorique, intermédiaire par rapport à celle des différents états. Elle est la référence par rapport à laquelle peuvent être mesurés les changements de chacune des unités observées. Ces changements s'expriment par les différences des coordonnées des points représentant un même individu (autant de points que de dates de mesure) sur chacun des facteurs. Cette mesure du déplacement des unités dans la structure (trajectoires), permet en outre, si l'on introduit un nombre suffisant d'états, de discerner certaines étapes des transformations réalisées. Pour évaluer les tendances les plus générales des transformations structurelles, cette technique d'analyse nous est apparue tout à fait acceptable.

Nous définissons et mesurons ainsi les caractères les plus généraux des modifications structurelles du système urbain français, sans pour autant pouvoir discerner ce qui, dans ces transformations, relève de l'évolution d'ensemble, et ce qui est imputable aux évolutions de chacune des unités urbaines (*changement différentiel ou relatif*). Dans ce but d'autres techniques ont donc été mises en œuvre.

La première consiste en une *analyse en composantes principales de résidus de régression.* Ces résidus sont calculés pour chaque variable par rapport à l'équation de la droite de régression qui exprime sa distribution finale en fonction de sa distribution initiale, et donc la tendance générale de l'évolution. L'analyse factorielle des résidus ne prend donc en compte que les *changements relatifs* de position des villes pour chaque variable, indépendamment de leur situation initiale. Elle donne une structure de ce changement différentiel et la position des villes dans cette structure.

Nous avons par ailleurs expérimenté une technique *d'analyse de données ternaires,* mise au point par J.L. Vielajus. La solution recherchée consiste à définir un système d'axes factoriels unique, relatif à l'ensemble des tableaux à analyser (3 ici) sous la contrainte que soient minimisées par rapport à cette structure les distances entre les coordonnées des 3 points à projeter pour chaque individu. Cette structure de référence minimise donc globalement et en moyenne les écarts entre les trois tableaux. Le mouvement commun se trouve éliminé des trajectoires des villes, qui ne représentent plus que le sens et la vitesse relative des transformations.

Les résultats de cette analyse comprennent, comme dans les analyses factorielles classiques :

— l'extraction d'axes factoriels ordonnés suivant l'inertie expliquée ;

— la projection sur chaque axe des points-individus (n individus × q états + 1 point moyen) et des variables.

On peut utiliser les résultats pour faire une analyse globale de la projection du nuage, en considérant les points moyens de chaque individu dans la structure définie. On peut faire une analyse relative à chaque groupe de points concernant un même individu (position relative des individus à chaque date et position relative moyenne pour toute la période). On trouvera la présentation détaillée de cette technique par l'auteur dans "Méthode d'analyse des données ternaires : projection simultanée de plusieurs nuages", 1976.

Annexe 3 : Lexique

Changement (mouvement ou déplacement) différentiel : ce qui subsiste dans la transformation des structures d'une agglomération lorsqu'on en a soustrait la transformation "commune à l'ensemble des villes" au cours de la même période (= transformation moyenne). Ce sont les changements différentiels qui peuvent modifier les positions des villes les unes par rapport aux autres dans le système urbain.

Combinaison interne (ou type économique urbain, ou, pour une ville, *structure d'activité*) : profil d'activité d'une agglomération évalué et situé d'après la structure économique de l'ensemble du système, donc caractérisé par les associations ou exclusions d'activités particulières qu'il exprime.

Composante ou dimension : ensemble de variables corrélées (associées ou exclusives géographiquement) qui classent les agglomérations d'une manière relativement indépendante des autres caractéristiques urbaines.

Les termes de *concentration* ou de *dispersion* (et, dans le temps, de *diffusion*) sont réservés pour caractériser la distribution spatiale (concentrée ou ubiquiste) et l'évolution de la distribution *des activités* sur le territoire (ici distribution interurbaine seulement).

Diversification (degré de) : écart entre le profil d'une agglomération et l'isostructure (isorépartition des activités).

Diversification (processus) : rapprochement d'un (ou de) profils de l'isostructure.

Division territoriale du travail : processus ou forme résultant du processus de superposition des logiques spatiales des activités économiques. Ces comportements spatiaux, propres à chaque branche, incluent la distribution spatiale (concentration ou dispersion), le type de fonctionnement spatial (hiérarchique arborescent ou circuit) et le rapport aux autres éléments spatiaux (ici la trame urbaine) et à leurs attributs.

Réseau urbain : ensemble des agglomérations liées par des relations fonctionnelles, et par extension tout ensemble de villes appartenant à un même espace (voir système urbain).

Spécialisation : pour une agglomération et pour une activité donnée = écart positif au pourcentage moyen. Pour une agglomération et l'ensemble des activités, le degré de spécialisation = importance de l'écart entre le profil de l'agglomération et le profil moyen (= celui de l'ensemble des agglomérations) (cf. Parr, 1965).

Spécialisation (processus) : augmentation des écarts au profil moyen d'une agglomération ou de l'ensemble des profils urbains.

Structure (d'activité, ou socio-économique) définie pour l'ensemble des agglomérations : ensemble des composantes (ou dimensions) indépendantes qui caractérisent l'état du système à un moment donné.

Système urbain : ensemble de villes entretenant des relations fonctionnelles. Celles-ci assurent une certaine permanence de la structure du système et conditionnent son évolution.
De même que pour la structure, la notion de système a été reprise ici dans un sens restrictif par rapport à celui qu'utilise l'analyse de systèmes. En effet *seules des relations de co-occurrence spatiale ou de covariation temporelle* ont pu être prises en compte pour définir l'état de la structure à un moment donné ou l'évolution du système. Les influences réciproques des variables (effets de feed back notamment) ne sont pas mesurées.

Trame urbaine : disposition spatiale relative des agglomérations.

Annexe 4 : Résultats analytiques

Nous avons regroupé dans cette annexe tous les résultats qui, du fait de leur niveau d'analyse, auraient alourdi le texte de l'étude ; ils n'en restent pas moins des étapes importantes des différentes démonstrations. Ils sont ici rassemblés à l'intention de tous les lecteurs soucieux d'une démarche méthodique. Ces compléments suivent l'ordre de présentation des chapitres auxquels ils correspondent.

I – LA DIFFERENCIATION FONCTIONNELLE DU SYSTEME URBAIN FRANCAIS

1. LE PROFIL D'ACTIVITE DES AGGLOMERATIONS

1.1. LE PROFIL MOYEN

PROFIL MOYEN ET TAILLE DES AGGLOMERATIONS

Beaucoup d'auteurs laissent entendre qu'à des degrés divers *la taille des agglomérations* introduirait quelques *modifications dans leur structure d'activité*. Jusqu'ici, à notre connaissance, aucune vérification systématique n'a été proposée.

S'il existe une relation entre la dimension des agglomérations et leur profil d'activité, elle n'est pas de forme linéaire simple. En effet, les corrélations calculées entre les séries de pourcentages de chaque activité et la taille des agglomérations (mesurée par le volume de leur population active) sont toutes très faibles (coefficients compris entre — et + 0,20 aux trois dates, tabl. 1). Seuls les services domestiques, avec un coefficient voisin de + 0,4 aux trois dates, tendent à occuper une proportion d'emploi d'autant plus importante que les villes sont grandes.

En l'absence de corrélation générale, nous avons recherché s'il existe des sur- ou sous-représentations de certaines activités par classe de taille de villes (tabl. V). Il est toutefois difficile de séparer, dans cette opération, ce qui est spécifique d'un niveau d'urbanisation, et ce qui relève des caractéristiques propres des agglomérations composant le groupe. Souvent en effet, d'une date à l'autre, les particularités d'une classe de taille se trouvent reportées sur la catégorie immédiatement supérieure, en même temps qu'un grand nombre de villes passent d'une classe à l'autre. Par exemple, le profil d'activité de l'ensemble des villes de plus de 700 000 habitants en 1962 est très voisin de celui des agglomérations qui avaient entre 300 et 700 000 habitants : trois villes sur quatre de cette classe de 1954 forment la classe supérieure de 1962. Pour une date donnée, nos observations n'ont donc que valeur descriptive, et nous ne retiendrons, pour caractériser l'évolution, que ce qui ne relève pas du phénomène général de translation des villes d'une catégorie à l'autre.

Le degré d'industrialisation ne varie pas de façon continue avec la taille des villes (tabl. V et fig. I). En 1968, il semble plus faible à la fois pour les très grandes (plus de 300 000 habitants) et les petites agglomérations (moins de 60 000 habitants), alors que les groupes intermédiaires ont toujours des taux supérieur à la moyenne (44,6 %). Cette situation est consécutive à deux phases d'évolution distinctes, abstraction faite des fluctuations déjà décrites du taux d'industrialisation de l'ensemble des villes. En 1954, le groupe des villes de plus de 300 000 habitants et surtout les 4 groupes de petites villes (moins de 60 000 habitants) étaient les plus industrialisées. Cette situation s'est complètement renversée entre 1954 et 1962 : en 1962, les groupes extrêmes ont des taux d'industrialisation les plus faibles (inférieurs d'environ 2 % à la moyenne), alors que les groupes de taille moyenne ont des taux plus élevés et inégaux. L'évolution de la période suivante 1962-1968 n'a fait que retoucher ce schéma, en atténuant les disparités entre les taux extrêmes (fig. 1).

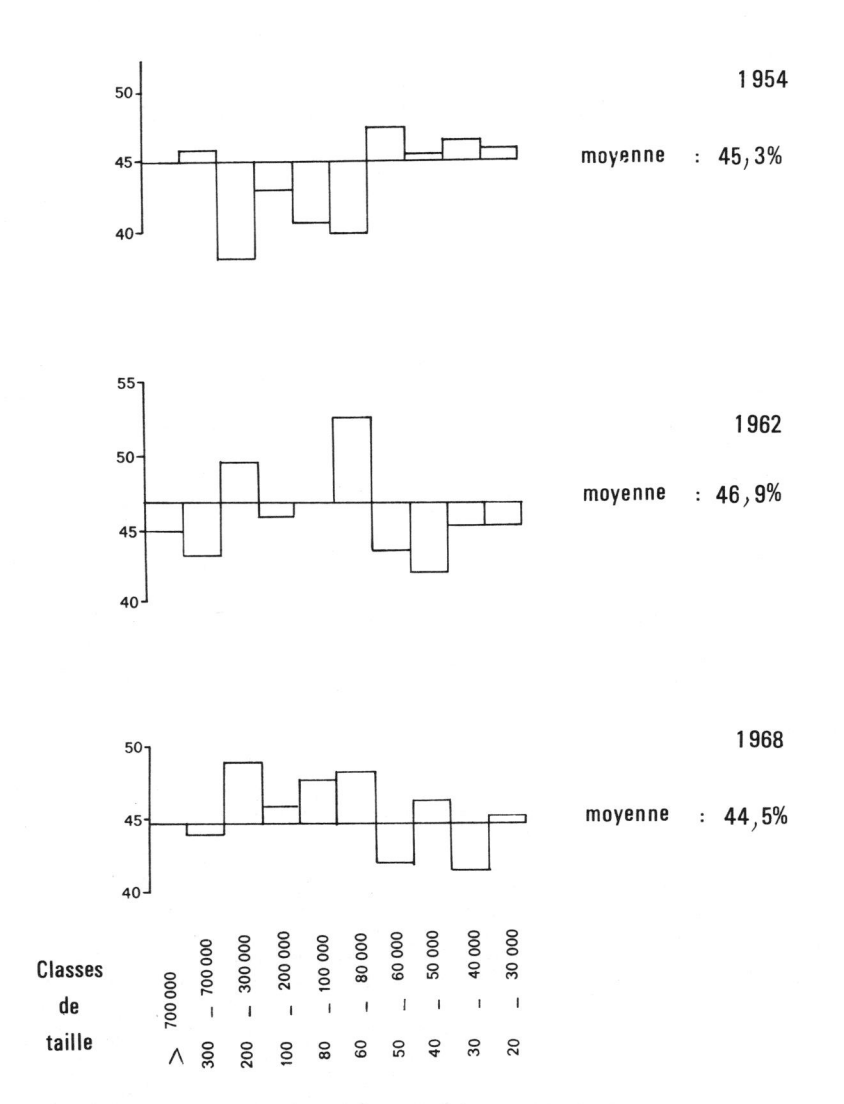

Figure I — Evolution de la part de l'emploi secondaire par classe de taille d'agglomération

Il semble donc que la phase d'industrialisation de 1954-1962 ait touché plus particulièrement les agglomérations qui avaient entre 60 et 300 000 habitants, ces villes de taille intermédiaire, qui représentaient en 1954 le point faible de l'armature urbaine française en matière d'industrialisation. La phase ultérieure, de 1962 à 1968, peut être interprétée comme une diffusion de ce mouvement dans les catégories de villes plus petites (40-50 000 et 20-30 000 habitants notamment) mais l'amenuisement du nombre de celles-ci, dû au caractère de notre échantillon, ne nous permet pas de conclure.

Nous ne nous attardons pas sur la description des profils d'activité par catégorie de taille de villes. Le profil d'une même catégorie de taille aux 3 dates ne présente pratiquement aucune sur-ou sous-représentation permanente d'une ou de plusieurs activités. De plus, la variabilité interne des groupes de taille dépasse souvent en ampleur les différences observées d'un groupe à l'autre. Ainsi, les particularités individuelles des agglomérations pèsent davantage sur les profils d'activité urbains que des seuils de taille bien définis — encore faudrait-il déterminer si ceux-ci, même pour la moyenne durée considérée, conservent la même signification. En conséquence, et

TABLEAU V — PROFILS D'ACTIVITE PAR CLASSE DE TAILLE D'AGGLOMERATION EN 1968

Classe de taille	0	1	2	3	4	5	6	7	8	9
EXT	0	4	7	3	5	1	2	0	0	4
BTP	9	12	11	12	12	11	12	11	11	11
MET	12	14	14	16	15	19	12	15	13	10
CHI	4	3	7	4	2	5	3	4	2	3
ALI	4	3	3	2	3	2	3	3	3	4
THB	11	3	2	4	4	6	5	6	5	4
DIV	5	4	4	3	4	3	3	6	5	7
Secteur secondaire	45	43	48	44	45	47	40	45	39	43
TRS	7	5	6	5	6	5	6	4	5	5
CGR	5	4	4	4	5	4	4	4	4	4
CAD	3	4	4	4	3	3	4	3	3	4
CDE	7	7	6	7	7	7	7	7	7	7
HOT	2	3	3	2	2	2	2	2	2	2
BQA	4	3	2	3	2	2	3	3	3	2
SEN	2	1	1	1	1	1	1	1	1	1
SDO	2	2	3	3	3	2	3	3	3	3
SPA	10	9	8	9	8	9	10	10	11	9
EGE	1	1	1	1	1	1	1	1	1	1
TRR	2	2	2	2	2	2	2	2	2	2
ADM	9	10	10	10	10	11	11	11	11	10
DEF	1	2	1	2	2	2	2	2	3	3
Total	100	100	100	100	100	100	100	100	100	100

0 > 700 000 habitants
1 300-700 000
2 200-300 000
3 100-200 000
4 80-100 000

5 60-80 000 habitants
6 50-60 000
7 40-50 000
8 30-40 000
9 20-30 000

malgré les variations importantes d'une ville à l'autre, c'est bien le profil d'activité moyen de l'ensemble des agglomérations qui demeure une référence commune pertinente, même lorsque l'on considère des sous-ensembles d'agglomérations plus homogènes par la taille.

1.2. LE PROFIL MINIMA

LE PROFIL MINIMAL DES VILLES FRANCAISES DETERMINE PAR LA METHODE ALEXANDERSON

Nous avons recalculé pour l'ensemble des agglomérations le profil minima par la méthode Alexanderson. En dépit des critiques qui lui sont faites, ce profil est encore une référence communément utilisée. Par ailleurs certaines hypothèses, assez contradictoires, sont avancées concernant d'une part sa transformation dans le temps, et d'autre part les rapports existant entre certains de ses caractères et la taille des agglomérations concernées. Il nous est apparu utile de vérifier la portée de ces hypothèses dans le cadre de cette étude.

La méthode consiste à repérer le 5ᵉ percentile de chaque série des pourcentages d'activité dans les agglomérations. On peut alors soit s'intéresser au profil d'activité ainsi obtenu, soit en déduire un coefficient minimum d'emploi qui est la somme des pourcentages. Nous rappelons d'ailleurs que ce coefficient, calculé pour une population à moment donné, n'a pas de signification intrinsèque, car sa valeur dépend du nombre et de la nature des catégories retenues. On s'intéressera donc aux variations de ce coefficient dans le temps pour un ensemble de villes donné, et à son niveau à un moment donné pour différents sous-ensembles de villes.

L'évolution du profil minimal de 1954 à 1975

Calculé sur les mêmes bases (20 catégories d'activité économiques aux quatre dates), le coefficient diminue entre 1954 et 1962 (de 36 à 33 %) et remonte nettement entre 1962 et 1968 (de 33 à 41 %). Cette remontée semble s'être poursuivie entre 1968 et 1975, puisque la base minimale d'emploi commune à 95 % des villes

atteint 48 % de l'emploi total, pour les 99 agglomérations de plus de 50 000 habitants (en 1968, cette proportion pour les mêmes villes n'était que de 43 %). Le minimum absolu est d'ailleurs en progression continue, passant de 16 à 17 puis 25 % de l'emploi (36 % en 1975, contre 31 % en 1968 pour les mêmes agglomérations).

Si l'on acceptait d'interpréter ces nombres dans le seul cadre de la théorie de la base économique, on pourrait tirer les conclusions suivantes : la période 1954-1962, qui est surtout une phase d'industrialisation, introduit un déclin de la part relative des activités ubiquistes, aux deux-tiers tertiaires, c'est une phase d'intégration accrue des activités urbaines ; la deuxième période, plus marquée par la croissance relative des activités tertiaires, enregistre une remontée du pourcentage des activités "banales".

L'observation des composantes du profil minimal d'Alexanderson suggère une interprétation plus complexe, qui réintroduit les ambiguités de cette mesure. En effet, de 1954 à 1962 la diminution du coefficient minimum résulte pour les deux tiers de l'abaissement des pourcentages minimas des activités tertiaires, mais aussi pour un tiers de la diminution de ceux d'activités industrielles (Tabl. VI). Dans le *secteur tertiaire*, le mouvement est à interpréter surtout comme une diminution relative de la part de ces activités dans les villes, due à l'industrialisation (cf. l'augmentation de la proportion moyenne du secteur secondaire entre 1954 et 1962). Pour les activités industrielles, c'est plutôt l'expression d'un mouvement de restructuration : les pourcentages les plus faibles (correspondant aux villes où l'activité est très peu représentée) diminuent, dans les industries textiles, agricoles et alimentaires, et diverses. On observe ici un processus de concentration "par le bas".

De 1962 à 1968, l'augmentation de tous les pourcentages composant le profil minimal traduit une plus grande ubiquité de la plupart des activités dans les agglomérations : relèvement du niveau d'emploi dans les activités tertiaires, surtout pour l'administration et les services aux particuliers (environ + 2 % pour chaque branche) et diffusion de certaines activités industrielles, en particulier de la métallurgie et des industries diverses. Les quelques exceptions à cette tendance générale ainsi que l'ordre de leur importance par activité, montrent que les valeurs minimales sont affectées par le sens de l'évolution de la branche : les activités en croissance ont un pourcentage minimal qui augmente, celui des activités en régression diminue. Tout autant qu'elle souligne les rééquilibrages, les atténuations de sous-équipement ou au contraire l'accentuation des disparités entre les agglomérations, l'évolution du profil minimal reflète les modifications de l'importance de chaque activité dans l'emploi urbain.

COEFFICIENT MINIMUM D'EMPLOI ET TAILLE DES AGGLOMERATIONS

L'étude des variations du coefficient minimum d'emploi par classe de taille d'agglomérations tend à confirmer l'hypothèse généralement émise d'une élévation de la part des activités résidentielles dans l'emploi des villes lorsque leur taille augmente (Tabl. VI). Cette tendance générale n'est plus sensible en-dessous d'un seuil de taille qui est approximativement de 50 000 habitants en 1968, 60 000 en 1962 et 30 000 en 1954.

TABLEAU VI — COEFFICIENT MINIMUM D'EMPLOI PAR ACTIVITE
ET CLASSE DE TAILLE D'AGGLOMERATION — 1968

Classes de tailles / Activités	+ de 700 000	300- 700 000	200- 300 000	100- 200 000	80- 100 000	60- 80 000	50- 60 000	40- 50 000	30- 40 000	20- 30 000
EXT	0,0	0,1	0,0	0,0	0,0	0,0	0,0	0,0	0,0	0,0
BTP	7,3	9,3	7,5	6,2	6,1	7,0	6,6	6,6	7,8	7,3
MET	9,6	5,7	6,0	3,1	2,9	7,2	3,2	3,6	2,2	1,2
CHI	2,7	0,7	2,8	0,4	0,2	0,3	0,6	0,5	0,5	0,2
ALI	2,2	1,6	1,7	0,9	1,2	1,2	0,8	1,2	1,7	0,3
THB	2,0	1,2	1,2	0,4	0,3	0,6	0,4	0,4	0,6	0,3
DIV	3,8	1,0	1,2	1,1	0,4	1,2	0,2	1,5	1,3	2,2
TRS	4,0	2,9	2,9	0,9	2,3	1,6	2,1	1,3	2,0	2,5
CGR	3,9	1,7	2,1	1,3	2,1	1,5	1,3	2,3	2,4	0,5
CAD	2,9	2,4	3,2	2,4	2,5	2,1	2,5	2,0	2,2	2,2
CDE	5,6	5,3	4,6	3,8	4,8	4,2	3,2	5,1	5,2	2,6
HOT	2,1	1,8	1,8	1,3	1,6	1,3	1,3	1,2	1,4	1,5
BQA	3,2	0,9	1,0	0,6	0,8	1,0	0,6	0,9	1,4	0,4
SEN	1,1	0,3	0,5	0,1	0,3	0,4	0,3	0,3	0,1	0,1
SDO	1,8	1,1	1,7	1,0	1,2	1,1	1,0	1,0	1,4	1,2
SPA	8,3	4,8	4,0	3,3	4,9	5,8	4,4	5,6	5,6	3,9
EGE	0,8	0,9	0,9	0,5	0,1	0,5	0,3	0,3	0,6	0,2
TRR	2,0	0,9	0,7	0,6	0,5	0,7	0,6	0,6	1,1	0,8
ADM	7,7	8,2	7,6	5,4	6,1	5,2	6,7	4,8	6,0	3,3
DEF	1,8	0,5	0,6	0,4	0,3	0,3	0,2	0,1	0,2	0,4

Il est difficile toutefois de déterminer si le relèvement du coefficient dans les petites villes est significatif d'une structure d'activité qui leur serait propre. En effet, la valeur du coefficient présente dans le détail, et pour chaque année, d'assez grandes fluctuations d'une classe à l'autre. Cela résulte en partie de la prise en compte de toutes les agglomérations, même minières, très industrielles ou portuaires, exclues a priori par les auteurs qui ont étudié ce phénomène (Antoine, 1962 ; Prost, 1964). Nous n'avons cependant pas exclu tous ces "cas aberrants", car ils sont partie intégrante du système urbain, et leur évolution est en tant que telle intéressante.

Dans l'ensemble, les coefficients correspondant à chaque classe de taille suivent, de 1954 à 1968, la double fluctuation —diminution puis relèvement— qu'enregistre le coefficient général. Les groupes de petites villes sont plus sensibles que les autres à la tendance au relèvement. Enfin, au cours de la période, et surtout après 1962, les écarts entre les valeurs extrêmes du coefficient par classe de taille se réduisent. Si l'on considère les valeurs de ce coefficient, non plus globalement, mais activité par activité, on discerne les mêmes tendances (Tabl. VI).

Tous ces faits expliquent l'assez mauvaise qualité de l'ajustement (fig. 2) des coefficients minimas à l'équation proposée par Ullmann et Dacey (1960) et reprise par Moore (1975) pour les Etats-Unis :

$$E_i = a_i + b_i \log P$$

E_i étant l'emploi minimal pour l'activité i, évalué en fonction de la population P des agglomérations. Contrairement à ce que nous observons, Moore constate un accroissement des disparités entre minimas des petites et des grandes villes. Disposant d'un meilleur ajustement, il peut donc calculer la part théorique des activités résidentielles de chaque agglomération. N'ayant pu mettre en évidence une aussi bonne relation, nous avons renoncé à déterminer la base d'activité spécifique des villes, et conservons comme profil de référence le profil d'activité moyen.

1.3. DIFFUSION DES ACTIVITES ET HOMOGENEISATION DES PROFILS URBAINS

1) LES DIFFERENTS MODES DE DISTRIBUTION DES ACTIVITES INDUSTRIELLES DESAGREGEES DANS LA NOMENCLATURE EN 25 CAE.

Les activités industrielles de la nomenclature en 25 CAE ont parfois des modalités de répartition bien différentes de celle des agrégats qu'elles composent : ainsi la première transformation des métaux, la construction électrique et les articles métalliques divers sont géographiquement plus concentrés que l'ensemble des industries métallurgiques. Seules les industries mécaniques ont un degré d'ubiquité comparable, les réparations mécaniques et électriques sont beaucoup plus diffuses. De même il convient de distinguer les industries de l'habillement, beaucoup moins concentrées que celles du textile proprement dit. Les nouvelles définitions données aux industries chimiques et diverses n'affectent pas sensiblement leur type de distribution.

2) LES MODIFICATIONS DES MODES DE DISTRIBUTION DES ACTIVITES DANS LES VILLES

Nous précisons ici pour chaque activité l'évolution de son degré d'ubiquité dans l'ensemble des villes (mesurée par l'évolution du coefficient de variation de sa distribution) et les modifications de son poids relatif dans chacune des villes (mesurées par les coefficients de corrélation entre les distributions d'une même activité aux différentes dates).

La plupart des activités sont plus également représentées dans les agglomérations en 1968 qu'en 1954. Cet accroissement d'ubiquité s'exprime dans la diminution des coefficients de variation des séries de pourcentages de 15 activités sur 20, entre 1954 et 1968 (ou 21 activités sur 25, de 1962 à 1968) (Tabl. 1). Il se traduit aussi dans la généralité du mouvement convergent de réduction des pourcentages maximas et de relèvement des minimas (pour 12 activités sur 20). Deux activités : l'industrie textile et le commerce alimentaire de détail, conservent la même dispersion relative. Seuls l'industrie extractive, les industries agricoles et alimentaires et les services aux entreprises ont accentué leur concentration de 1954 à 1968. (Tabl. 1). Cette résultante de l'évolution rend mal compte toutefois du fort contraste entre les deux périodes 1954-1962 et 1962-1968. Entre 1954 et 1962, la tendance générale est à la stabilité (11 activités sur 20) ou à l'augmentation de la concentration des activités (pour les industries extractives, chimiques, textiles et alimentaires, le commerce alimentaire de détail, le service aux entreprises, l'eau-gaz-électricité et les transmissions). Seul le commerce de gros se diffuse. De 1962 à 1968, la tendance à l'accroissement d'ubiquité est général, seules 3 activités sur 25 maintiennent le même degré de concentration relative (les industries alimentaires, le commerce alimentaire de détail et les services aux entreprises).

De 1968 à 1975, une comparaison portant sur les paramètres des distributions calculés pour les mêmes 99 agglomérations montre l'accentuation de la tendance 1962-1968, puisque toutes les activités accroissent leur degré d'ubiquité (mesuré par la diminution des coefficients de variation).

L'ampleur des modifications du poids relatif de chaque activité dans l'ensemble des agglomérations d'une date à l'autre est tout aussi indépendante du sens de leur évolution (croissance ou déclin) et de celui de la modification de leur degré d'ubiquité. D'après le niveau des corrélations entre les distributions des pourcentages d'une même activité dans les 138 agglomérations d'une date à l'autre (Tabl. VII), on peut classer les activités en 4 groupes. Les trois activités dont les distributions ont été le plus modifiées entre 1954 et 1968 sont les services

TABLEAU VII — CORRELATIONS ENTRE LES DISTRIBUTIONS DES POURCENTAGES
DE CHAQUE ACTIVITE DANS L'EMPLOI DES AGGLOMERATIONS
ENTRE 1962 ET 1968

Activités	1954-1962	1962-1968	1954-1968
EXT			
BTP	0,70	0,85	0,53
MET	0,96	0,96	0,92
CHI	0,91	0,76	0,73
ALI	0,70	0,93	0,68
THB	0,96	0,96	0,91
DIV	0,95	0,96	0,93
TRS	0,94	0,92	0,94
CGR	0,59	0,88	0,55
CAD	0,85	0,90	0,79
CDE	0,72	0,89	0,67
HOT	0,84	0,84	0,88
BQA	0,72	0,86	0,75
SEN	0,66	0,64	0,45
SDO	0,84	0,74	0,86
SPA	0,86	0,89	0,88
EGE	0,66	0,66	0,60
TRR	0,91	0,91	0,92
ADM	0,84	0,87	0,89
DEF	0,91	0,82	0,79
PTM		0,97	
MEC		0,95	
AMD		0,90	
CEL		0,90	
REP		0,62	
PCH		0,89	
TEX		0,94	
HAB		0,88	
IND		0,88	

aux entreprises, le bâtiment et les travaux publics, le commerce de gros (coefficient de 0,45 à 0,55). Un deuxième groupe comprend l'eau-gaz-électricité, le commerce de détail, les industries alimentaires (coefficients de 0,60 à 0,68). Un troisième groupe d'activités comprend la chimie, les banques et assurances, le commerce alimentaire de détail, et la défense (coefficients de 0,73 à 0,79). Les autres activités ont moins varié (coefficients de 0,86 à 0,94). Certaines activités ont subi de plus fortes modifications entre 1954 et 1962 (commerce de gros, commerce de détail, industries alimentaires, banques et assurances), d'autres entre 1962 et 1968 (services domestiques, défense, chimie) ; mais pour la plupart il s'agit d'un processus continu. Cette mesure est difficile à interpréter, car elle confond les changements de localisation mais aussi les modifications relatives du poids des activités dans une agglomération. Elle permet toutefois de mieux évaluer le degré de turbulence de l'emploi par branche d'activité, que la résultante de ces mouvements (mesurée par l'évolution des coefficients de variation), soit une diffusion ou une concentration de l'emploi parmi les agglomérations. Enfin elle souligne quelles sont les activités qui, par leur changement de poids relatif dans chaque agglomération, ont le plus contribué à modifier les profils d'activité des villes au cours de la période.

3) LES DISPARITES DES PROFILS D'ACTIVITE

Des mesures synthétiques des disparités des profils d'activité des villes ont été jusqu'ici le plus souvent obtenues par le calcul d'indices. Fort nombreuses sont les propositions faites dans ce domaine. Elles consistent à situer globalement le profil d'activité d'une agglomération par rapport à un profil théorique. Tous ces indices comportent chacun des connotations différentes autour des notions de diversification, dispersion, spécialisation, ... (Annexe 3). Certains de ces indices sont très proches malgré les apparences. Nous en avons privilégié trois, à cause des références qu'ils introduisent et des connotations particulières qu'ils entrainent dans la mesure de ces disparités.

A — La spécialisation

Deux de ces indices sont des mesures de la spécialisation par écart au profil moyen.

— *Le coefficient de spécialisation* (Isard, 1960)

Si i est une ville et j l'une des p activités, il peut s'écrire :

$$I_i = \frac{1}{2} \sum_{j=1}^{p} \left(\left| \frac{x_{ij}}{x_{i.}} - \frac{x_{.j}}{x_{..}} \right| \times 100 \right)$$

cet indice est compris entre 0 et 1. Il est d'autant plus faible que la diversification est grande. Il enregistre des écarts bruts entre le pourcentage d'emploi d'une activité dans une ville et le pourcentage moyen de cette activité dans le total des villes. Ces écarts ont d'autant plus de chances d'être importants que l'activité a à la fois, un poids élevé (ordre de grandeur du pourcentage) et une grande dispersion (écart de sa distribution dans les villes). Cet indice classe donc les villes surtout en fonction des écarts au profil moyen dans les activités les plus importantes.

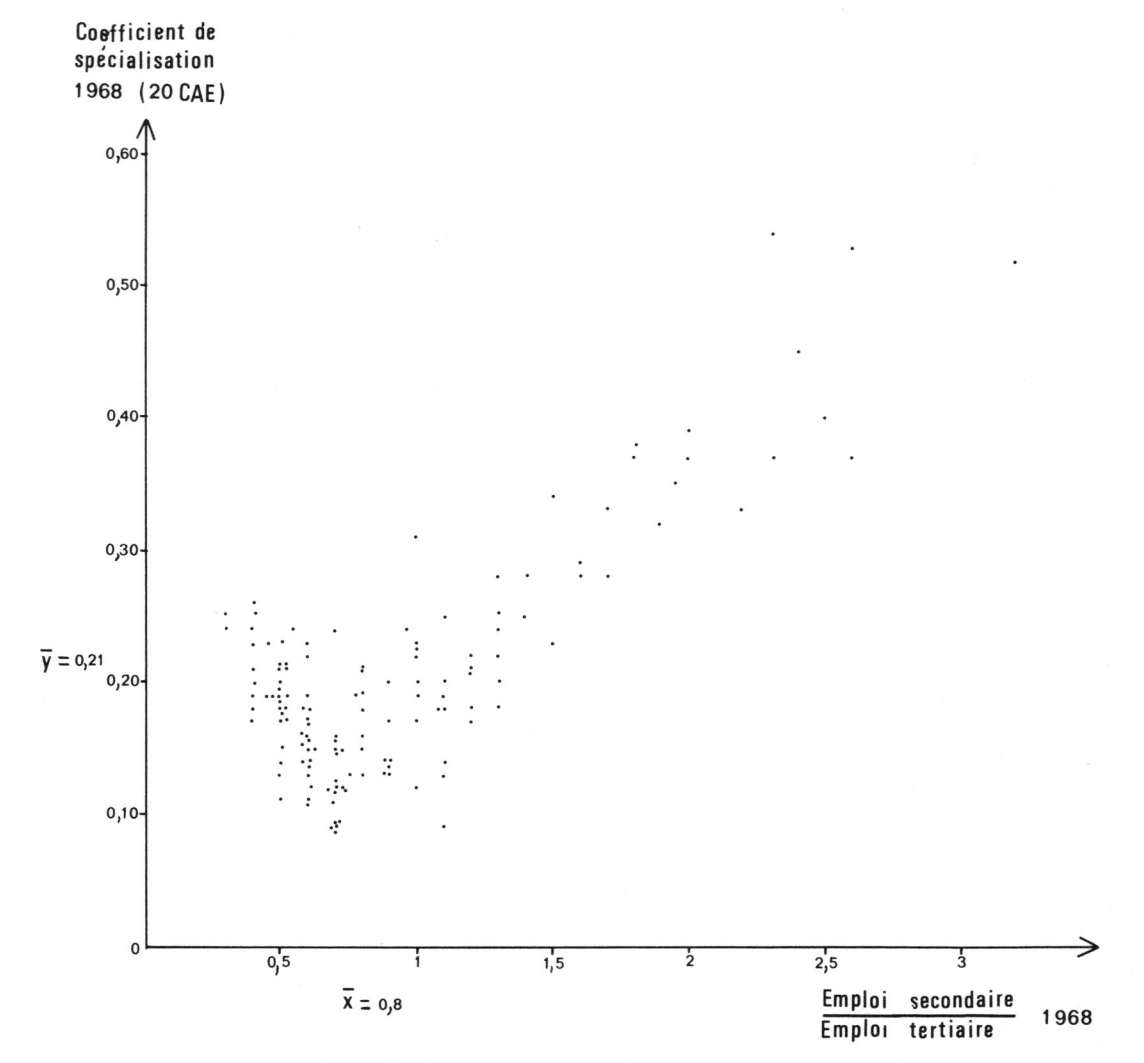

Figure II — Spécialisation et importance du secteur secondaire en 1968

— La distance au profil moyen

Cette distance exprime dans la métrique du X^2 l'écart qui sépare le profil d'activité d'une ville du profil moyen :

$$D_i = \sum_{j=1}^{p} \frac{x_{..}}{x_{.j}} \left(\frac{x_{ij}}{x_{i.}} - \frac{x_{.j}}{x_{..}} \right)^2$$

Elle donne le même poids à toutes les activités puisque les écarts entre les pourcentages, celui de la ville et le pourcentage moyen, sont pondérés par l'inverse du poids de chaque activité. Elle mesure donc des écarts relatifs ; ses fluctuations sont beaucoup plus importantes que celles du coefficient de spécialisation d'Isard.

Ces deux indices approchent donc une notion de spécialisation conçue comme un écart global au profil moyen, incluant sur et sous-représentations. Elle s'applique aussi bien à l'état d'une ville à un moment donné, qu'au processus par lequel un profil d'activité s'écarte du profil moyen. Les valeurs des indices situent une agglomération par rapport à toutes les autres (carte 80) et l'étude de leurs distributions permet aussi de mesurer le degré d'homogénéité ou d'hétérogénéité de l'ensemble des profils d'activité des villes.

En 1968, les profils d'activité des agglomérations françaises se caractérisent par une assez grande homogénéité d'ensemble. Seul un petit nombre de villes, environ une quinzaine, s'écarte très fortement du profil moyen. Les cas de spécialisation moyenne ou faible sont beaucoup plus nombreux.

Les activités industrielles sont bien entendu largement responsables des inégalités de profil des agglomérations (fig. II). Cette prédominance du fait industriel dans la différenciation fonctionnelle des agglomérations n'est qu'une nouvelle traduction de l'opposition entre les modes de distribution géographique des activités industrielles et tertiaires comme le montre la carte 80.

Les deux indices donnent de cette situation des images comparables (coefficient de corrélation $\cong$ 0,7). Les distributions de leurs valeurs sont très dissymétriques, surtout celle de la distance au profil moyen où non seulement la médiane, mais aussi le 3e quartile est inférieur à la moyenne (tabl. VIII), traduisant la rareté mais aussi l'ampleur des cas de spécialisation extrême. Le coefficient de spécialisation, avec une valeur médiane de 0,19, est assez proche de sa borne inférieure 0, qui correspondrait à une situation de totale homogénéité. Ses valeurs s'échelonnent entre 0,09 (pour Nantes, Toulouse, Nancy, Orléans...) et 0,5 (pour Forbach, La Grand-Combe, Montbéliard...). Les fluctuations de cet indice sont plutôt faibles, (coefficient de variation = 0,4), comparées à celles qu'enregistre la distance au profil moyen (2.4). En effet, celle-ci souligne les écarts relatifs et met ainsi en valeur des inégalités de profil peu prises en compte par le coefficient de spécialisation. Les villes proches du profil moyen sont à peu près les mêmes (valeurs comprises entre 6 et 9 : Toulouse, Nancy, Orléans, Valence, Bordeaux, Nantes) tandis que les villes qui en sont le plus éloignées sont ici d'abord les villes minières, avant celles de la métallurgie que le coefficient plaçait au même rang. (En effet, mesurés relativement, les écarts de pourcentages dans l'activité extractive sont plus grands que ceux de la métallurgie).

TABLEAU VIII — EVOLUTION DES VALEURS CARACTERISTIQUES DES INDICES
DE SPECIALISATION ET DE DIVERSIFICATION EN 1954, 1962, 1968

Indice		Minimum	Q_1	Médiane	Moyenne	Q_3	Maximum	Coefficient de variation
Coefficient de Spécialisation ISARD 20 CAE	1954	0,09	0,16	0,20	0,24	0,29	0,70	0,45
	1962	0,08	0,17	0,22	0,24	0,27	0,59	0,42
	1968	0,09	0,15	0,19	0,21	0,23	0,53	0,42
Distance du X^2 au profil moyen 20 CAE	1954	7	17	32	133	65	2 940	2,8
	1962	6	20	32	98	63	1 648	2,4
	1968	6	15	25	74	59	1 395	2,4
Indice de diversification de Gibbs et Martin 20 CAE	1954	0,468	0,871	0,909	0,878	0,923	0,935	0,09
	1962	0,484	0,878	0,904	0,877	0,919	0,933	0,09
	1968	0,540	0,888	0,903	0,887	0,915	0,929	0,06

Si l'on applique ces mesures à une partition plus fine des activités (décomposition de certaines activités industrielles, par exemple la métallurgie en 5 postes, dans la nomenclature en 25 CAE), les inégalités de profil sont accentuées, les valeurs sont plus élevées pour toutes les villes (Tabl. IX). Les indices sont particulièrement relevés lorsque la désagrégation des activités a fait apparaître une spécialisation dans l'une des catégories. Par exemple, l'agglomération de Belfort, classée à proximité ou en-dessous de la moyenne lorsque les mesures sont effectuées sur 20 catégories, se retrouve très nettement au-dessus quand les indices sont calculés sur 25 catégories, à cause de la mise en évidence de sa spécialisation dans la construction électrique. Cette observation rappelle la forte dépendance des indices de spécialisation à l'égard des nomenclatures utilisées et explique la difficulté de juger dans l'absolu de la signification de leur ordre de grandeur.

La plupart des auteurs ont fait l'hypothèse de l'existence d'une corrélation entre le degré de diversification des activités et la taille des villes. Or, parmi les indices dits de "diversification", certains sont en fait calculés comme des indices d'écart au profil moyen. Les expériences réalisées sur des ensembles de villes étrangères ont toutefois montré des corrélations plutôt faibles : par exemple Bahl et al (1971) trouvent une corrélation presque nulle entre la population de 212 SMSA des Etats-Unis et une distance du X^2 au profil moyen calculée sur 41 activités industrielles en 1960. Crowley (1973) trouve des coefficients de corrélation compris entre 0 et 0,3, entre le volume d'emploi des villes canadiennes de plus de 25 000 habitants et des coefficients de spécialisation proches de celui d'Isard ou de la distance du X^2. Nos résultats sont tout aussi médiocres, les corrélations entre les valeurs des indices pour 20 et 25 CAE et la population active des agglomérations sont faibles, voisins de — 0,2 pour le coefficient de spécialisation, de 0 pour la distance au profil moyen. La figure III montre qu'il n'existe pas de relation simple entre degré de spécialisation et taille des villes. Tout au plus peut-on remarquer que les corrélations sont très légèrement améliorées lorsque les indices sont calculés sur les seules activités tertiaires (tabl. IX), indiquant alors une tendance à des écarts au profil moyen plus grands dans les petites villes pour ces activités. Enfin, si l'on fait abstraction des importantes fluctuations des valeurs des indices à l'intérieur de chaque catégorie de taille de villes, on n'observe pas davantage de progression régulière en fonction de la dimension des agglomérations, qu'il s'agisse de la valeur médiane ou de la valeur moyenne des indices (tabl. IX).

La seule observation constante, et qui se trouve sans doute à l'origine de l'hypothèse d'une relation entre spécialisation et taille des villes est l'existence d'un seuil de taille au-delà duquel la spécialisation n'est jamais très forte. Pour les villes françaises, ce seuil se situe en 1968 autour de 250 000 habitants. L'effet de masse d'un marché de l'emploi comptant plus de 100 000 actifs explique peut-être ce caractère moyen des profils d'activité des grandes agglomérations, tout comme il peut rendre compte de certaines autres caractéristiques qui leur sont particulières (voir la 3e partie).

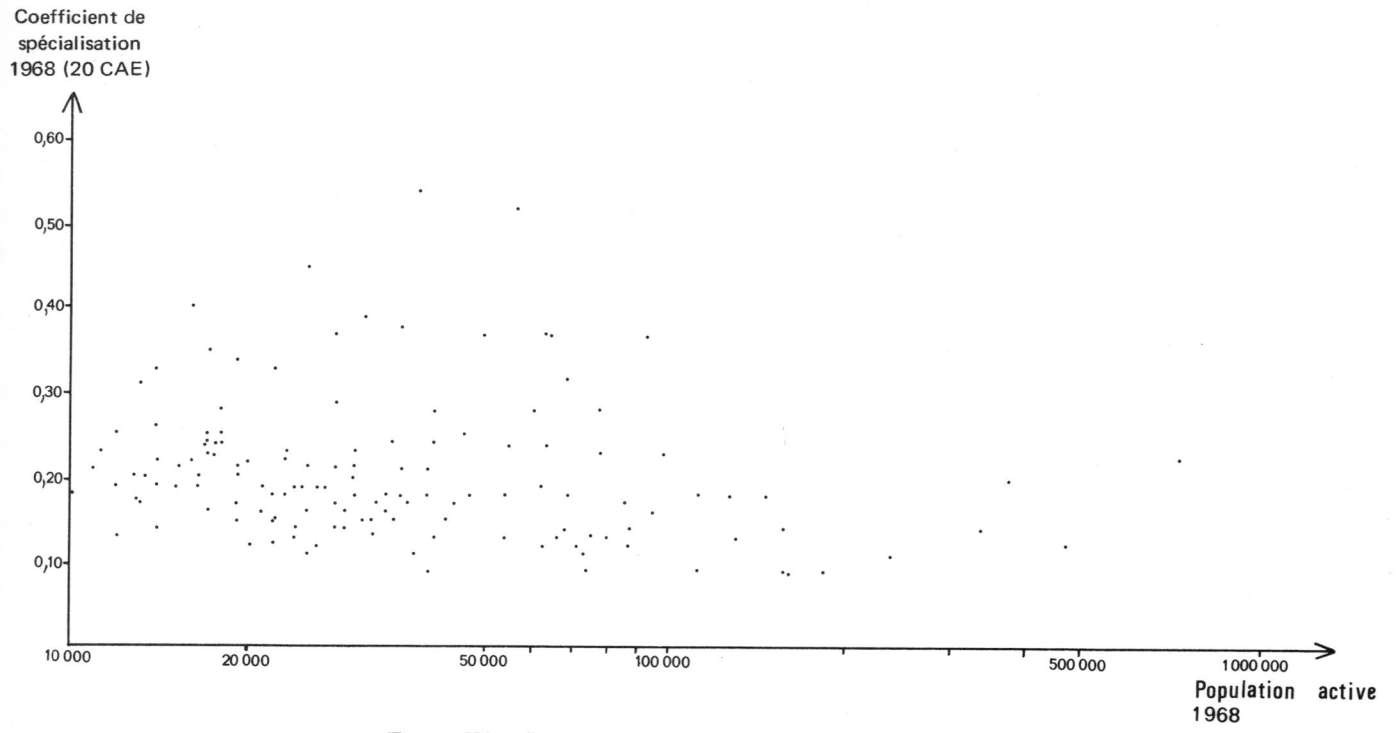

Figure III — Spécialisation et taille des agglomérations

TABLEAU IX — EFFET DE LA TAILLE DES AGGLOMERATIONS, DU NOMBRE DES CAE ET DE LEUR NATURE INDUSTRIELLE OU TERTIAIRE SUR LA VALEUR DES INDICES DE SPECIALISATION

Indice	Type / Mode de calcul	Valeurs médianes et maximales :						Corrélation avec la population active des agglomérations		
		1954 méd.	1954 max.	1962 méd.	1962 max.	1968 méd.	1968 max.	1954	1962	1968
Coefficient de spécialisation (x 100)	20 CAE	20	71	22	59	19	54	—0,28	—0,24	—0,22
	25 CAE			24	63	21	55		—0,26	—0,26
	7 CAE industrielles	11	52	12	44	11	41	—0,20	—0,14	—0,13
	12 CAE industrielles			14	47	13	42		—0,17	—0,19
	13 CAE tertiaire	8	20	9	20	8	16	—0,34	—0,33	—0,29
Distance du X^2 au profil moyen	20 CAE	32	2 940	32	1 648	25	1 395	—0,11	—0,07	—0,04
	25 CAE			45	1 648	35	1 430		—0,08	—0,03
	7 CAE industrielles	16	2 914	18	1 628	14	1 332	—0,05	—0,05	—0,02
	12 CAE industrielles			26	1 628	23	1 416		—0,07	—0,02
	13 CAE tertiaires	8	2 051	9	289	8	126	—0,14	—0,14	—0,12

Valeurs moyenne et médiane par classe de taille

Indice	0	1	2	3	4	5	6	7	8	9
Coefficient de spécialisation 20 CAE (X 100)										
1954	14	13	17	11	20	20	21	20	21	26
1962	14	16	23	13	20	21	28	22	25	28
1968	16	15	22	13	23	20	19	20	21	20
Distance au profil moyen 20 CAE										
1954	16	13	39	10	33	38	25	50	52	27
1962	16	40	211	25	108	72	28	134	76	23
1968	29	62	124	53	62	160	25	41	70	26

Code des classes de taille des agglomérations :

0	> 700 000 habitants	5	60-80 000
1	300-700 000	6	50-60 000
2	200-300 000	7	40-50 000
3	100-200 000	8	30-40 000
4	80-100 000	9	20-30 000

Largement conditionnée par les différentes modalités de la distribution spatiale des activités économiques, la forme de l'organisation d'ensemble des profils d'activité urbains ne s'est pas sensiblement modifiée, de 1954 à 1968 : relative homogénéité des profils, rareté et ampleur des cas de spécialisation, absence de forte relation entre degré de spécialisation et taille des villes. Toutefois on observe entre 1954 et 1968 une nette tendance à l'atténuation des inégalités de profil entre les agglomérations. Cette homogénéisation des profils d'activité urbains est essentiellement due à un processus de réduction continue de la plupart des fortes spécialisations.

Ainsi le tableau VIII montre pour les deux indices une diminution, continue de 1954 à 1968, des valeurs maximales et de celles du troisième quartile, entraînant aussi une baisse des valeurs moyennes. Un peu plus faible-

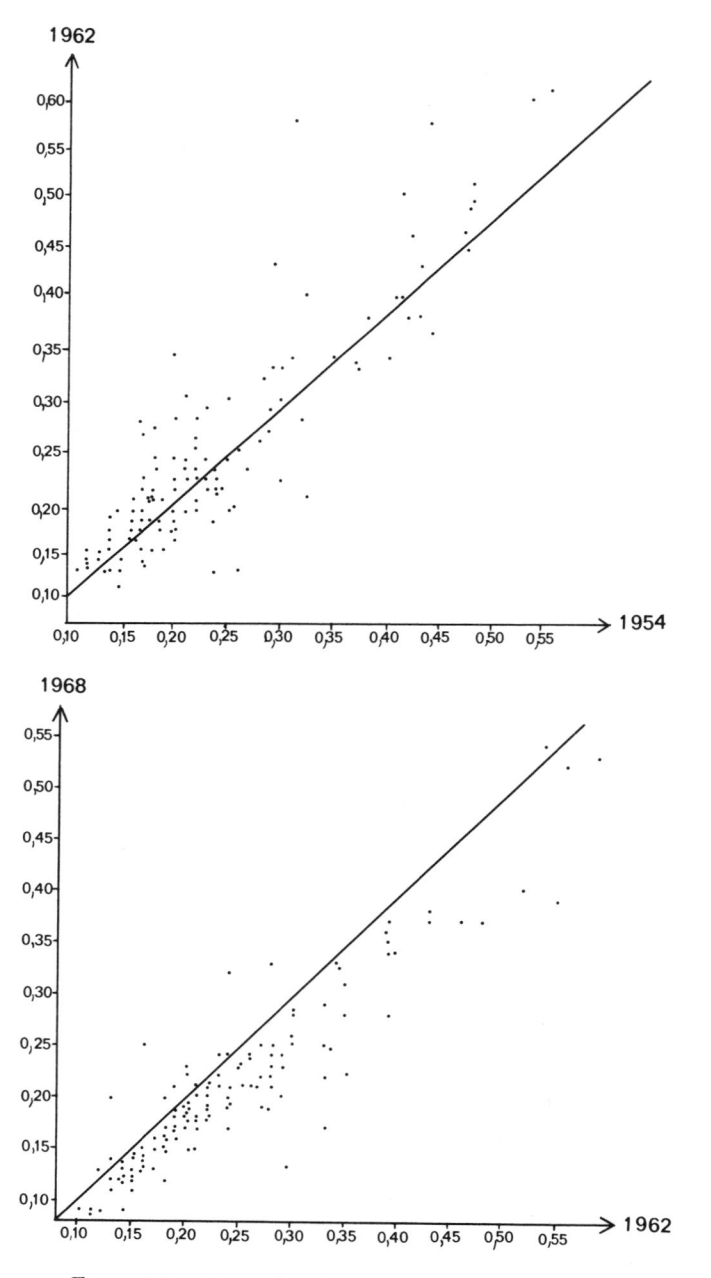

Figure IV — Evolution des indices de spécialisation.

ment, les valeurs médianes et celles du premier quartile ont diminué entre 1954 et 1968, indiquant pour l'ensemble des agglomérations une tendance à l'homogénéisation des profils d'activité. Toutefois, l'augmentation momentanée de ces deux derniers paramètres entre 1954 et 1962 souligne qu'une phase tendant à accroître les spécialisations faibles ou moyennes a eu lieu tout d'abord. Si l'on observe l'évolution des indices non plus globalement, mais pour chaque agglomération (fig. IV, et cartes 82 et 83), on remarque bien des exceptions à ces tendances d'ensemble, et une absence totale de relation entre l'ampleur des variations et les valeurs initiales des indices. Certes, la géographie des spécialisations n'a pas été bouleversée (corrélations voisines de 0,9 entre les distributions des valeurs d'indice, d'une date à l'autre). Toutefois entre 1954 et 1962, environ la moitié des villes françaises, peu ou moyennement spécialisées pour la plupart, ont eu tendance à augmenter leur degré de spécialisation, leur profil d'activité s'éloignant du profil moyen. Cette tendance n'existe plus guère entre 1962 et 1968 puisque seules 10 agglomérations environ, et pas nécessairement les moins spécialisées, ont des valeurs d'indice qui augmentent. Au total, un peu plus d'une trentaine de villes ont accru leur écart au profil d'activité moyen de 1954 à 1968. La carte 82 montre qu'elles se localisent essentiellement en une bande orientée NW-SE du Nord de l'Aquitaine au Languedoc, dans le Centre-Est et au Nord du Bassin Parisien. A l'exception de Montbéliard, toutes les villes appartenant au décile le plus spécialisé en 1954 se sont rapprochées du profil moyen en 1968 (figure IV). Les deux composantes de la tendance au rapprochement des profils d'activité urbains sont donc bien une réduction des spécialisations les plus fortes et une diminution des écarts au profil moyen pour l'ensemble des villes, mais cette tendance n'a vraiment prévalu qu'au cours de la période 1962-1968.

La tendance à l'homogénéisation des profils d'activité urbains résulte de deux processus contraires, de part et d'autre d'un seuil de taille d'agglomération situé selon les mesures entre 50 et 80 000 habitants. Entre 1954 et 1968, les groupes de petites villes se sont rapprochés du profil moyen, tandis que ceux des plus grandes s'en sont éloignés (figure V).

Comme en 1954 les petites villes tendaient à être un peu plus spécialisées que les grandes, cette évolution a contribué à l'homogénéisation des profils d'activité, ainsi qu'à la réduction de la corrélation entre spécialisation et taille de ville (Tableau IX). L'évolution n'a pas été partout continue ni d'égale ampleur, en particulier les groupes de villes ayant entre 50 et 300 000 habitants ont connu un fort mouvement de spécialisation de 1954 à 1962, puis une légère atténuation de celle-ci de 1962 à 1968 (fig. V).

Du fait des seuils de taille identifiés et des séquences de temps mises en évidence, on serait tenté de rapprocher l'évolution de la disparité des profils d'activité de celle du degré d'industrialisation. A l'échelle de l'ensemble des villes françaises, les deux processus sont vraisemblablement liés : la phase d'industrialisation de 1954-

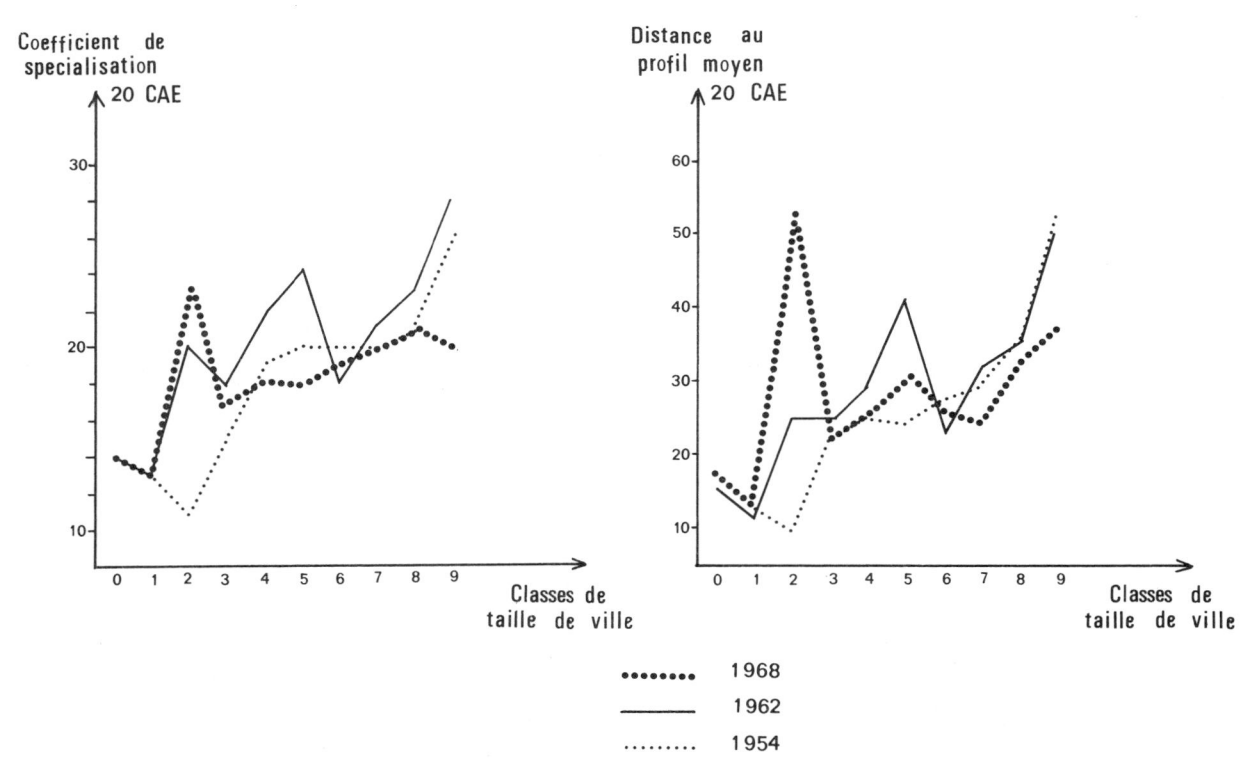

Figure V — Evolution des indices de spécialisation médians par classe de taille.

1962 correspond à une augmentation de la différenciation fonctionnelle, alors que la période plus récente de tertiarisation s'est accompagnée d'un rapprochement de l'ensemble des profils d'activité urbains. L'industrialisation et l'élévation du degré de spécialisation ont surtout concerné des villes moyennes et grandes, tandis que les groupes de petites villes ont perdu de leurs fortes spécialisations en se tertiarisant. Toutefois, une correspondance parfaite entre ces deux mouvements n'existe ni pour les classes de taille de villes, ni surtout pour chaque agglomération : il n'y a aucune corrélation entre le sens et l'ampleur de l'évolution des écarts au profil moyen et la variation de la proportion d'activité industrielle dans une ville. De plus , les tendances dégagées pour la totalité des agglomérations, pour des groupes de taille de villes ou des périodes de temps sont toujours à tempérer par l'assez grande hétérogénéité des situations et des évolutions.

En complément de cette analyse de la différenciation fonctionnelle urbaine nous avons cherché dans quelles activités se manifestent les divers degrés de spécialisation des agglomérations. Nous avons utilisé comme Carrière et Pinchemel (1963) la technique de Nelson (1955), qui, ne prenant en compte que les sur-représentations, identifie trois niveaux de spécialisation selon que le pourcentage d'une activité dans une ville dépasse de 1, 2 ou 3 écarts-types le niveau moyen de cette activité dans l'ensemble des agglomérations. En réalité, la notion de spécialisation ainsi mesurée n'a le même sens que pour des distributions d'activité de forme à peu près identiques. Or, parmi les catégories retenues, certaines, essentiellement tertiaires, ont des distributions de pourcentages beaucoup plus symétriques que les autres, ce qui confère à un assez grand nombre de villes, une spécialisation au premier degré (pourcentage supérieur d'un écart-type à la moyenne). Ces activités sont aussi celles dont la distribution géographique est le plus liée à la loi de proximité de l'offre et de la demande. Leur sur-représentation dans une ville n'est donc pas tant l'expression d'une fonction spécifique de celle-ci dans l'ensemble du réseau urbain, que d'une desserte locale exceptionnellement étendue, ou que d'une sous-représentation d'autres activités. Ainsi, les spécialisations dans le commerce alimentaire de détail signifient par exemple, en 1968, pour Lens et Montceau-les-Mines une sous-représentation d'un très grand nombre d'autres activités, en particulier tertiaires, pour Arles et Carcassonne davantage l'extension de la desserte locale, et pour Bayonne et Vichy le rapprochement saisonnier de l'offre locale et d'une demande extérieure.

Pour la plupart des activités, on observe une stabilité ou une légère diminution du nombre des villes spécialisées, de 1954 à 1968 (Tabl. X). Font exception quelques activités tertiaires : commerce de détail, hôtellerie, commerce de gros, auxquelles s'ajoutent le bâtiment et les travaux publics. L'accroissement est particulièrement important pour le commerce de gros et exprime une redistribution des localisations dans cette branche.

Dans le secteur secondaire, la tendance est à la diminution des cas de spécialisation extrême et moyenne, mais sans doute ne s'agit-il pour les villes concernées que d'un glissement vers un niveau de spécialisation plus faible, qui devient plus fréquent dès 1962. Pour les activités tertiaires au contraire, la période 1954-1962 semble avoir accru le nombre des spécialisations faibles et moyennes traduisant quelques concentrations géographiques dans ce secteur, mais au cours de la période suivante le mouvement inverse a largement prévalu. Avec certains décalages dans le temps, ces fluctuations de la fréquence des différents niveaux de spécialisation, assez faibles au demeurant, reflètent bien une atténuation de la dissymétrie des distributions des proportions des différentes activités économiques dans l'emploi des agglomérations.

Enfin, le phénomène de spécialisation a souvent été présenté, en particulier par Carrière et Pinchemel (1963), comme caractéristique des petites villes. D'après notre échantillon, il apparaît en effet que les plus petites villes (20 à 30000 habitants) étaient en proportion plus souvent spécialisées que les autres en 1954. Mais cette proportion ne décroissait pas régulièrement avec l'augmentation de taille des agglomérations : le groupe des villes de plus de 300000 habitants arrivait au deuxième rang pour la fréquence des cas de spécialisation. En 1968, ce ne sont plus les très petites villes qui sont le plus souvent spécialisées, mais les groupes de celles qui ont entre 50 et 60000 habitants, puis entre 30 et 40000. Cependant, au-delà de 100000 habitants, la fréquence des cas de spécialisation est plus faible que dans les groupes de villes plus petits. (Tabl. X).

B — La diversification

Pour caractériser plus spécialement le fait de la diversification (annexe 3) nous avons utilisé l'indice de diversification de Gibbs et Martin (1962). Il exprime l'écart entre la répartition des activités dans une ville et l'isorépartition (même proportion d'emploi dans toutes les activités).

$$G_i = 1 - \left[\frac{\sum\limits_{j=1}^{p} x_{ij}^2}{\left(\sum\limits_{j=1}^{p} x_{ij} \right)^2} \right] \qquad \text{ou sous une autre forme} \qquad C_i = \sum_{j=1}^{p} \frac{p}{p-1} \left(\frac{x_{ij}}{x_{i.}} - \frac{1}{p} \right)^2$$

Sa valeur maximale dépend du nombre d'activités retenues : elle est de 0,950 pour 20 catégories, et correspond au cas de l'iso-répartition. La valeur théorique minimale = 0 décrit la concentration de tout l'emploi de la ville dans une seule activité. L'intérêt essentiel de cette mesure est d'être utilisable quand on veut comparer deux indi-

TABLEAU X — NOMBRE DE CAS DE SPECIALISATION PAR ACTIVITE, DE 1954 A 1968

Activités	Degrés de spécialisation									Total		
	X + 1 σ			X + 2 σ			X + 3 σ					
	1954	1962	1968	1954	1962	1968	1954	1962	1968	1954	1962	1968
EXT	3	2	3		1		5	5	6	8	8	9
BTP	9	12	20	4	1	2	1	1	1	14	14	21
MET	9	7	11	2	4	2	4	4	4	16	15	17
CHI	7	5	6	2	1	3	5	4	4	13	11	13
ALI	8	12	7	3	1		2	2	2	13	15	9
THB	6	10	5	6	4	6	5	3	4	17	17	15
DIV	6	10	6			1	2	2	2	8	12	8
Secteur secondaire	48	58	58	17	12	12	24	22	23	89	92	93
TRS	15	12	11	2	3	2	4	4	4	21	19	17
CGR	4	14	13	1	2	2	1	1	1	6	17	16
CAD	9	13	13	8		2	1	2	2	18	17	24
CDE	15	14	19	1	2	5		1	3	16	17	24
HOT	1	2	4	1	1	3	2		2	4	6	9
BQA	17	16	15	3	2	1	1	3	1	21	18	17
SEN	12	4	10	2	5	4	3		2	17	12	16
SDO	12	9	12	8	2	5		1		20	12	17
SPA	21	12	13	2	3	5				23	15	18
EGE	15	13	15	7	2	2	1	4	3	23	19	20
TRR	15	9	14	5	9	5	2	1	2	22	19	21
ADM	18	21	16	7	4	6			2	25	25	22
Secteur tertiaire	161	148	164	47	36	44	20	25	20	228	209	228

— FREQUENCE DES CAS DE SPECIALISATION PAR CLASSE DE TAILLE D'AGGLOMERATION

Date	0	1	2	3	4	5	6	7	8	9
1954	2,3	2,2	1,3	1,5	1,0	1,5	1,4	1,6	1,6	2,6
1962	2,2	1,2	1,3	1,4	2,1	1,8	1,5	2,6	2,0	2,8
1968	1,7	1,8	1,7	1,6	2,0	2,2	2,9	2,1	2,5	2,2

Code des classes de taille des agglomérations :

0 > 700 000 habitants   5   60-80 000   8   30-40 000
1   300-700 000   6   50-60 000   9   20-30 000
2   200-300 000   7   40-50 000
3   100-200 000
4   80-100 000

TABLEAU XI — EFFET DU NOMBRE ET DE LA NATURE DES CATEGORIES D'ACTIVITE ET DE LA TAILLE DES AGGLOMERATIONS SUR L'INDICE DE DIVERSIFICATION

Mode de calcul de l'indice	Valeurs minimales et médianes (x 1 000) :			Corrélation avec la taille des agglomérations (population active)		
	1954	1962	1968	1954	1962	1968
. 20 CAE	468 — 909	484 — 904	540 — 903	0,14	0,08	0,08
. 25 CAE	472 — 960	555 — 913	642 — 916	0,10	0,11	0,11
. 7 CAE industrielles		488 — 950	547 — 952		0,03	0,03
. 12 CAE industrielles		561 — 963	649 — 964		0,05	0,04
. 13 CAE tertiaires	898 — 960	881 — 960	920 — 960	0,07	0,14	0,10

Indice de diversification (x 1 000)		Moyennes par classes de taille d'agglomérations									
		0	1	2	3	4	5	6	7	8	9
20 CAE	1954	917	923	899	914	898	904	866	828	843	870
	1962 $\bar{x}$	914	902	865	887	845	825	899	906	835	879
	1968 q_2	915	914	895	881	868	883	888	900	903	902

Code des classes de taille des agglomérations :

0	> 700 000 habitants	5	60-80 000
1	300-700 000	6	50-60 000
2	200-300 000	7	40-50 000
3	100-200 000	8	30-40 000
4	80-100 000	9	20-30 000

vidus appartenant à des ensembles différents : par exemple, diversification des activités de deux villes prises dans deux pays différents. Toutefois, le type de décomposition utilisé pour les activités influence évidemment la distribution des valeurs de l'indice et en limite nécessairement la portée. De plus, cet indice discrimine mal la plupart des villes, et n'isole que les cas très extrêmes où une activité domine de beaucoup toutes les autres. Bien que très souvent utilisé, il est un assez médiocre instrument de mesure. Nous l'avons toutefois retenu ici parce qu'il complète l'information fournie par les indices précédents. Bien que moins discriminante (coefficient de variation = 0,06), sa distribution, très dissymétrique, fait ressortir de la même manière les villes les plus spécialisées, à la fois très éloignées du profil moyen et de l'isostructure (en 1968, Montbéliard, Longwy, Forbach, Le Creusot, La Grand-Combe...) (Tableau VIII et carte 81). Mais cet indice n'est pas parfaitement corrélé au coefficient de spécialisation (coefficient de corrélation = — 0,75 en 1968) et à la distance au profil moyen ($r = — 0,46$). En effet, les villes les plus proches du profil moyen ne sont pas exactement celles qui sont les plus voisines de l'isostructure, et qui sont en 1968 Bordeaux, Marseille, Strasbourg, Rouen, Bergerac, avec des valeurs d'indice comprises entre 0,923 et 0,929. La répartition correspondant au profil d'activité moyen a un indice de diversification de 0,919.

Pas plus que les précédents, cet indice ne révèle de corrélation simple entre le degré de diversification des activités et la taille des villes (tabl. XI). Les groupes de très grandes villes (plus de 300 000 habitants), assez homogènes, sont ceux où la diversification des activités est la plus grande. Les groupes de villes les plus petites ont des valeurs moyennes ou médianes proches de celles de l'ensemble des villes. La concentration de l'emploi dans un petit nombre d'activités semble être plus fréquente et plus marquée dans les groupes d'agglomérations ayant entre 60 et 100 000 habitants.

La tendance générale au cours de la période 1954-1968 est à une légère concentration de l'emploi urbain dans certaines activités, à une diminution de la diversification des activités urbaines. En effet, le profil d'activité moyen s'est éloigné de l'isorépartition, surtout entre 1954 et 1962 (valeurs de l'indice : 0,931 en 1954, 0,920 en 1962 et 0,919 en 1968). Toutefois cette évolution résulte de deux mouvements continus de sens contraire, qui ont contribué à réduire les écarts entre les villes en matière de diversification des activités, et donc rejoignent le processus d'homogénéisation des profils d'activité urbains.

Le parallélisme entre les modalités de ces deux processus est très grand. L'indice de Gibbs-Martin enregistre une diminution de sa valeur maximale, du 3e quartile et de sa médiane, traduisant un accroissement de la concentration d'activité parmi les villes les plus diversifiées (tabl. VIII). Au contraire, la valeur minimale s'est fortement relevée, influençant aussi le sens de l'évolution de la moyenne ; l'accroissement de la diversification dans les villes dominées par une ou plusieurs activités a été considérable. Par classes de taille de villes, on retrouve deux mouvements opposés : diversification des activités dans les groupes des plus petites villes et concentration accrue dans les groupes de villes dépassant 60 000 habitants (Tabl. XI et cartes 84 et 85).

Nous avons tenu à analyser en détail les résultats fournis par les indices de spécialisation et de diversification, essentiellement pour des raisons méthodologiques. L'expérimentation permet en effet d'évaluer l'intérêt de ces outils pour la comparaison des profils. Dans l'ensemble, ils constituent d'assez bons résumés de l'écart entre deux structures, lorsqu'on n'a pas besoin de déterminer les composantes de cette dissimilarité. Les nombreux indices proposés, qu'une controverse récente a permis de rappeler (cf. Clemente et Sturgis, 1971 ; Crowley, 1973, Marshall 1975) donnent des résultats assez bien corrélés. Toutefois les deux grandes familles — ceux qui se réfèrent au profil moyen et ceux qui se réfèrent à une isostructure — apportent des informations un peu différentes.

Pour l'évaluation des écarts entre profils à un moment donné comme pour la mesure du changement d'une structure, les indices les plus simples à calculer et les plus faciles à interpréter semblent être les distances, euclidienne ou du X^2. Certains auteurs ont proposé récemment d'utiliser une mesure d'entropie (indice qui se réfère à une isostructure ou équiprobabilité (Garrison, Paulson, 1973 ; Marchand, 1978). L'avantage de cette mesure est d'exiger des hypothèses moins fortes que les distances, quant à la nature mathématique des données. L'expérimentation est encore trop réduite cependant pour évaluer l'apport spécifique de ce type de mesure.

La simplicité est l'atout essentiel de ces indices. Aussi certains auteurs mettent-ils en garde contre une trop grande sophistication, par exemple dans certaines applications de l'analyse "shift and share" à l'étude des changements structurels (Chalmers, 1971). Dès lors que l'on recherche des composantes et non plus seulement une mesure globale, l'analyse multivariée devient une meilleure solution.

2. STRUCTURE INTERURBAINE DE L'ACTIVITE ECONOMIQUE ET SPECIFICITES FONCTIONNELLES DES AGGLOMERATIONS

SPECIFICITES FONCTIONNELLES DES AGGLOMERATIONS ET DESAGREGATION DES CATEGORIES D'ACTIVITE

L'utilisation de cette nomenclature, qui consiste pour l'essentiel à remplacer une activité comme la métallurgie par cinq autres de distributions géographiques contrastées, revient à accroître dans l'ensemble l'hétérogénéité des profils urbains, ainsi que le nombre des activités les plus discriminantes. En conséquence, dans l'arbre de classification, les regroupements des classes s'opèrent à des niveaux de spécificité plus élevés, le nombre des

TABLEAU XII — LES SPECIFICITES FONCTIONNELLES, PARAMETRES DE LA CLASSIFICATION D'APRES LES ACTIVITES DESAGREGEES (25 CAE)

Niveaux des spécificités fonctionnelles	Classes	Nombre de Villes	rho^2	% actifs dans le secteur secondaire	Contributions positives
Très fortes spécificités	a	2	14	69	EXT 13,4
	b	3	11	67	PTM 10,7
	c	4	5	63	EXT 5,2
	d	2	1,8	54	PTM 1,18 — EXT 0,47 — AMD 0,1
	e	9	1,1	54	TEX 1,0
	f	4	1,2	49	PCH 1,1
	g	3	1,1	57	PTM 0,87 — MEC 0,03 — TEX 0,04 — PCH 0,01
	i	3	0,5	50	EXT 0,40 — MEC 0,01 — TEX 0,01 — HAB 0,01
	h	2	0,4	63	PTM 0,10 — MEC 0,08 — AMD 0,07 — REP 0,05 — EXT 0,03 — PCH 0,02 — TEX 0,02
	k	3	0,6	45	DEF 0,38 — MEC 0,06 — BTP 0,01
	l	18	0,2	45	TRS 0,02 — ALI 0,01
Spécificités moyennes industrielles	m	5	0,5	48	IND 0,31 — HAB 0,01 — CEL 0,01
	n	12	0,2	41	CEL 0,08
	o	6	0,1	50	MEC 0,02 — CEL 0,02 — PCH 0,02 — TEX 0,01 — HAB 0,01
Spécificités moyennes tertiaires	p	26	0,08	36	TRS 0,02 — ALI 0,01
	q	37	0,09	37	ADM 0,01

classes à fortes spécificités augmente, tandis que dans la partition comprenant 18 classes (degré de finesse retenu précédemment), la catégorie des classes sans spécificité, à profil moyen, n'apparaît plus (tabl. XII).

L'organisation générale de l'arbre n'est cependant pas modifiée, les classes à forte spécificité se détachant successivement du reste des villes. Elles sont plus nombreuses (12), concernent au total un plus grand nombre d'agglomérations (50 au lieu de 28), et associent dans la moitié des cas plus de 2 spécialisations, bien que la contribution dominante d'une activité en reste la caractéristique. Cependant, 5 d'entre elles se distinguent par une plus faible distance au profil moyen, elles ont en commun une forte spécificité dans l'industrie mécanique.

Les 6 autres classes de villes se séparent à partir d'un certain niveau de spécificité, selon un processus dichotomique qui rappelle la coupure observée précédemment, entre 24 villes dans 4 classes à spécificités plutôt secondaires et 63 villes dans 2 classes à spécificités tertiaires.

Le tableau croisé (tabl. XIII) confrontant les classifications des agglomérations d'après 20 et 25 CAE montre la grande stabilité de la position de la plupart des villes (93 sur 138), à l'intérieur des grands ensembles de classes correspondant aux différents niveaux de spécificité et aux spécialisations secondaire et tertiaire. Les glissements les plus importants s'expliquent par des spécificités de profil mises en évidence par la désagrégation des activités et concernent 28 agglomérations seulement. Trois types de modifications sont enregistrées : 10 agglomérations au profil moyen plutôt secondaire (d'après 20 CAE) apparaissent comme très fortement spécialisées dans la classification d'après 25 catégories. Pour Vienne et Saint-Dié, il s'agit d'une mise en évidence de leur spécificité dans l'industrie textile, qui était minimisée par l'agrégation à cette dernière des industries de l'habillement dans la nomenclature en 20 postes. Pour 8 autres villes, le même phénomène joue, faisant apparaître une spécificité assez importante dans l'industrie mécanique, auparavant dissimulée par l'agrégat des industries métallurgiques (ex : Annecy). 6 autres agglomérations passent de catégories spécifiques tertiaires à des catégories

TABLEAU XIII — CLASSIFICATION FONCTIONNELLE ET DESAGREGATION DES ACTIVITES

	CAE 25	EXT	PTM	EXT	EXT-PTM	TEX	PCH	PTM-MEC-AMD	EXT-MEC-TEX	PTM-MEC-ADM	MEC	MEC-DEF	MEC	CEL-MEC-PCH-TEX-SEN	CEL-TRR-HAB	CEL-ADM	TRS-ALI	ADM-BTP-SPA-DEF-CDE
CAE 20	1 2 3 3	14 d	11 b	5 c	2 d	1	1,2 f	1,0 g	0,4 h	0,4 i	j	0,6 k	0,2 l	0,1 m	0,5 n	0,2 o	0,08 p	0,09 q
EXT 13,7 a		Forbach, La Grand-Combe																
EXT 5,3 b			Monteau, Bruay, Lens, Douai															
MET 1,5 c		Thionville, Le Creusot, Longwy									Montbéliard							
CHI 1,1 d						Cambrai, Lille, Castres, Troyes, Roanne, Calais, Armentières												
EXT CHI 0,9 e					Denain		Montargis, Cl. Ferrand, Compiègne											
THB 0,7 f									Alès, Béthune									
EXT MET 0,3 g																		
DIV 1,9 h					Valenciennes				Mulhouse, St Etienne						Cholet / Romans, Fougères			
MET 0,4 i								Maubeuge		St Chamond								
CHI MET 0,2 j							Montluçon, Creil				Bourges, Soissons							
THB DIV 0,08 k											St Nazaire, Cherbourg, St Dizier							
MET 0,05 l											Vienne, St Die		La Rochelle, Tarbes, Charleville, Annecy, Le Mans, Chatellerault, Sens, Luneville	Lyon			Colmar - Le Puy	
DEF 0,4 m												Brest, Toulon, Rochefort	Lorient	Vierzon, Chalon/Saône / Elbeuf / St Quentin, Villefranche/Saône		Belfort / Nevers, Brive, Besançon, Alençon, Chartres, Nantes, Bourg en Bresse / Grenoble		Valence, Beauvais
TRS 0,3 n												Dunkerque						
HOT BTP 0,2 o																		Vichy, Cannes, Nice
ALI TRS 0,1 p																	Le Havre, Saintes, Dieppe / Leon, Albi / Reims, Boulogne, Sète, Narbonne, Agen, Arles, Perpignan, Beziers, Chambery, Avignon, Epernay, Marseille, Cognac, Strasbourg, Perigueux	
ADM 0,1 q																Orléans, Dole / Angers, Macon, Laval, Evreux	Amiens, Rouen	Limoges, Angoulême / Chalon/Marne, Verdun, Chaumont, Metz, Nimes, Auxerre, Blois, Vannes, Moulins, St Brieuc, Arras, Aurillac, Quimper, Rodez, Rennes, La Roche/Yon, Vannes, Aix-en-Prov, Carcassonne, Poitiers, Montpellier / Montauban, Epinal, Chateauroux, Tours, Bordeaux, Pau, Bergerac, Niort, Toulouse, Bayonne
0,05 r																		

(1) Notice des spécificités, (2) écart au profil moyen, (3) nom de la classe.

spécifiques secondaires. Dans le cas de Dunkerque, la spécificité dans la première transformation des métaux est mise en évidence par la désagrégation des industries métallurgiques. Elle surpasse celle des transports et place l'agglomération dans la catégorie des villes les plus spécialisées. Pour les 5 autres villes, sans qu'il y ait de changement dans le niveau de spécialisation, un glissement s'effectue des catégories tertiaires aux secondaires par la prise en considération d'une spécificité dans la construction électrique (Angers, Dijon, Mâcon, Laval, Evreux). A l'inverse, 8 villes passent d'une catégorie moyenne plutôt secondaire, à une catégorie de spécificité tertiaire. La désagrégation des activités industrielles a réduit les écarts relatifs de leur profil moyen pour ces activités, les rendant inférieurs à ceux observés dans les activités tertiaires (ex. : Colmar, Valence, Caen).

CORRESPONDANCES ENTRE LES PROFILS TERTIAIRES ET LES PROFILS INDUSTRIELS

L'idée d'une liaison entre les caractéristiques de l'activité industrielle d'une ville et son profil tertiaire est très largement répandue. Elle repose sur l'observation d'une insuffisance quantitative jointe à une déficience qualitative de l'équipement tertiaire des villes les plus industrielles. Formulée comme hypothèse, elle a été vérifiée sur l'échantillon bien particulier des villes du Nord de la France en 1954 (Vakili et al, 1959). Ce résultat est-il généralisable à l'ensemble des agglomérations françaises en 1968 ? La réponse est non.

Notre vérification a consisté à comparer la classification des villes établie sur les seules activités industrielles à celle effectuée sur le seul profil tertiaire (Tableau XIV). Il n'existe pas de correspondance d'ensemble entre les classes.Tout au plus peut-on noter qu'une vingtaine des villes secondaires aux spécificités industrielles les plus marquées et souvent exclusives (dans les industries extractives, textile et métallurgique) ont des profils tertiaires assez proches du profil moyen, avec parfois une légère spécificité dans le commerce alimentaire de détail, ou dans les transports pour certaines villes de la métallurgie. La relation cherchée n'est donc que très partielle. La proposition peut d'ailleurs être renversée : les agglomérations les plus tertiaires ont un profil d'activités industrielles très proche du profil moyen, avec de faibles spécificités dans trois industries seulement : industries diverses, alimentaire et construction électrique. Il n'est pas impossible que des enchaînements nécessaires expliquent ces régularités, d'une portée moins grande cependant qu'on ne l'admet généralement. Cette idée reçue recouvre probablement une dimension urbaine bien plus large que celle des activités économiques et se réfère sans doute aussi aux composantes de la société urbaine.

SPECIFICITES ECONOMIQUES ET SPECIFICITES SOCIALES

Des chercheurs de plus en plus nombreux ont souligné l'intérêt de l'approche des structures urbaines sous l'angle social. Haumont et Bohain (1968) ont montré l'importance des corrélations entre certaines catégories d'activité économique et catégories socio-professionnelles urbaines regroupées au sein des mêmes facteurs par une analyse en composantes principales. Nous avons vérifié les niveaux de ces corrélations à différentes dates et montré qu'il ne pouvait exister de stricte correspondance entre structure d'activité et structure sociale. Il reste à préciser dans quelles limites l'exercice d'un type urbain de fonction économique entraîne un profil socio-professionnel spécifique.

Pour y parvenir, nous avons confronté deux typologies des agglomérations, l'une d'après les 20 catégories d'activités économiques, l'autre d'après 24 catégories socio-professionnelles (voir Annexe 1), toutes deux obtenues par une classification ascendante hiérarchique utilisant la distance du x^2. La comparaison des classifications (tabl. XV) confirme qu'il existe une similitude entre les deux principes d'organisation des villes. Tant au point de vue de la structure économique que de la structure sociale, l'armature urbaine française comprend trois sous-ensembles : l'un nettement distinct du fait de la mono-activité et/ou d'une structure sociale peu diversifiée, les deux autres s'opposant avant tout par la nature industrielle ou tertiaire de leurs fonctions, sur laquelle se calque une dichotomie entre spécificités ouvrières et non-ouvrières du profil socio-professionnel. De plus, c'est aux profils d'activité les plus diversifiés que correspondent les structures sociales les moins contrastées.

Cependant, si l'on exclut le cas très particulier des villes minières (la catégorie des mineurs confondant plusieurs niveaux de qualification du travail), les catégories socio-professionnelles ne classent pas les sociétés urbaines d'abord par leur niveau de spécificité, mais surtout en fonction des associations géographiques de groupes exclusifs (ouvriers et non-ouvriers), qui opposent encore plus nettement que ne le font les activités économiques deux groupes de villes.

En dehors de cette dichotomie très générale, les types de profil ne se correspondent pas de manière univoque. On trouve certes, regroupées dans les mêmes classes, les villes dont la spécificité est due à la forte contribution d'une catégorie d'activité économique qui, dans la nomenclature, définit aussi une catégorie socio-professionnelle (industrie extractive-mineur, défense-armée, hôtellerie-autre personnel de service). Pour toutes les autres agglomérations, le rattachement à un type de profil d'activité est compatible avec plusieurs types de profils socio-professionnels, mais dans un éventail bien défini. Il semble qu'on puisse ainsi mettre en rapport spécialisations dans une activité et certains niveaux de qualification ou position dans la hiérarchie sociale. Par exemple, à un niveau de spécificité comparable et élevé, la spécialisation dans la métallurgie et dans la chimie n'induisent pas les mêmes types de structure sociale. Le tableau XV montre aussi la plus grande diversité sociale du groupe des villes tertiaires, dont un peu moins d'une sur trois a un profil de ville ouvrière. En revanche 15 % des villes industrielles seulement, appartenant toutes aux deux classes peu spécifiques, ont un profil socio-professionnel à spécificités non-ouvrières. En dehors de ces quelques remarques, les correspondances entre les deux classifications semblent difficilement réductibles à quelques cas-types. Leur intérêt réside surtout dans une qualification

TABLEAU XIV — SPECIFICITES INDUSTRIELLES ET SPECIFICITES TERTIAIRES (*)

Tertiaire (1)	(2)	EXT 12,1	PTM 9,6	EXT 5,4	PCH 2,7	TEX 1,7	PTM 1,7	PTM 1,4	MEC 1,1	EXT 0,7	IND 0,6	ALI 0,5	PTM 0,4	CEL 0,4	MEC 0,3	— 0,3	— 0,2
Industrie (1) (2)																	
DEF	0,6								2							2	
DEF	0,5										1			1	1	2	2
TRS	0,5							1									
TRS	0,06		1		1	1		1	2					3	1	2	2
DEF	0,15				1	2		2	2		1	3	3	3	1	4	2
DEF	0,02													1			
DEF	0,02				1	2					2	1		2		2	1
TRR	0,04	1															1
SEN	0,12				1	1	1		1	1	1	2	1	1	2	5	1
—	0,02													3		5	
ADM	0,08				1		1	1					1	3	1	5	1
SPA	0,04					2		1		1	4	2	1	4		4	
HOT	0,14										1		1			2	
CAD	0,09	6	2		1	2	1	1	2	1	1	2	1	1	1	1	1
—	0,02				1	2	1	1	1	1	2		1	2	2	1	2
BQA SDO	0,11										1			1		1	1

(1) Principale spécificité de la classe
(2) Ecart au profil moyen
(*) dans chaque case du tableau figure le nombre des agglomérations regroupées ensemble par une classification sur leur profil tertiaire et une classification sur leur profil industriel.

TABLEAU XV — SPECIFICITES ECONOMIQUES ET SPECIFICITES SOCIALES

CSP (1)	(2)	EXT 13,7	EXT 5,3	MET 1,5	CHI 1,1	EXT CHI 0,9	THB 0,7	EXT MET 0,3	DIV 1,9	MET 0,4	CHI MET 0,2	THB DIV 0,08	MET 0,05	DEF 0,4	TRS 0,3	HOT 0,2	ALI TRS 0,1	ADM 0,1	— 0,05
MIN	4,6	Forbach																	
MIN	3,4		Montceau, Lens Douai																
MIN	0,6					Denain, Alès, Bethune		Valenciennes											
MIN OQU	0,08							Mulhouse, St Etienne										Dole	
OSP CON	0,19			Thionville															
OSP	0,19			Montbéliard		Calais, Armentières			Romans, Fougères										
OSP	0,03				Montargis	Cambrai, Castres				Elbeuf									
OQU TEC	0,10									Belfort, St Dié	Montluçon	Chôlet, St Vienne, Chatellerault	Annecy, Brive, Sens, Chatellerault					Angoulême	
OQU MAN	0,08			Longwy, Le Creusot		Troyes, Roanne, St Quentin, Villefranche				Cherbourg, St Nazaire							Aries Sète		
OQU CON	0,05									Maubeuge, St Chamond									
MAN OQU	0,04				Compiègne		Lille			Creil, Vierzon	Soissons								
TEC ING	0,03				Clermont-Ferrand							Lyon, Grenoble			Dieppe				
EMP APS	0,02										Chalon/Saône, Bourges		Alençon, Beauvais, Charleville, Chartres, Le Mans/Nantes, Nevers/Tarbes, La Rochelle, Valence	Brest, Lorient, Rochefort, Toulon				Blois-Evreux, Laval-Mâcon	Amiens, Chateauroux, Limoges, Orléans, Tours
AUC	0,16														Dunkerque, Le Havre		Epernay, Boulogne, Reims	Rouen	
APS PAR PCO	0,14															Cannes, Nice, Vichy		Verdun	
EMP CAM AUC	0,04												Colmar, Besançon, Caen, Nancy				Strasbourg	Chalons/Marne, Chaumont-Dijon, Epinal-Laon, Metz-Chartres	
PRO EMP	0,08																	Aix-en-Provence, Montpellier, Poitiers-Rennes	Toulouse
SMS EMP INS	0,04												Le Puy, Bourg en Bresse		Saintes		Avignon, Chambéry, Marseille		Niort
FME AUC PAR	0,06																Agen-Béziers, Cognac, Narbonne, Périgueux, Perpignan	Carcassonne, Nîmes	Bayonne, Bergerac, Bordeaux, Pau

(1) Nature des spécificités
(2) Ecart au profil moyen

plus complexe des structures de la population active de chaque agglomération. Aussi ne les décrirons-nous pas ici dans le détail.

II — STRUCTURES D'ACTIVITE ET DEVENIRS URBAINS

1. LES COMPOSANTES PRINCIPALES DE L'ACTIVITE URBAINE

COMPOSANTES PRINCIPALES ET DESAGREGATION DES CATEGORIES D'ACTIVITE

La désagrégation des activités industrielles (partition de la population active en 25 catégories d'activités économiques) ne modifie pas le sens des trois principales composantes de l'activité urbaine. (Tabl. 8 et XVI). Par rapport aux axes de l'analyse en composantes principales, la position des sous-groupes d'activités est fonction de leurs schémas de représentation dans les villes. Ainsi parmi les branches de la métallurgie individualisées, les activités de réparation mécanique et électrique, très peu discriminantes, rejoignent l'ensemble des activités tertiaires dans la formation de la première composante, et en renforcent d'ailleurs la signification. Les industries mécaniques occupent sensiblement la même position que le bloc des activités métallurgiques dans l'analyse antérieure. La première transformation des métaux qui est une activité très discriminante concourt à peu près au même titre que l'extraction à la formation de cette première composante. Entre ces extrêmes, la construction électrique occupe une position centrale voisine de celle des industries diverses.

TABLEAU XVI — CORRELATIONS DES VARIABLES (25 CAE) AVEC LES AXES DE L'ACP

CAE	Ier axe	IIe axe	IIIe axe	CAE	Ier axe	IIe axe	IIIe axe
EXT	0.5	0.4	0.0	TRR	—.7	—.1	—.3
BTP	—.8	0.3	0.0	ADM	—.7	0.1	—.3
ALI	—.0	—.4	0.6	DEF	—.3	0.3	0.2
TRS	—.2	0.2	0.4	PTM	0.5	0.2	—.1
CGR	—.6	—.3	0.2	MEC	0.4	0.1	—.2
CAD	—.0	0.3	0.6	AMD	0.2	—.4	0.1
CDE	—.8	0.1	0.1	CEL	0.0	—.2	—.4
HOT	—.4	0.2	0.4	REP	—.4	—.1	0.3
BQA	—.7	—.2	—.2	PCH	0.1	0.2	—.0
SDO	—.4	—.2	—.1	TEX	0.3	—.4	—.0
SPA	—.7	—.0	0.1	HAB	0.2	—.6	0.3
SEN	—.8	—.2	—.1	IND	0.1	—.6	0.2
EGE	—.4	0.1	—.3				

L'industrie métallurgique désagrégée est davantage différenciée sur le deuxième axe : avec les industries alimentaires et diverses, la fabrication d'articles métalliques et la construction électrique se rapprochent des industries du textile et de l'habillement et de quelques activités de service. Toutes ces activités opposées d'une part à l'extraction, aux industries de première transformation des métaux, à la mécanique, et d'autre part au commerce alimentaire de détail et aux activités tertiaires créatrices de spécificités fonctionnelles importantes (défense, transports, commerce de gros, etc...), forment la deuxième composante. La diffusion géographique de branches de la métallurgie telles que la fabrication d'articles métalliques ou encore la construction électrique n'est pas incompatible avec certaines surreprésentations des services dans les villes. La signification de cette deuxième composante est donc précisée, elle n'est pas modifiée. La troisième composante garde la même structure et le même sens ; cependant la période de référence pour l'évolution des activités n'est plus dans ce cas que de 6 ans (1962-1968).

4. STRUCTURES D'ACTIVITE ET AUTRES DIMENSIONS DU SYSTEME URBAIN

LES CHANGEMENTS D'ENSEMBLE. EQUATIONS DES DROITES DE REGRESSION DE Y (Variable en 1968) EN X (Variable en 1954).

EXT	$y = 0,78 x + 0,29$
BTP	$y = 0,31 x + 8,88$
MET	$y = 0,96 x + 1,72$
CHI	$y = 0,95 x + 1,07$
ALI	$y = 0,67 x + 0,56$
THB	$y = 0,71 x - 0,34$
DIV	$y = 0,69 x + 0,61$
TRS	$y = 0,70 x + 0,87$
CGR	$y = 0,89 x + 0,84$
CAD	$y = 0,76 x + 0,40$
CDE	$y = 0,71 x + 2,33$
HOT	$y = 0,54 x + 0,60$
BQA	$y = 0,71 x + 0,71$
SDO	$y = 0,94 x + 0,33$
SPA	$y = 0,53 x + 0,33$
SEN	$y = 0,98 x + 1,99$
EGE	$y = 0,52 x + 0,45$
TRR	$y = 1,10 x + 0,05$
ADM	$y = 1,01 x + 1,99$
DEF	$y = 0,64 x + 0,68$
RVI	$y = 0,61 x + 34,8$
SAL	$y = 0,87 x + 15,7$
TCR	$y = 0,63 x - 0,13$
MIG	$y = 0,67 x + 0,35$
GIC	$y = 0,66 x - 0,01$
PIC	$y = 0,63 x + 0,36$
CAP	$y = 1,19 x + 0,62$
CAM	$y = 0,96 x + 4,00$
EMP	$y = 0,84 x + 4,33$
OQC	$y = 0,71 x + 1,65$
OSM	$y = 0,69 x + 10,69$
PDM	$y = 0,55 x + 0,42$
PDS	$y = 0,69 x + 1,27$
AUC	$y = 1,07 x + 0,09$

Atlas

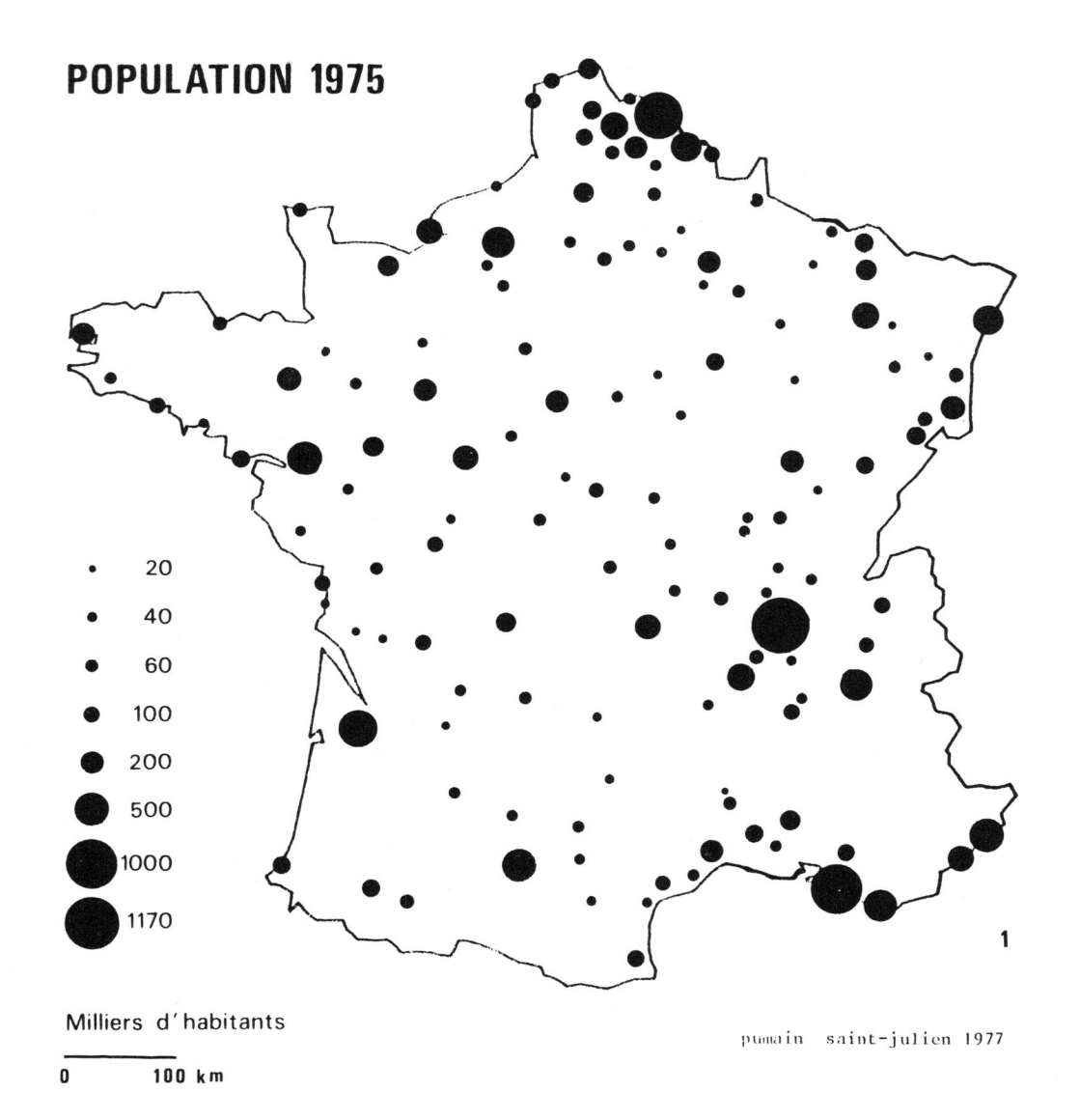

POPULATION 1975

```
•      20
•      40
•      60
●      100
●      200
⬤     500
⬤    1000
⬤    1170
```

Milliers d'habitants

0   100 km

pumain saint-julien 1977

1

INDUSTRIES EXTRACTIVES 1954

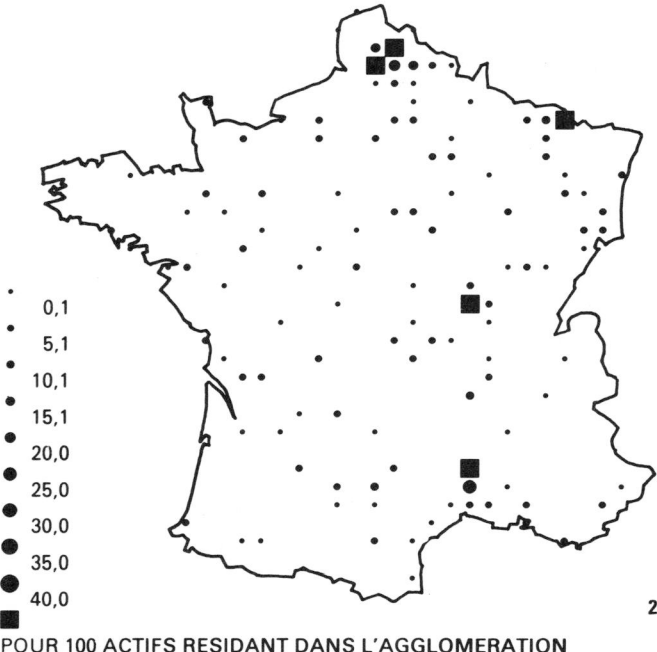

0,1
5,1
10,1
15,1
20,0
25,0
30,0
35,0
40,0

POUR 100 ACTIFS RESIDANT DANS L'AGGLOMERATION
MOYENNE = 2.1

pumain saint-julien 1977

2

INDUSTRIES EXTRACTIVES 1968

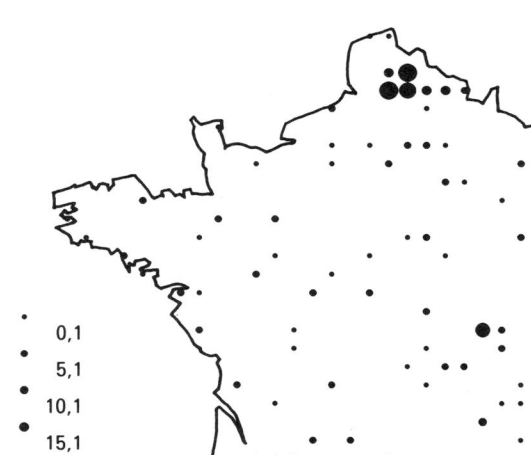

0,1
5,1
10,1
15,1
20,0
25,0
30,0
35,0
40,0

POUR 100 ACTIFS TRAVAILLANT DANS L'AGGLOMERATION
MOYENNE = 1.7

pumain saint-julien 1977

3

MÉTALLURGIE 1954

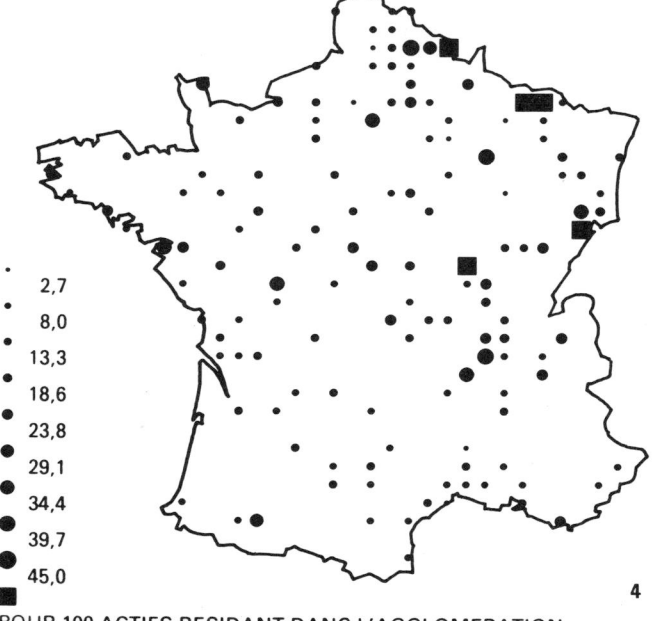

2,7
8,0
13,3
18,6
23,8
29,1
34,4
39,7
45,0

POUR 100 ACTIFS RESIDANT DANS L'AGGLOMERATION
MOYENNE = 13.2

pumain saint-julien 1977

4

MÉTALLURGIE 1968

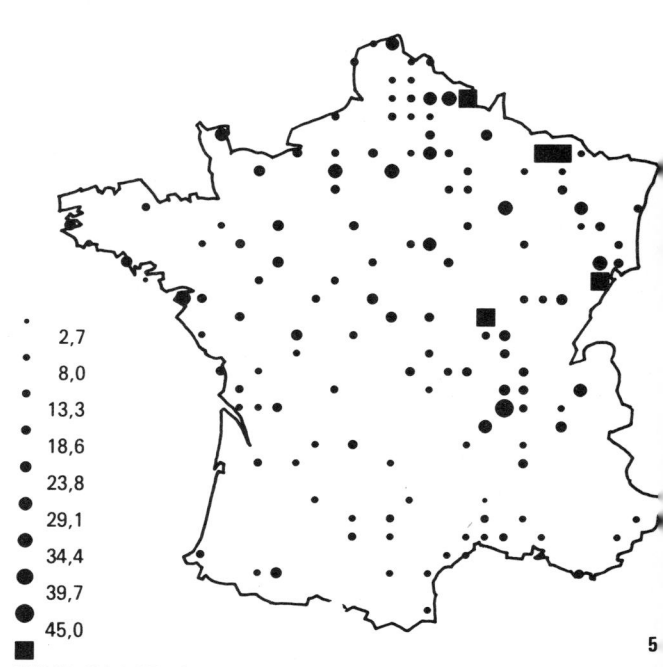

2,7
8,0
13,3
18,6
23,8
29,1
34,4
39,7
45,0

POUR 100 ACTIFS TRAVAILLANT DANS L'AGGLOMERATION
MOYENNE = 15.0

pumain saint-julien 1977

5

CHIMIE 1 1954

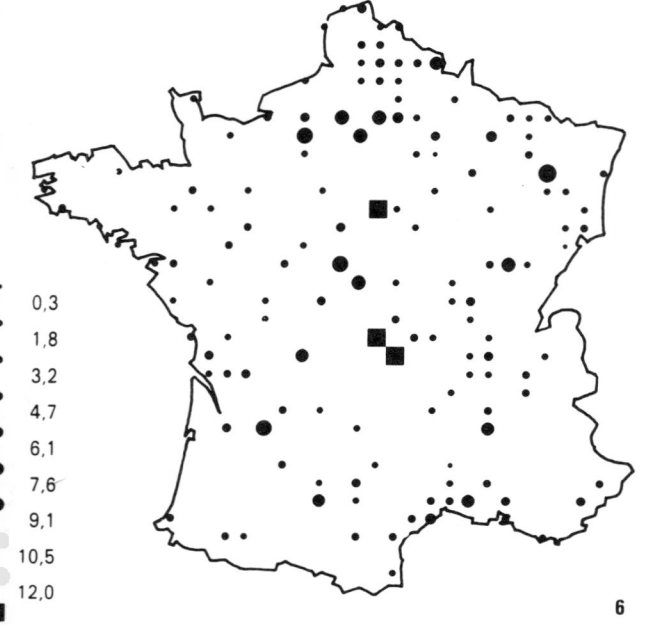

0,3
1,8
3,2
4,7
6,1
7,6
9,1
10,5
12,0

6

POUR 100 ACTIFS RESIDANT DANS L'AGGLOMERATION
MOYENNE = 3.3

pumain saint-julien 1977

CHIMIE 1 1968

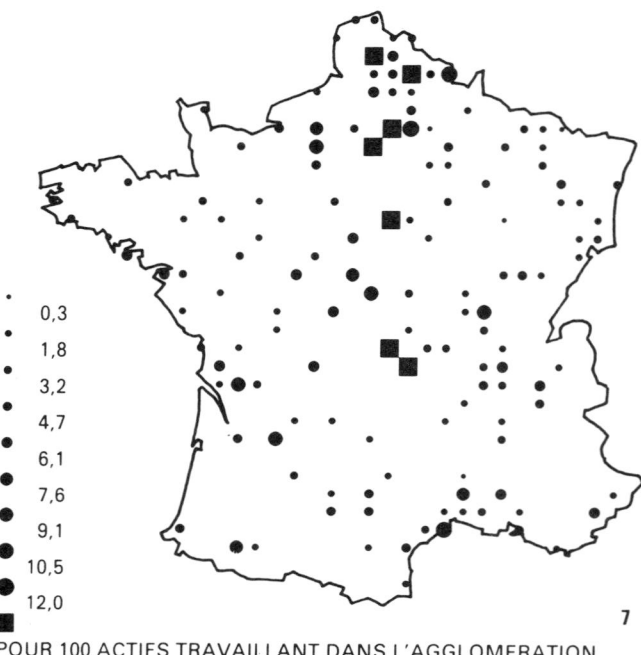

0,3
1,8
3,2
4,7
6,1
7,6
9,1
10,5
12,0

7

POUR 100 ACTIFS TRAVAILLANT DANS L'AGGLOMERATION
MOYENNE = 3.6

pumain saint-julien 1977

TEXTILE ET HABILLEMENT 1954

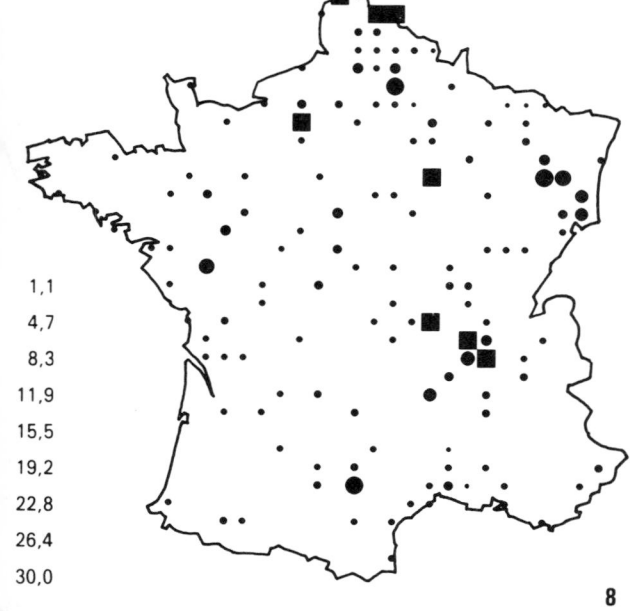

1,1
4,7
8,3
11,9
15,5
19,2
22,8
26,4
30,0

8

POUR 100 ACTIFS RESIDANT DANS L'AGGLOMERATION
MOYENNE = 9.4

pumain saint-julien 1977

TEXTILE ET HABILLEMENT 1968

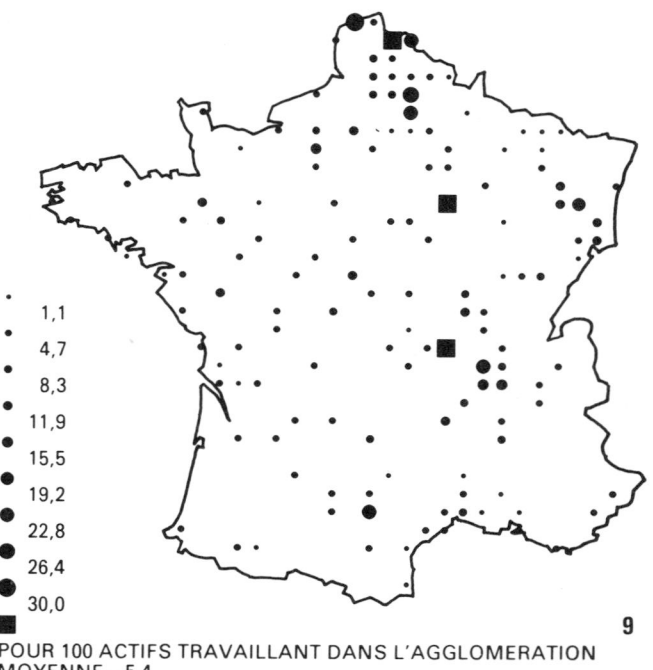

1,1
4,7
8,3
11,9
15,5
19,2
22,8
26,4
30,0

9

POUR 100 ACTIFS TRAVAILLANT DANS L'AGGLOMERATION
MOYENNE = 5.4

pumain saint-julien 1977

INDUSTRIES ALIMENTAIRES 1954

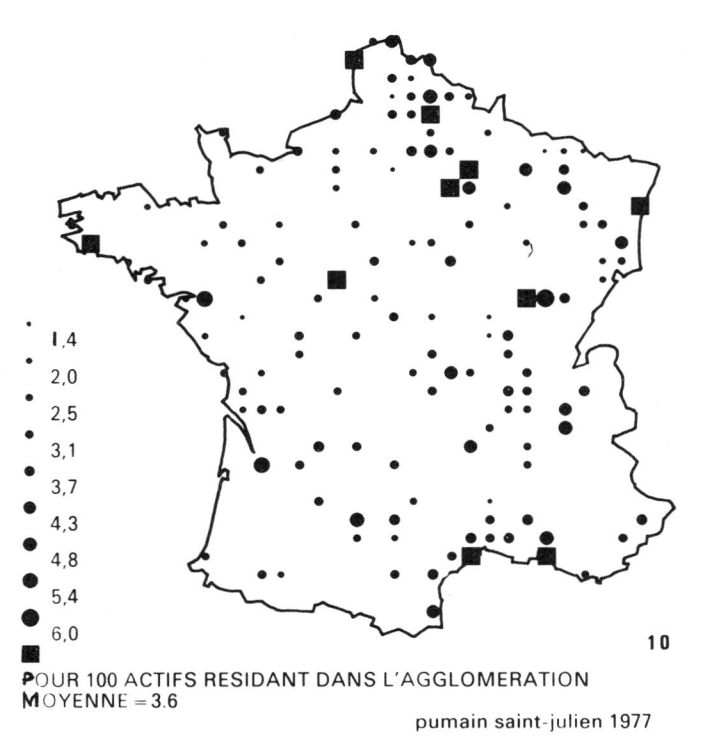

POUR 100 ACTIFS RESIDANT DANS L'AGGLOMERATION
MOYENNE = 3.6

pumain saint-julien 1977

INDUSTRIES ALIMENTAIRES 1968

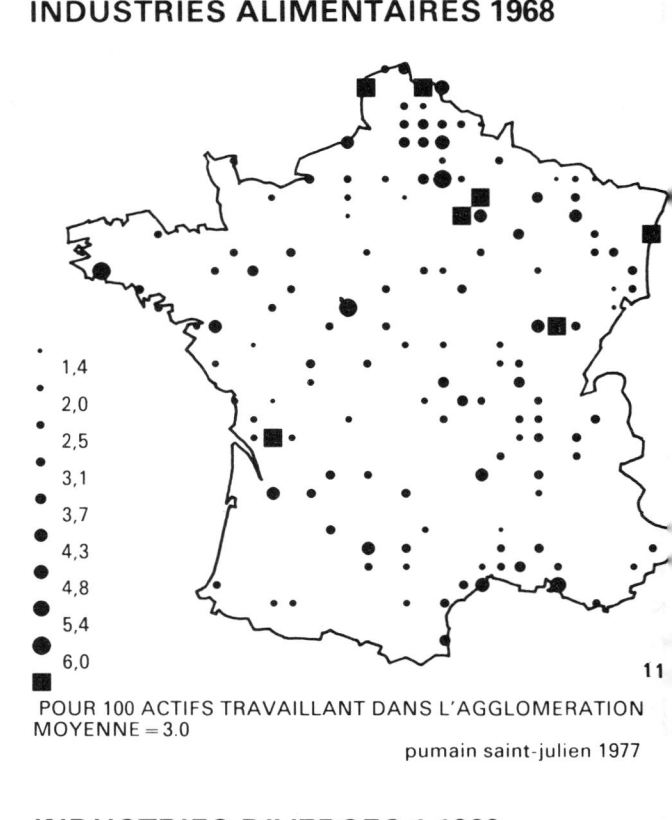

POUR 100 ACTIFS TRAVAILLANT DANS L'AGGLOMERATION
MOYENNE = 3.0

pumain saint-julien 1977

INDUSTRIES DIVERSES 1 1954

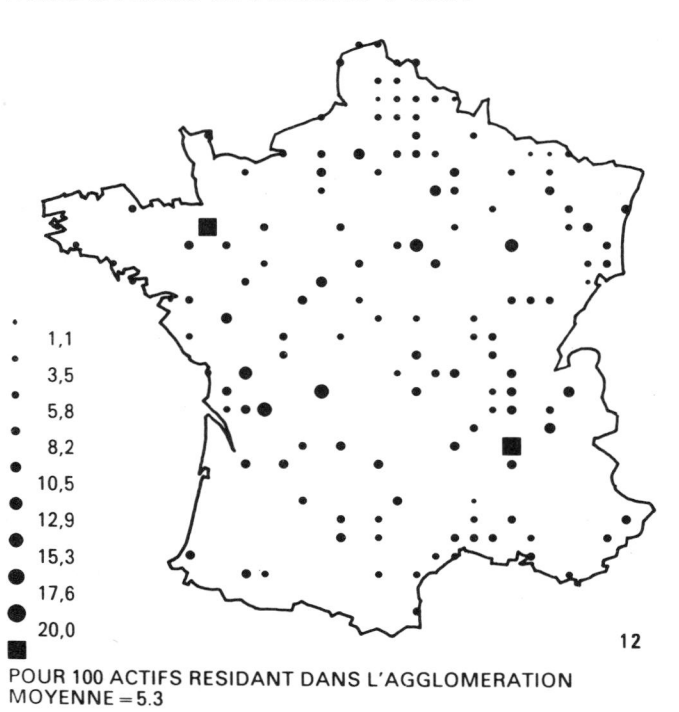

POUR 100 ACTIFS RESIDANT DANS L'AGGLOMERATION
MOYENNE = 5.3

pumain saint-julien 1977

INDUSTRIES DIVERSES 1 1968

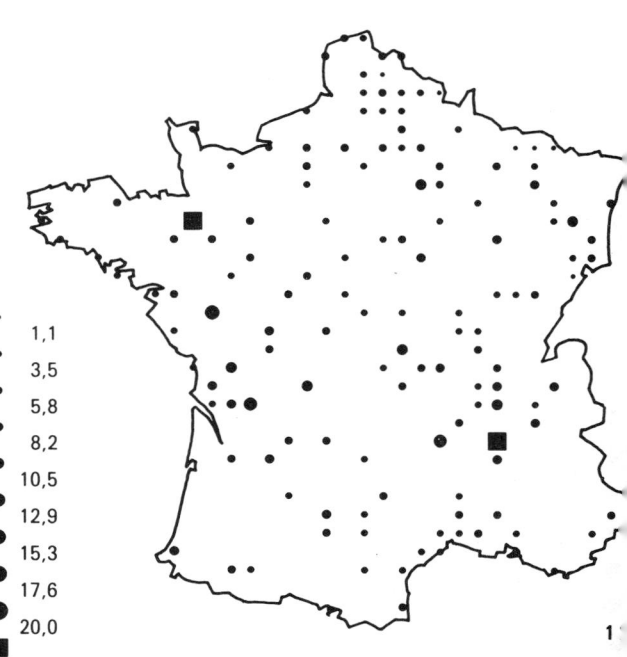

POUR 100 ACTIFS TRAVAILLANT DANS L'AGGLOMERATION
MOYENNE = 4.4

pumain saint-julien 1977

BATIMENT ET TRAVAUX PUBLICS
1954

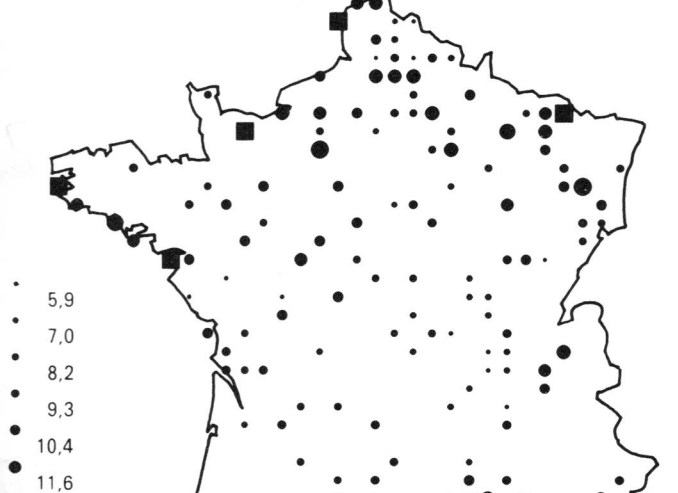

5,9
7,0
8,2
9,3
10,4
11,6
12,7
13,9
15,0

1 4

POUR 100 ACTIFS RESIDANT DANS L'AGGLOMERATION
MOYENNE = 8.8

pumain saint-julien 1977

BATIMENT ET TRAVAUX PUBLICS
1968

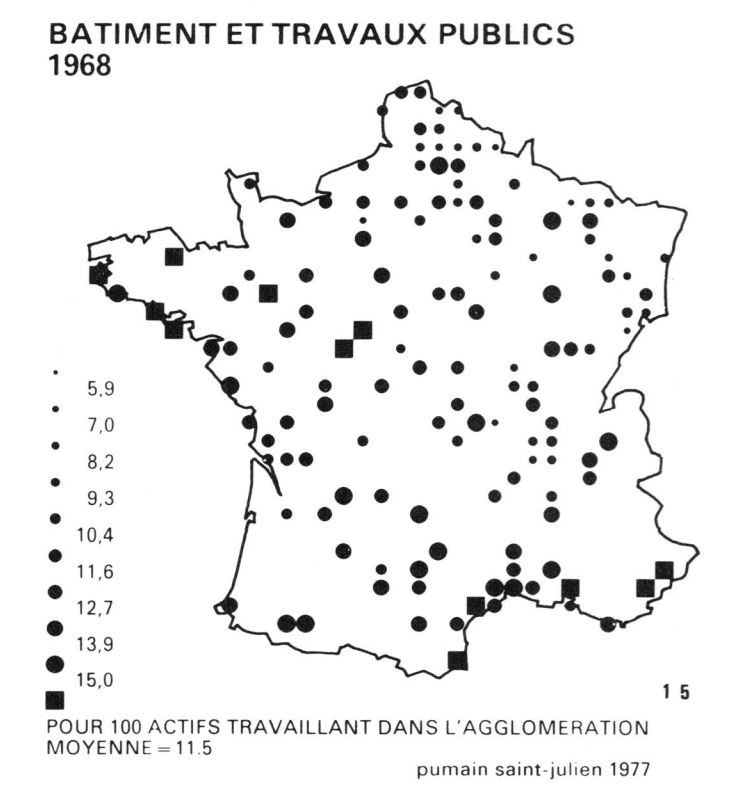

5,9
7,0
8,2
9,3
10,4
11,6
12,7
13,9
15,0

1 5

POUR 100 ACTIFS TRAVAILLANT DANS L'AGGLOMERATION
MOYENNE = 11.5

pumain saint-julien 1977

TRANSPORTS 1954

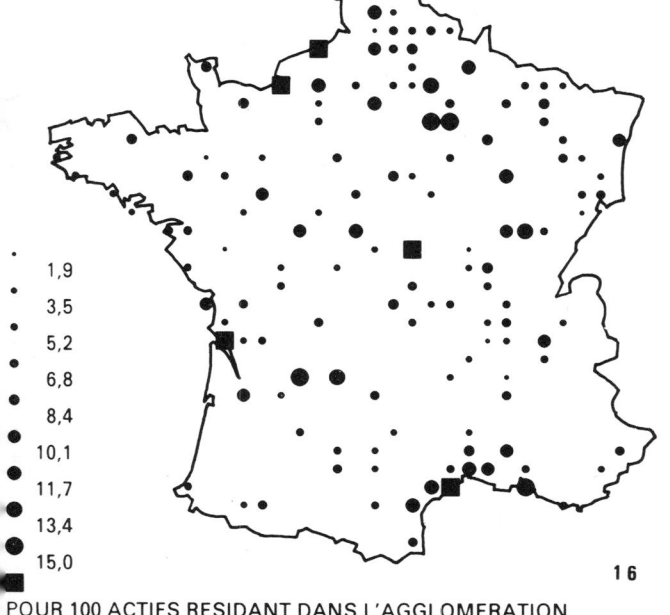

1,9
3,5
5,2
6,8
8,4
10,1
11,7
13,4
15,0

1 6

POUR 100 ACTIFS RESIDANT DANS L'AGGLOMERATION
MOYENNE = 7.2

pumain saint-julien 1977

TRANSPORT 1968

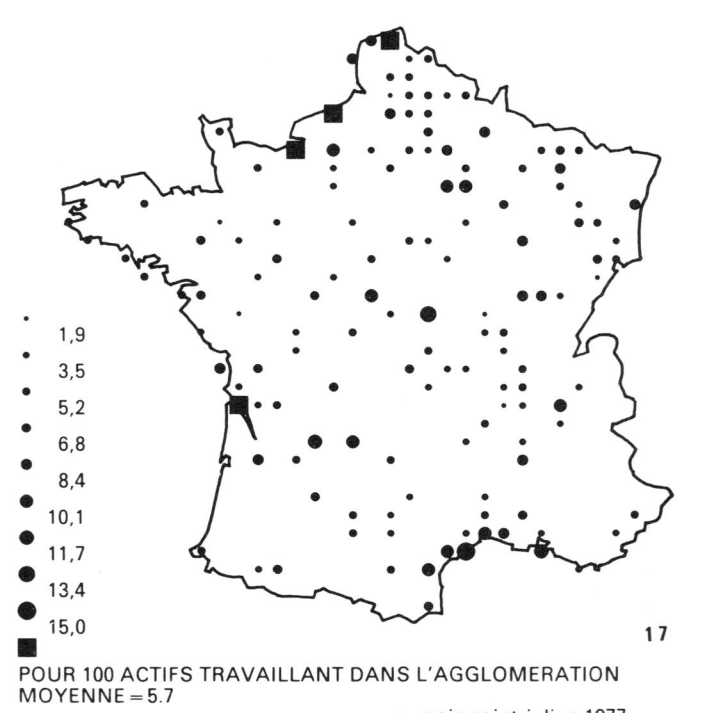

1,9
3,5
5,2
6,8
8,4
10,1
11,7
13,4
15,0

1 7

POUR 100 ACTIFS TRAVAILLANT DANS L'AGGLOMERATION
MOYENNE = 5.7

pumain saint-julien 1977

COMMERCE DE GROS 1954

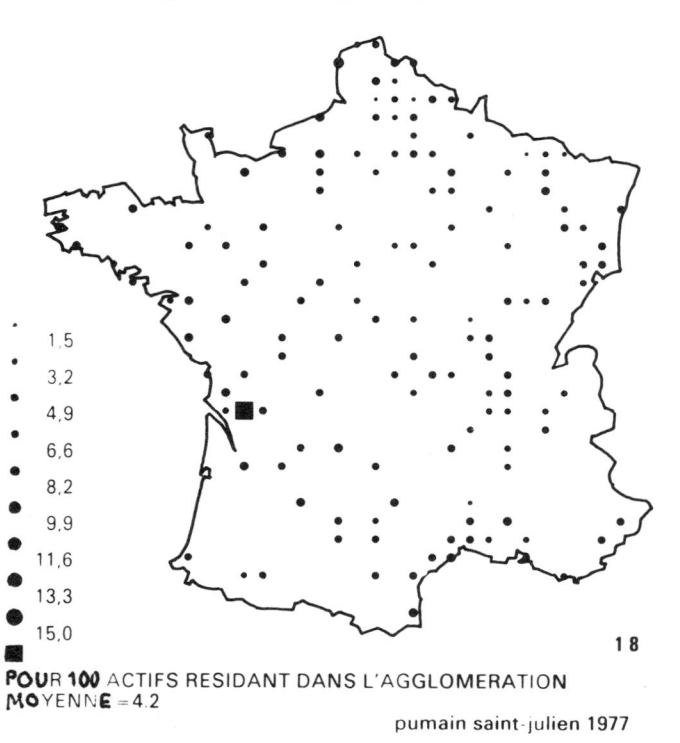

POUR 100 ACTIFS RESIDANT DANS L'AGGLOMERATION
MOYENNE = 4.2

pumain saint-julien 1977

COMMERCE DE GROS 1968

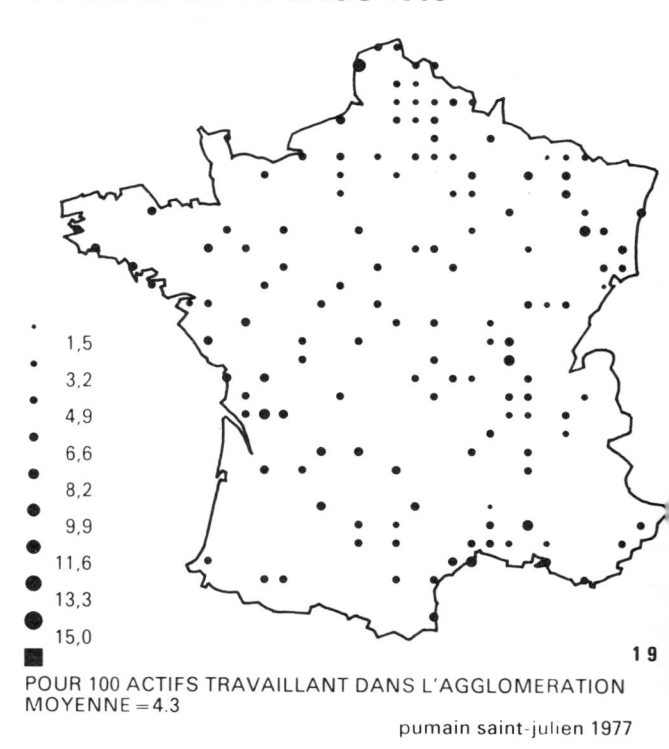

POUR 100 ACTIFS TRAVAILLANT DANS L'AGGLOMERATION
MOYENNE = 4.3

pumain saint-julien 1977

COMMERCE ALIMENTAIRE DE DETAIL 1954

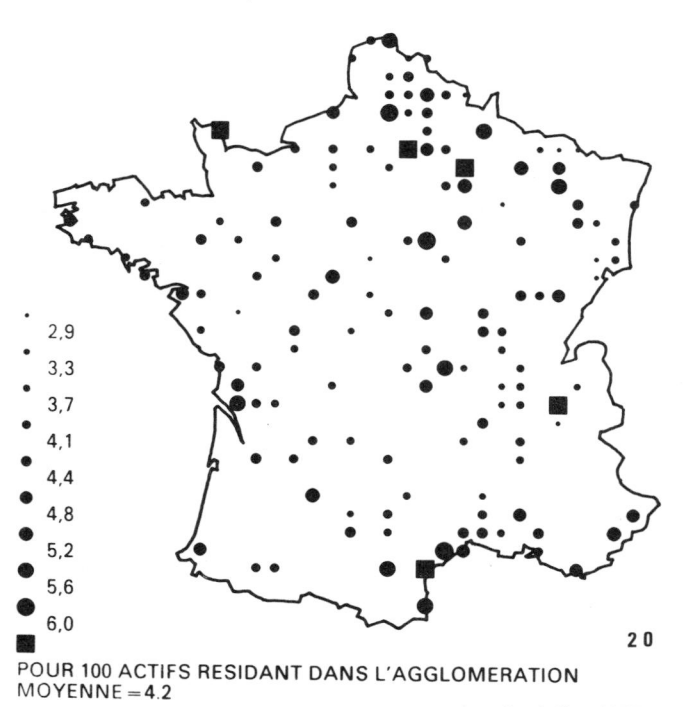

POUR 100 ACTIFS RESIDANT DANS L'AGGLOMERATION
MOYENNE = 4.2

pumain saint-julien 1977

COMMERCE ALIMENTAIRE DE DETAIL 19

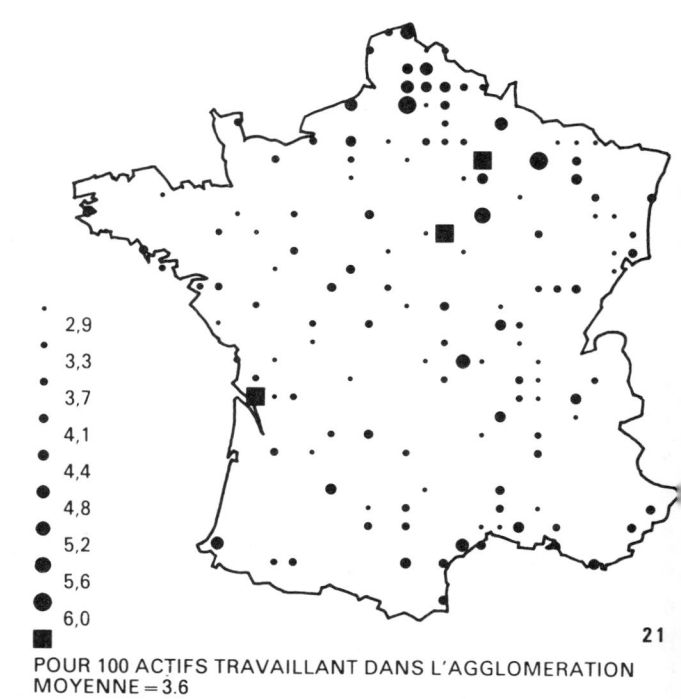

POUR 100 ACTIFS TRAVAILLANT DANS L'AGGLOMERATION
MOYENNE = 3.6

pumain saint-julien 1977

AUTRE COMMERCE DE DETAIL 1954

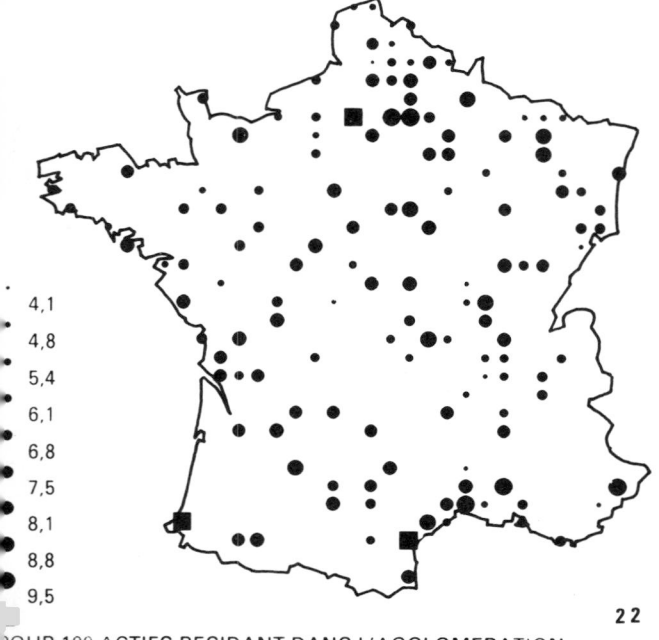

4,1
4,8
5,4
6,1
6,8
7,5
8,1
8,8
9,5

22

POUR 100 ACTIFS RESIDANT DANS L'AGGLOMERATION
MOYENNE = 6.8

pumain saint-julien 1977

AUTRE COMMERCE DE DETÀIL 1968

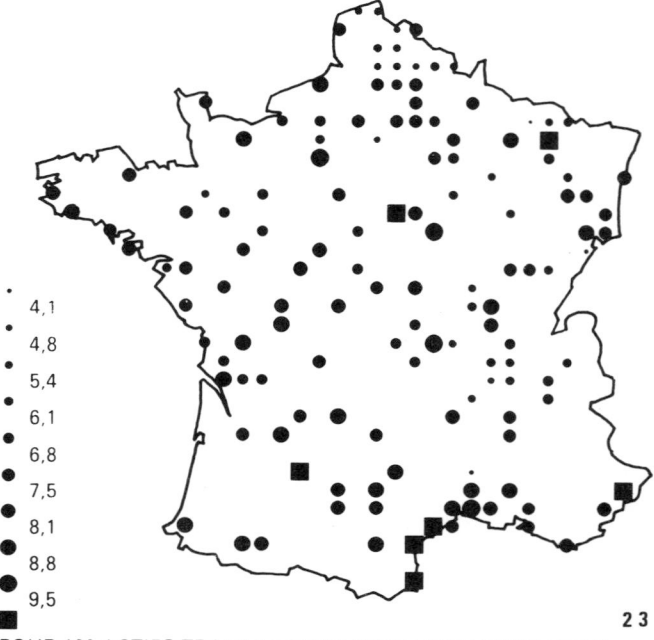

4,1
4,8
5,4
6,1
6,8
7,5
8,1
8,8
9,5

23

POUR 100 ACTIFS TRAVAILLANT DANS L'AGGLOMERATION
MOYENNE = 7.1

pumain saint-julien 1977

HOTELLERIE 1954

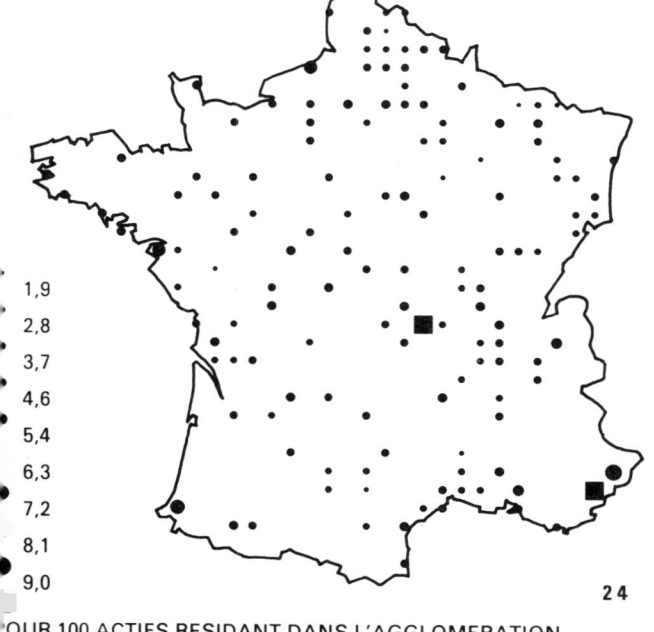

1,9
2,8
3,7
4,6
5,4
6,3
7,2
8,1
9,0

24

POUR 100 ACTIFS RESIDANT DANS L'AGGLOMERATION
MOYENNE = 3.4

pumain saint-julien 1977

HOTELLERIE 1968

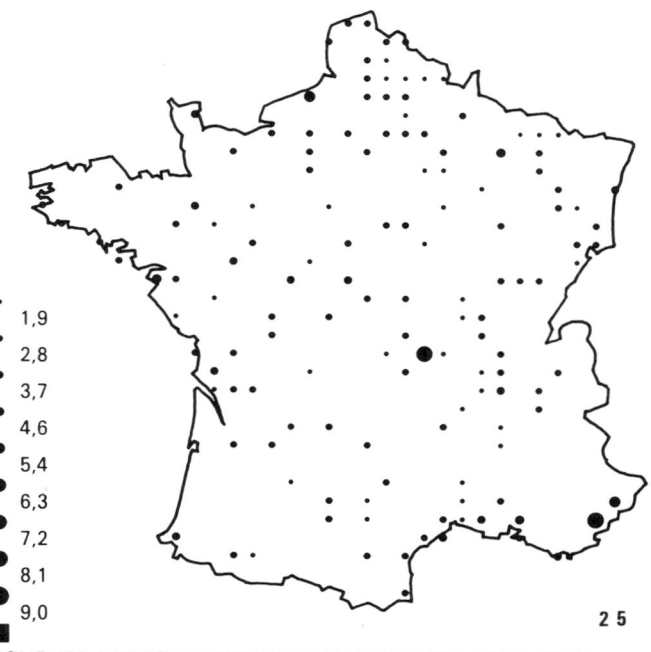

1,9
2,8
3,7
4,6
5,4
6,3
7,2
8,1
9,0

25

POUR 100 ACTIFS TRAVAILLANT DANS L'AGGLOMERATION
MOYENNE = 2.4

pumain saint-julien 1977

BANQUE ASSURANCE 1954

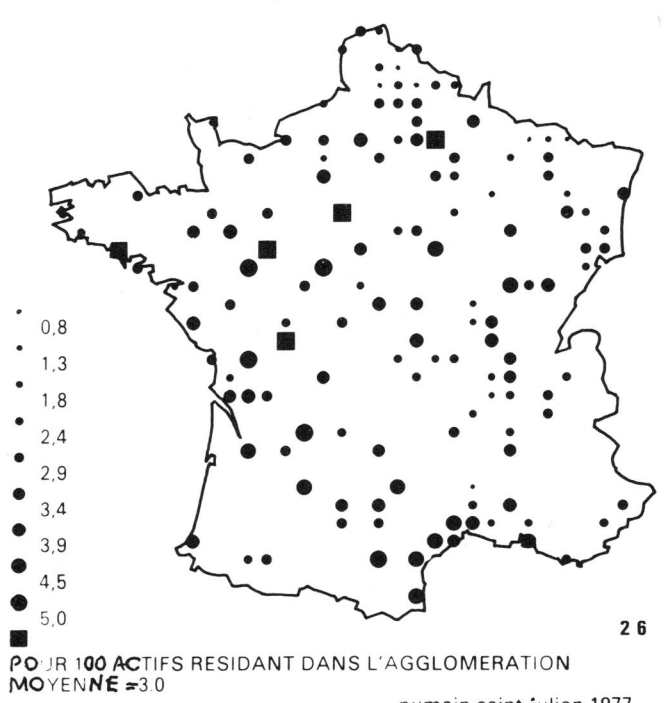

0,8
1,3
1,8
2,4
2,9
3,4
3,9
4,5
5,0

2 6

POUR 100 ACTIFS RESIDANT DANS L'AGGLOMERATION
MOYENNE = 3.0

pumain saint-julien 1977

BANQUE ASSURANCE 1968

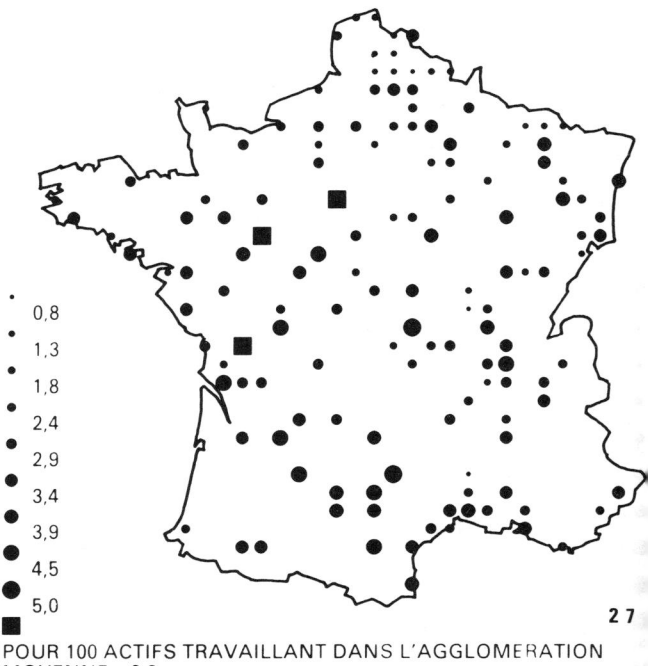

0,8
1,3
1,8
2,4
2,9
3,4
3,9
4,5
5,0

2 7

POUR 100 ACTIFS TRAVAILLANT DANS L'AGGLOMERATION
MOYENNE = 2.9

pumain saint-julien 1977

SERVICES AUX ENTREPRISES 1954

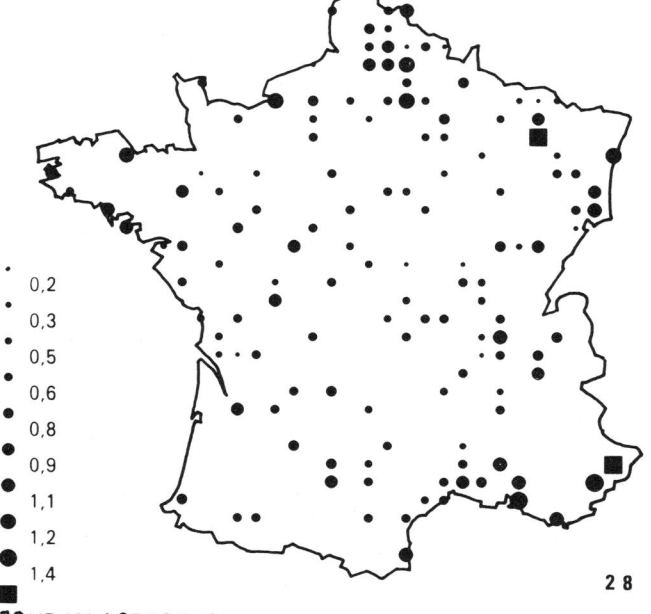

0,2
0,3
0,5
0,6
0,8
0,9
1,1
1,2
1,4

2 8

POUR 100 ACTIFS RESIDANT DANS L'AGGLOMERATION
MOYENNE 0.8

pumain saint-julien 1977

SERVICES AUX ENTREPRISES 1968

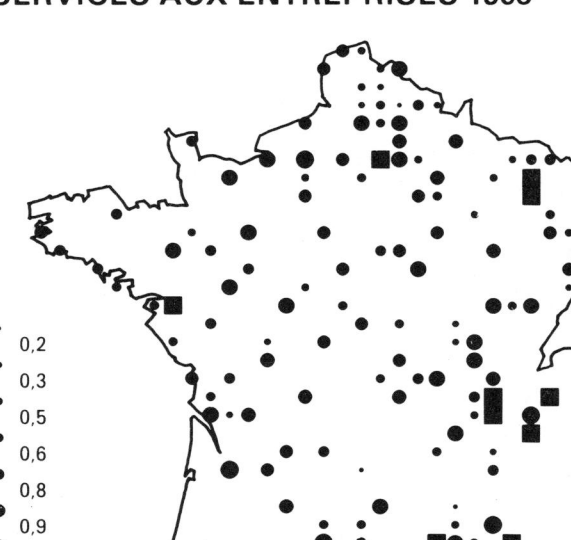

0,2
0,3
0,5
0,6
0,8
0,9
1,1
1,2
1,4

2 9

POUR 100 ACTIFS TRAVAILLANT DANS L'AGGLOMERATION
MOYENNE = 1.2

pumain saint-julien 1977

SERVICES DOMESTIQUES 1954

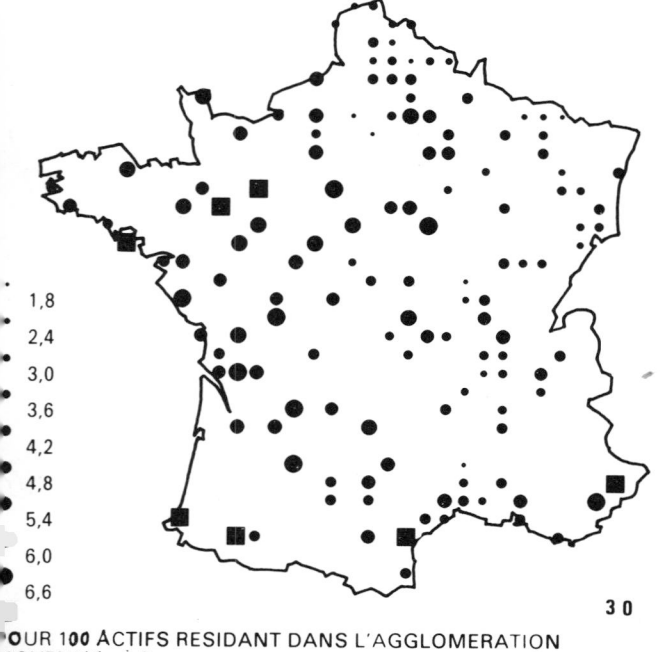

1,8
2,4
3,0
3,6
4,2
4,8
5,4
6,0
6,6

3 0

POUR 100 ACTIFS RESIDANT DANS L'AGGLOMERATION
MOYENNE = 4.2

pumain saint-julien 1977

SERVICES DOMESTIQUES 1968

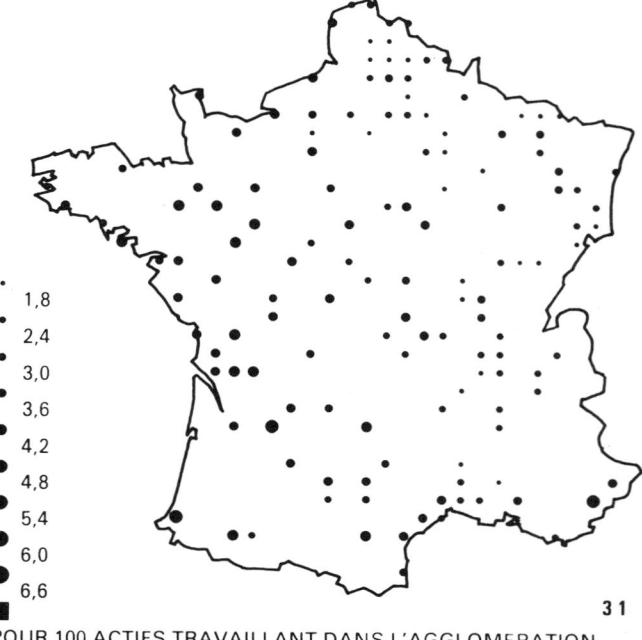

1,8
2,4
3,0
3,6
4,2
4,8
5,4
6,0
6,6

3 1

POUR 100 ACTIFS TRAVAILLANT DANS L'AGGLOMERATION
MOYENNE = 2.5

pumain saint-julien 1977

SERVICES AUX PARTICULIERS 1954

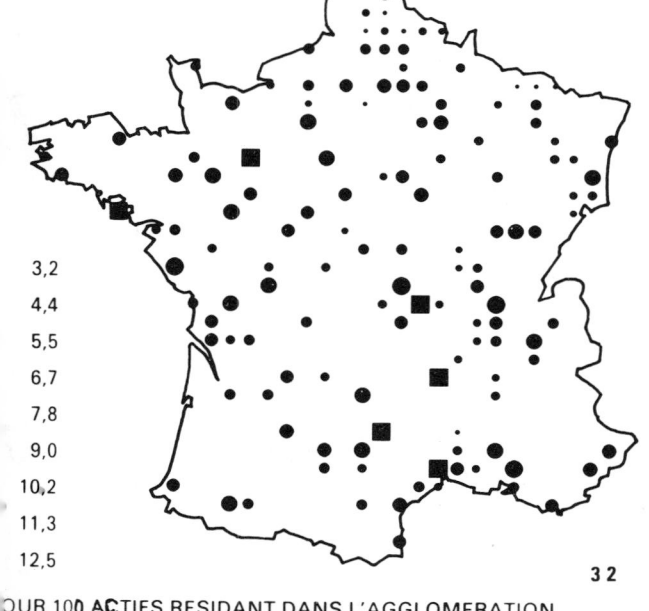

3,2
4,4
5,5
6,7
7,8
9,0
10,2
11,3
12,5

3 2

POUR 100 ACTIFS RESIDANT DANS L'AGGLOMERATION
MOYENNE = 7.6

pumain saint-julien 1977

SERVICES AUX PARTICULIERS 1968

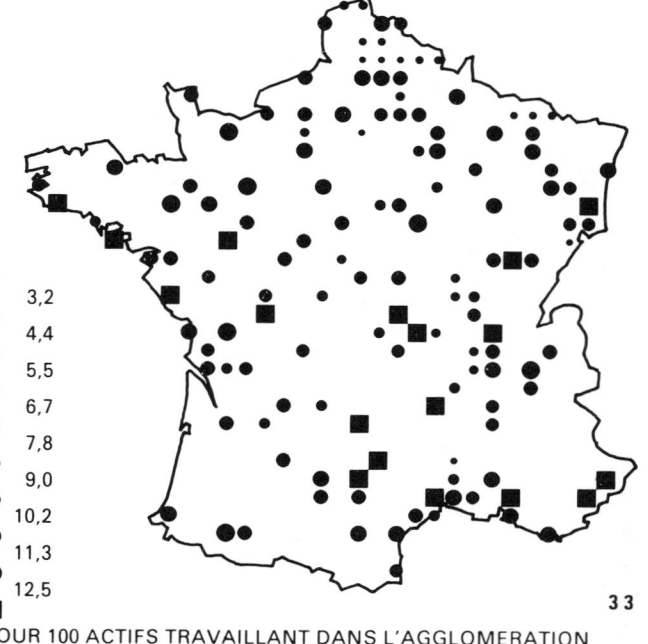

3,2
4,4
5,5
6,7
7,8
9,0
10,2
11,3
12,5

3 3

POUR 100 ACTIFS TRAVAILLANT DANS L'AGGLOMERATION
MOYENNE = 9.6

pumain saint-julien 1977

EAU GAZ ELECTRICITE 1954

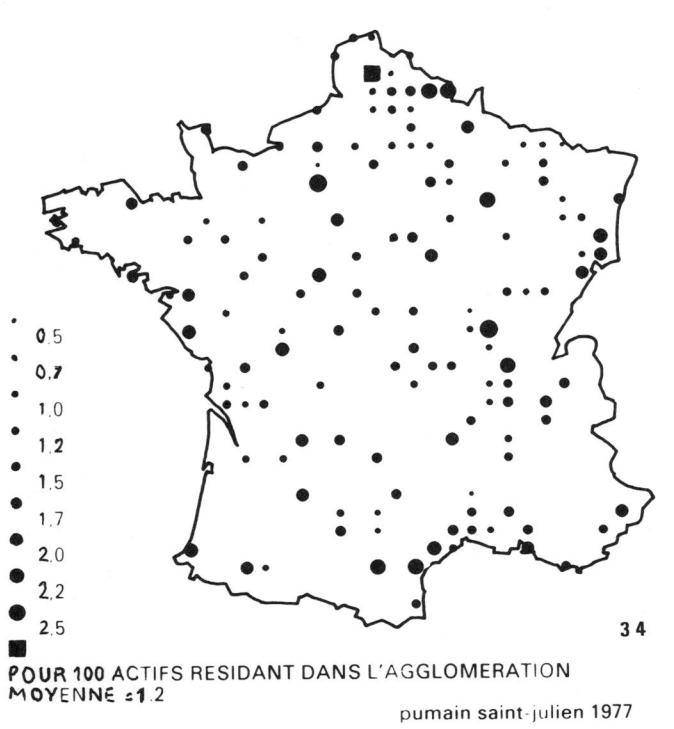

0,5	
0,7	
1,0	
1,2	
1,5	
1,7	
2,0	
2,2	
2,5	

3 4

POUR 100 ACTIFS RESIDANT DANS L'AGGLOMERATION
MOYENNE =1.2

pumain saint-julien 1977

EAU GAZ ELECTRICITE 1968

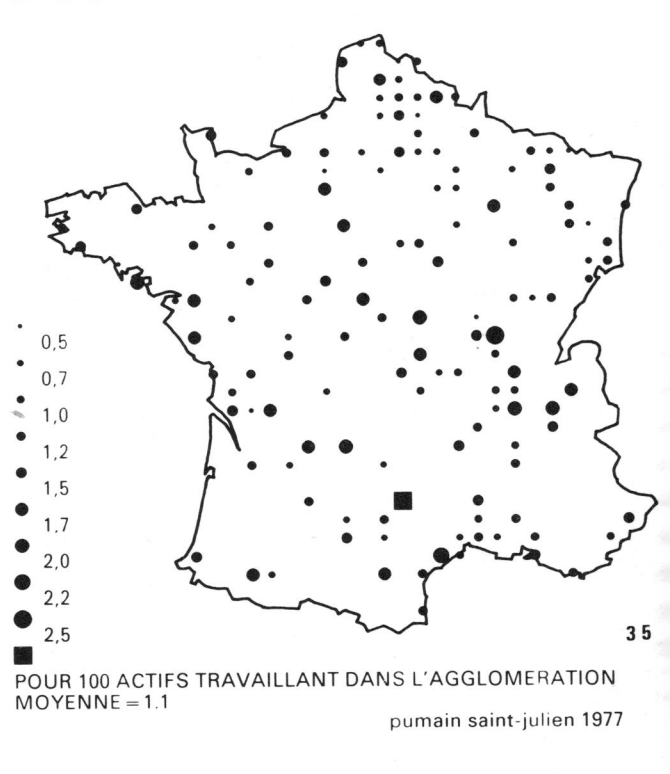

0,5	
0,7	
1,0	
1,2	
1,5	
1,7	
2,0	
2,2	
2,5	

3 5

POUR 100 ACTIFS TRAVAILLANT DANS L'AGGLOMERATION
MOYENNE = 1.1

pumain saint-julien 1977

TRANSMISSIONS 1954

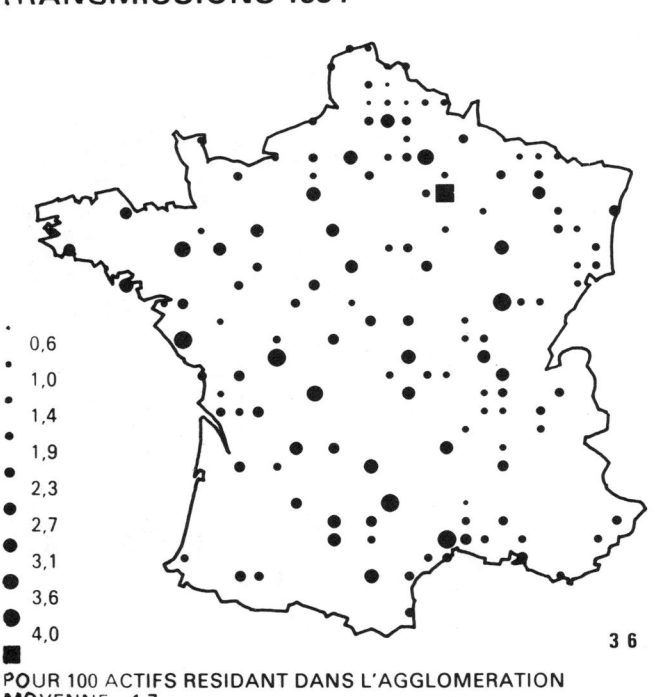

0,6	
1,0	
1,4	
1,9	
2,3	
2,7	
3,1	
3,6	
4,0	

3 6

POUR 100 ACTIFS RESIDANT DANS L'AGGLOMERATION
MOYENNE = 1.7

pumain saint-julien 1977

TRANSMISSIONS 1968

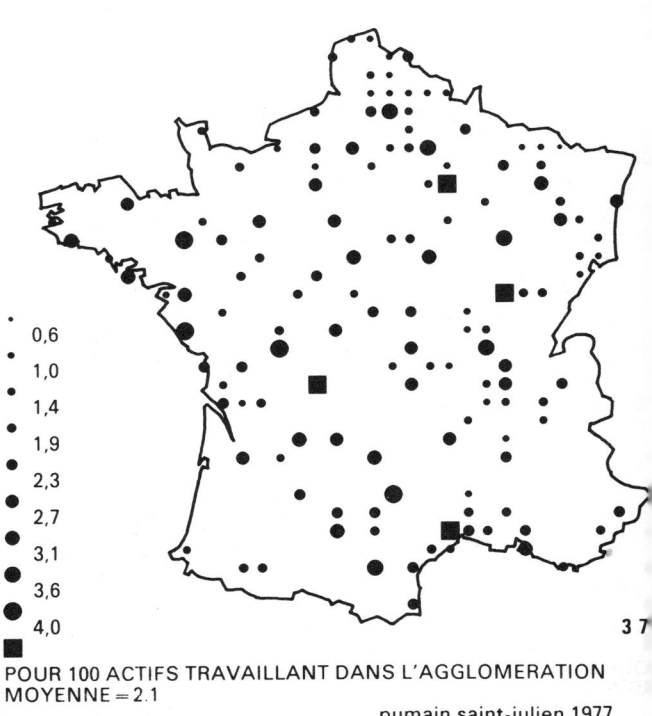

0,6	
1,0	
1,4	
1,9	
2,3	
2,7	
3,1	
3,6	
4,0	

3 7

POUR 100 ACTIFS TRAVAILLANT DANS L'AGGLOMERATION
MOYENNE = 2.1

pumain saint-julien 1977

ADMINISTRATION 1954

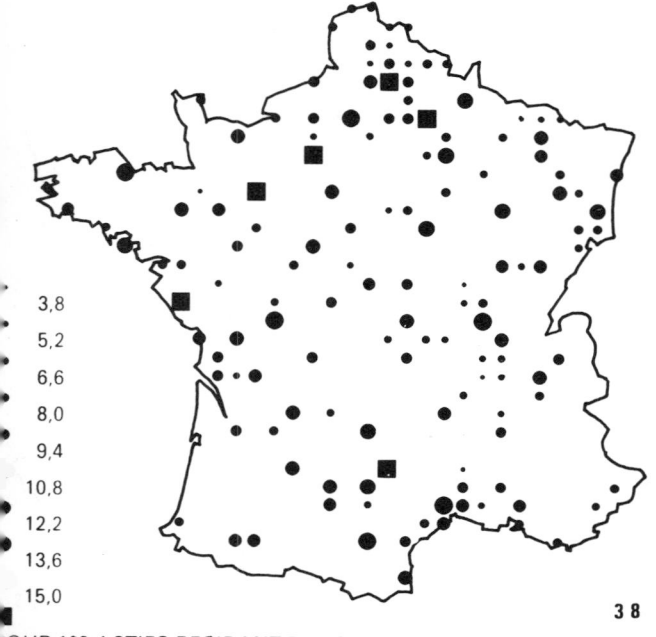

3,8
5,2
6,6
8,0
9,4
10,8
12,2
13,6
15,0

3 8

POUR 100 ACTIFS RESIDANT DANS L'AGGLOMERATION
MOYENNE = 8.4

pumain saint-julien 1977

ADMINISTRATION 1968

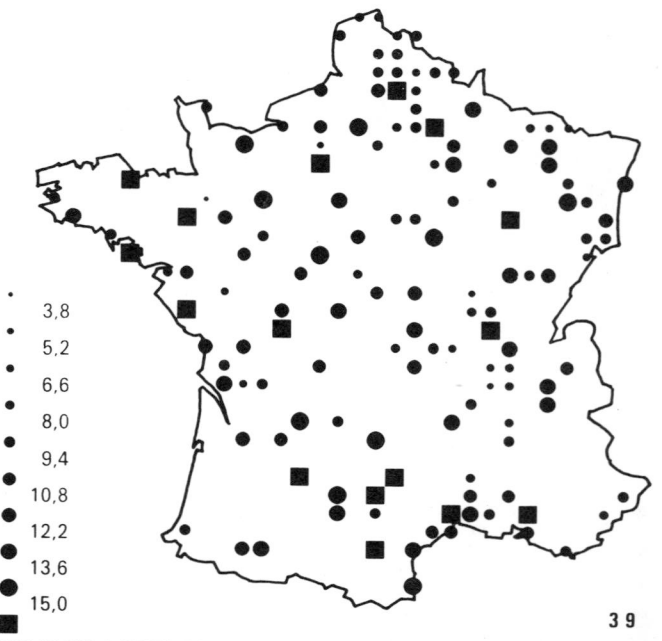

3,8
5,2
6,6
8,0
9,4
10,8
12,2
13,6
15,0

3 9

POUR 100 ACTIFS TRAVAILLANT DANS L'AGGLOMERATION
MOYENNE = 10.6

pumain saint-julien 1977

DEFENSE 1954

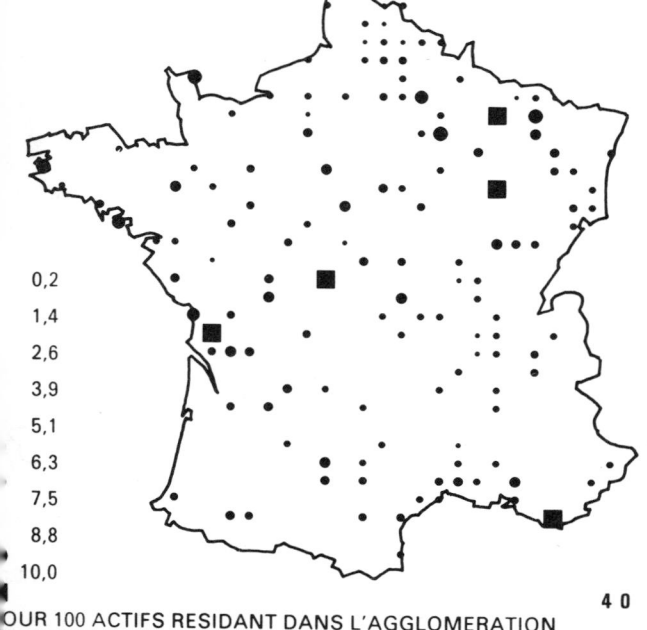

0,2
1,4
2,6
3,9
5,1
6,3
7,5
8,8
10,0

4 0

POUR 100 ACTIFS RESIDANT DANS L'AGGLOMERATION
MOYENNE = 2.0

pumain saint-julien 1977

DEFENSE 1968

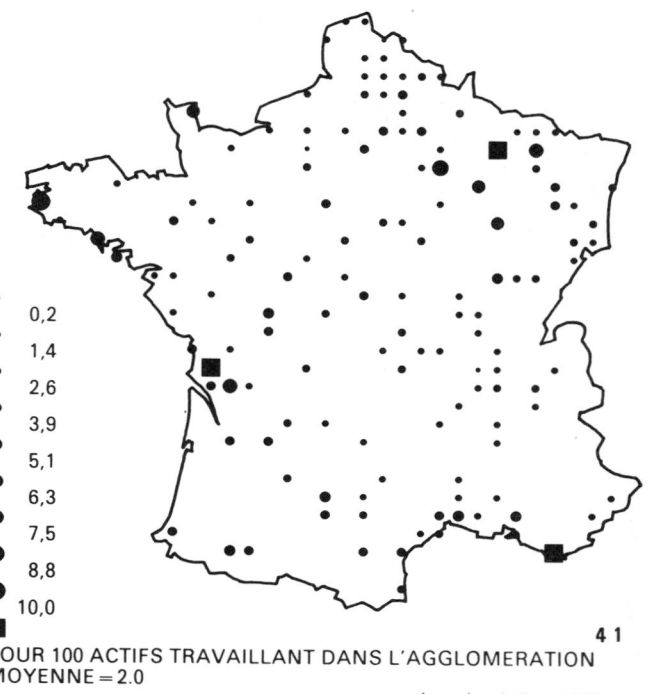

0,2
1,4
2,6
3,9
5,1
6,3
7,5
8,8
10,0

4 1

POUR 100 ACTIFS TRAVAILLANT DANS L'AGGLOMERATION
MOYENNE = 2.0

pumain saint-julien 1977

PREMIERE TRANSFORMATION
DES METAUX 1962

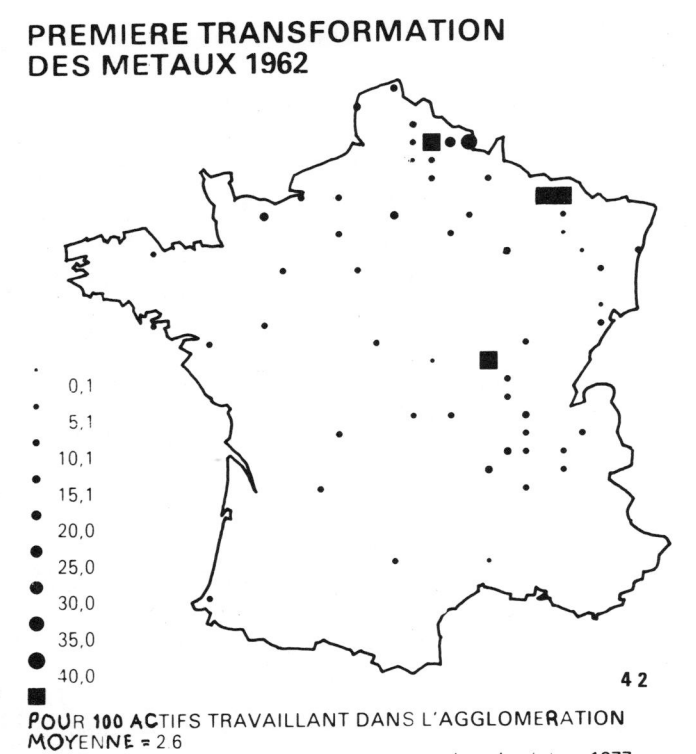

POUR 100 ACTIFS TRAVAILLANT DANS L'AGGLOMERATION
MOYENNE = 2.6

pumain saint-julien 1977

PREMIERE TRANSFORMATION
DES METAUX 1968

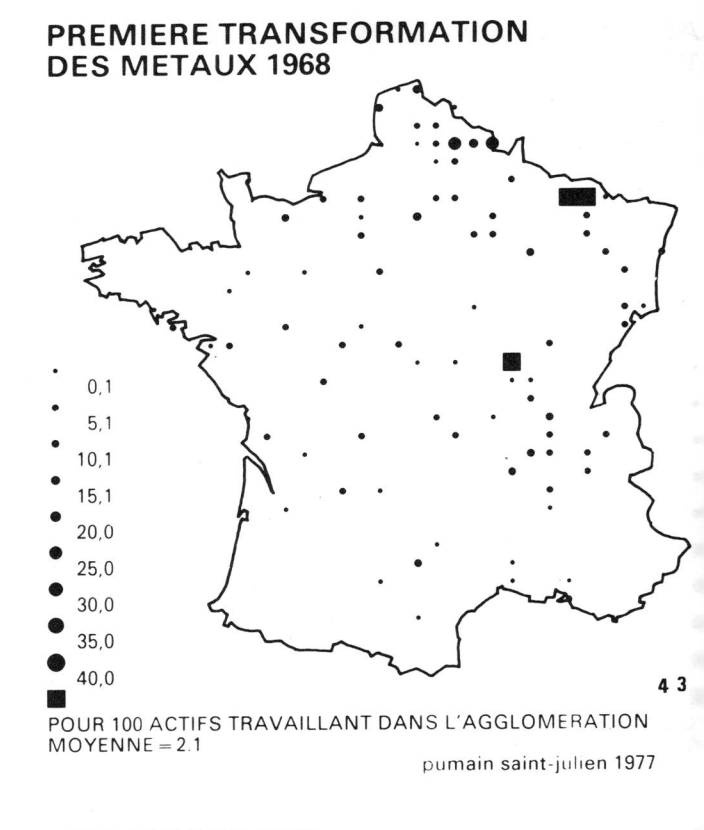

POUR 100 ACTIFS TRAVAILLANT DANS L'AGGLOMERATION
MOYENNE = 2.1

pumain saint-julien 1977

MECANIQUE 1962

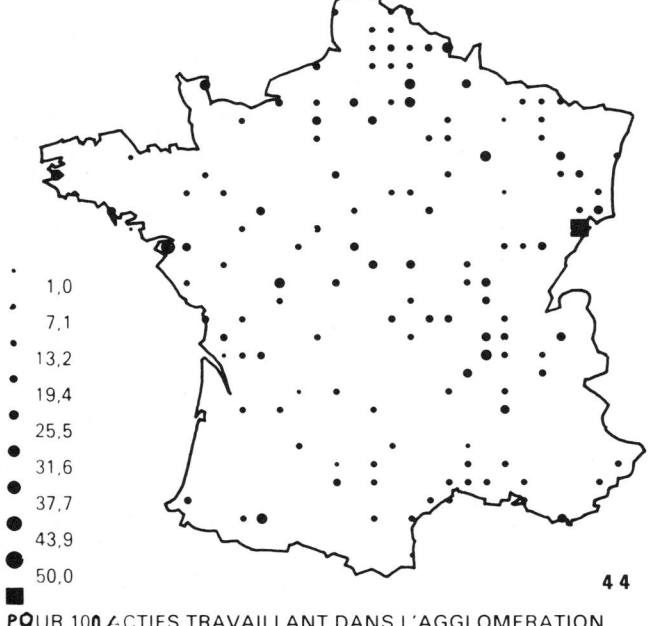

POUR 100 ACTIFS TRAVAILLANT DANS L'AGGLOMERATION
MOYENNE 9.0

pumain saint-julien 1977

MECANIQUE 1968

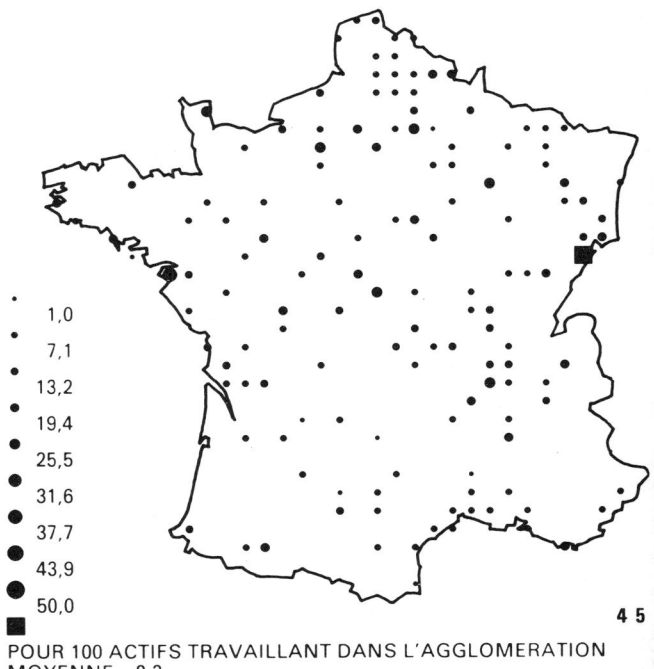

POUR 100 ACTIFS TRAVAILLANT DANS L'AGGLOMERATION
MOYENNE = 8.3

pumain saint-julien 1977

ARTICLES METALLIQUES DIVERS 1962

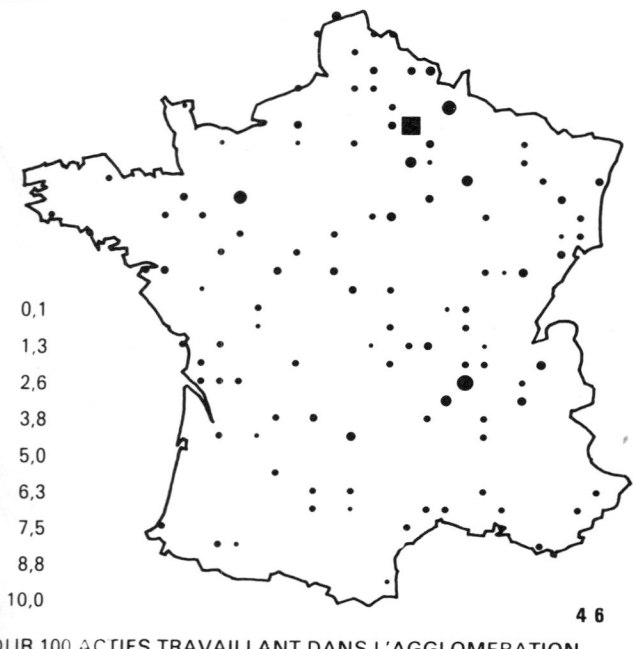

0,1
1,3
2,6
3,8
5,0
6,3
7,5
8,8
10,0

46

POUR 100 ACTIFS TRAVAILLANT DANS L'AGGLOMERATION
MOYENNE = 1.1

pumain saint-julien 1977

ARTICLES METALLIQUES DIVERS 1968

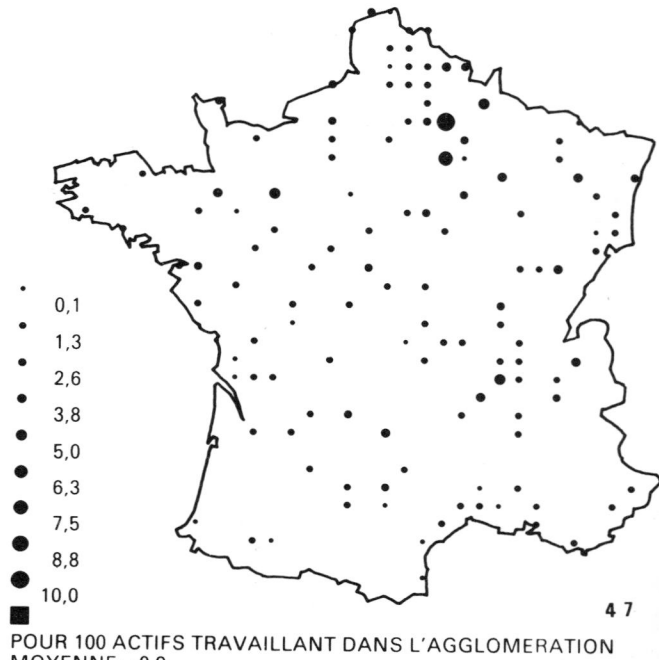

0,1
1,3
2,6
3,8
5,0
6,3
7,5
8,8
10,0

47

POUR 100 ACTIFS TRAVAILLANT DANS L'AGGLOMERATION
MOYENNE = 0.9

pumain saint-julien 1977

CONSTRUCTION ELECTRIQUE 1962

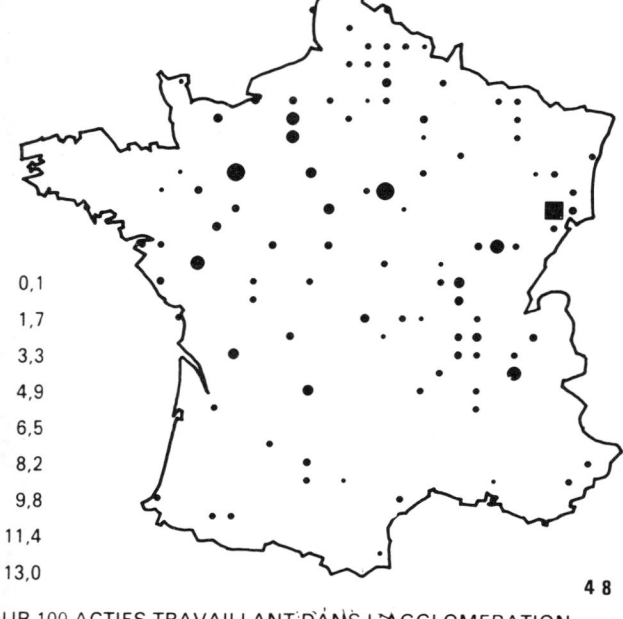

0,1
1,7
3,3
4,9
6,5
8,2
9,8
11,4
13,0

48

POUR 100 ACTIFS TRAVAILLANT DANS L'AGGLOMERATION
MOYENNE = 1.8

pumain saint-julien 1977

CONSTRUCTION ELECTRIQUE 1968

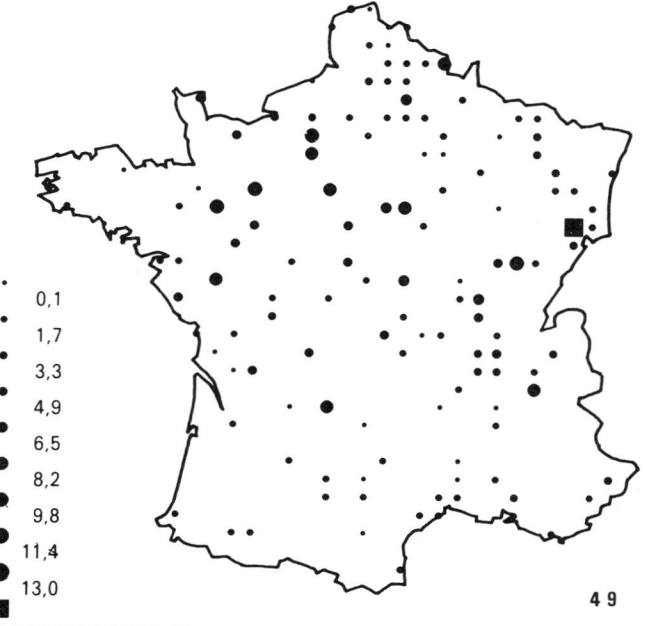

0,1
1,7
3,3
4,9
6,5
8,2
9,8
11,4
13,0

49

POUR 100 ACTIFS TRAVAILLANT DANS L'AGGLOMERATION
MOYENNE = 2.0

pumain saint-julien 1977

REPARATION MECANIQUE ET ELECTRIQUE 1962

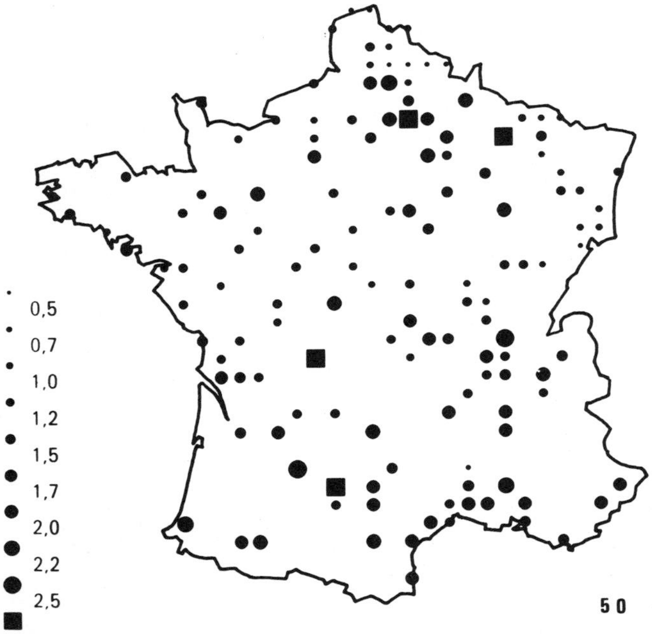

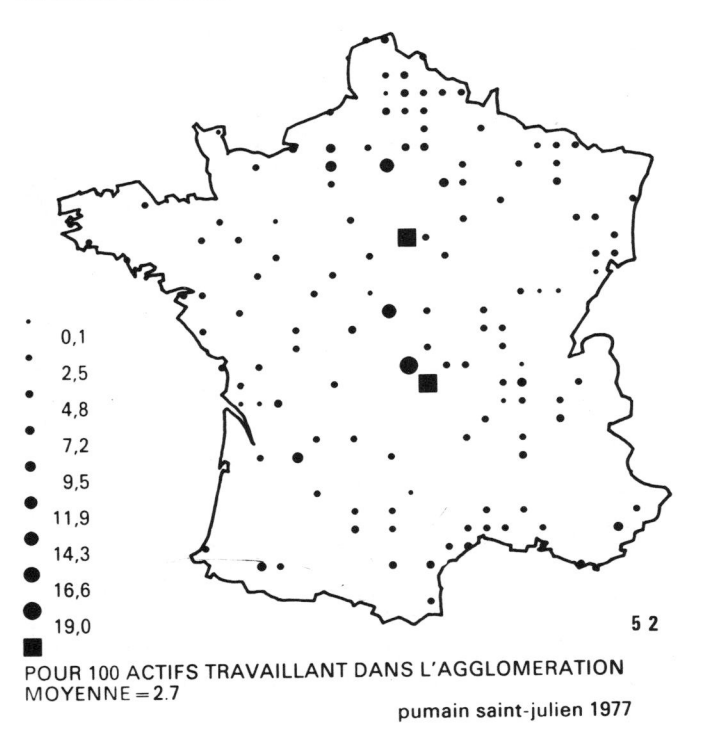

0,5
0,7
1,0
1,2
1,5
1,7
2,0
2,2
2,5

5 0

POUR 100 ACTIFS TRAVAILLANT DANS L'AGGLOMERATION
MOYENNE   1.2

pumain saint-julien 1977

REPARATION MECANIQUE ET ELECTRIQUE 1968

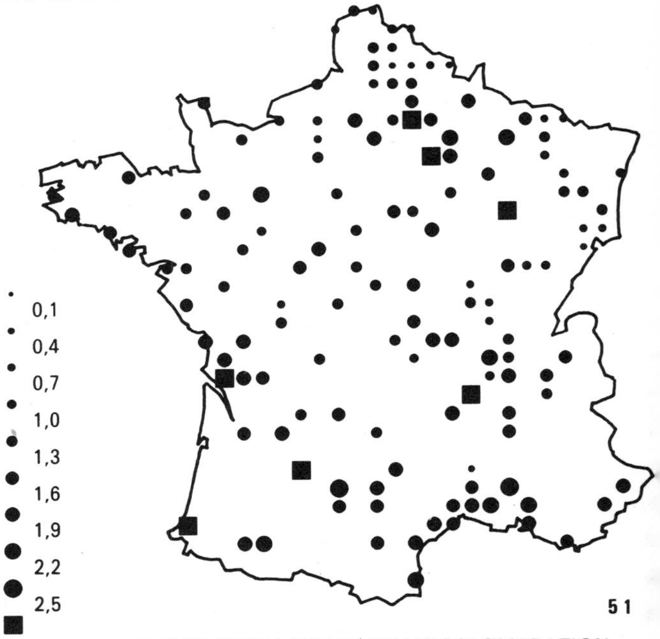

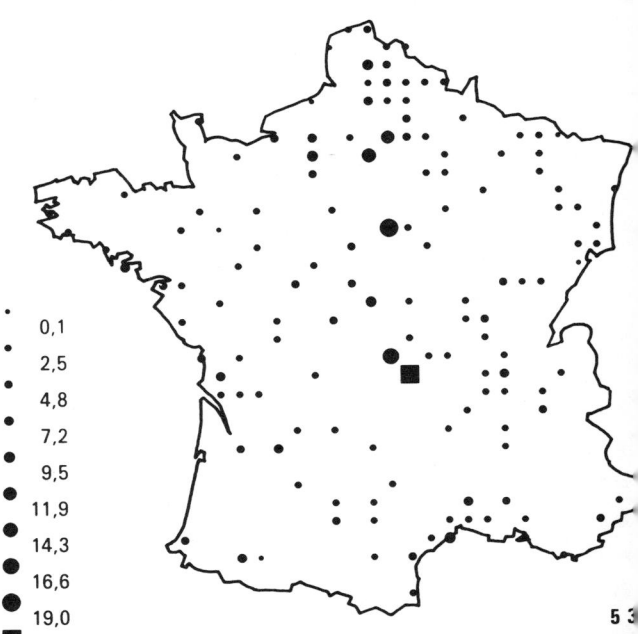

0,1
0,4
0,7
1,0
1,3
1,6
1,9
2,2
2,5

5 1

POUR 100 ACTIFS TRAVAILLANT DANS L'AGGLOMERATION
MOYENNE = 1.3

pumain saint-julien 1977

CHIMIE 2 1962

0,1
2,5
4,8
7,2
9,5
11,9
14,3
16,6
19,0

5 2

POUR 100 ACTIFS TRAVAILLANT DANS L'AGGLOMERATION
MOYENNE = 2.7

pumain saint-julien 1977

CHIMIE 2 1968

0,1
2,5
4,8
7,2
9,5
11,9
14,3
16,6
19,0

5 3

POUR 100 ACTIFS TRAVAILLANT DANS L'AGGLOMERATION
MOYENNE = 2.8

pumain saint-julien 1977

TEXTILE 1962

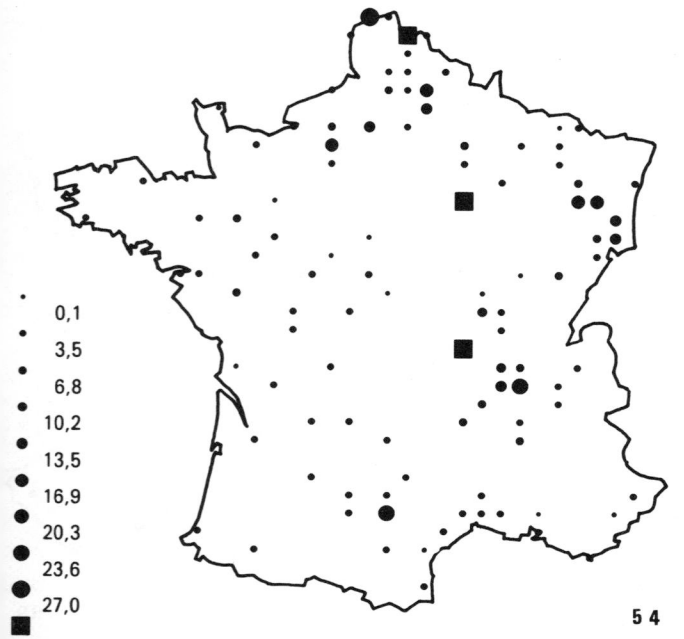

0,1
3,5
6,8
10,2
13,5
16,9
20,3
23,6
27,0

5 4

POUR 100 ACTIFS TRAVAILLANT DANS L'AGGLOMERATION
MOYENNE = 3.0

pumain saint-julien 1977

TEXTILE 1968

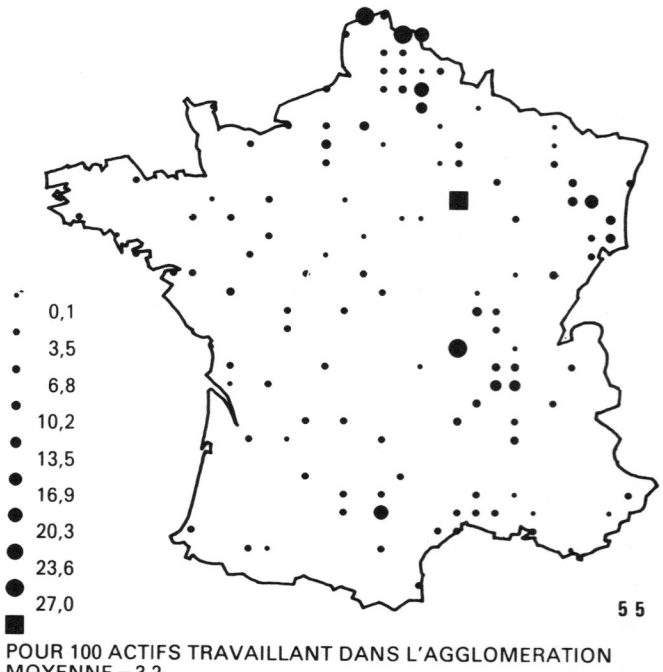

0,1
3,5
6,8
10,2
13,5
16,9
20,3
23,6
27,0

5 5

POUR 100 ACTIFS TRAVAILLANT DANS L'AGGLOMERATION
MOYENNE = 3.2

pumain saint-julien 1977

HABILLEMENT 1962

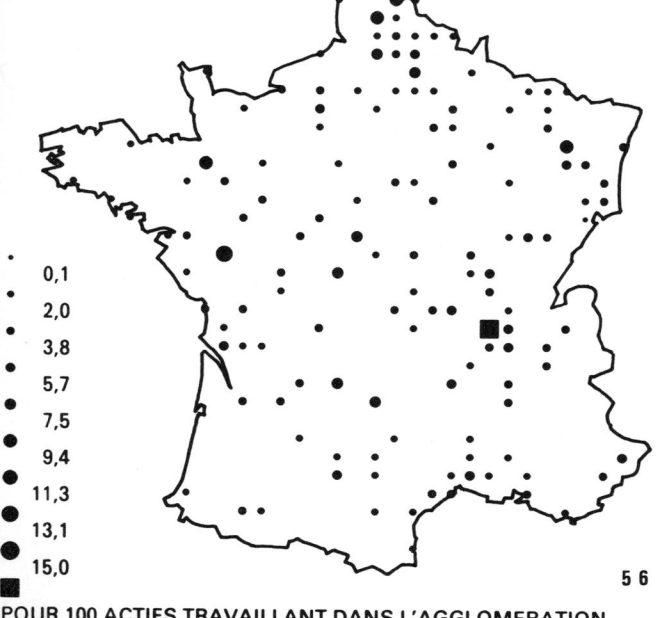

0,1
2,0
3,8
5,7
7,5
9,4
11,3
13,1
15,0

5 6

POUR 100 ACTIFS TRAVAILLANT DANS L'AGGLOMERATION
MOYENNE = 2.8

pumain saint-julien 1977

HABILLEMENT 1968

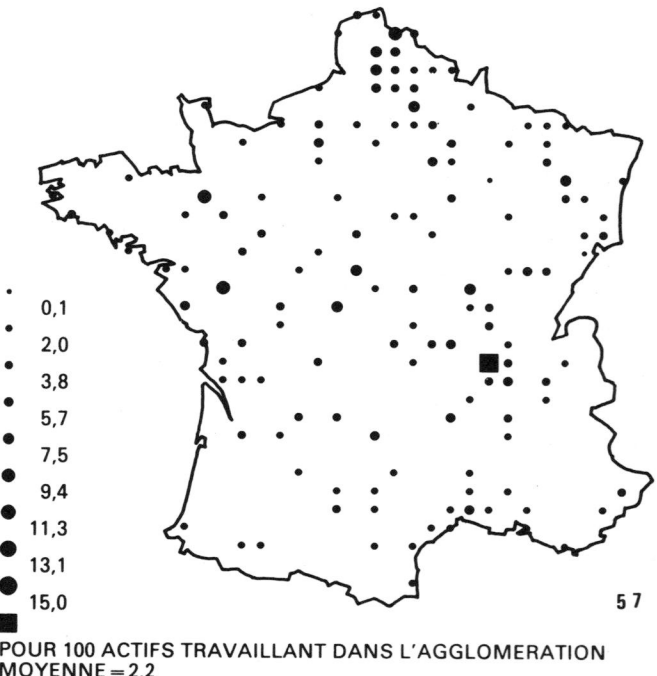

0,1
2,0
3,8
5,7
7,5
9,4
11,3
13,1
15,0

5 7

POUR 100 ACTIFS TRAVAILLANT DANS L'AGGLOMERATION
MOYENNE = 2.2

pumain saint-julien 1977

INDUSTRIES DIVERSES 2 1962

INDUSTRIES DIVERSES 2 1968

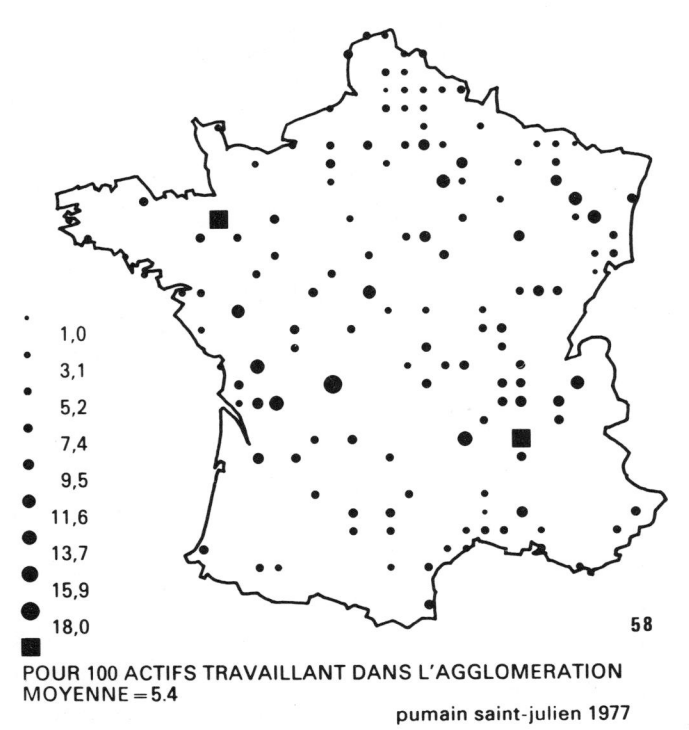

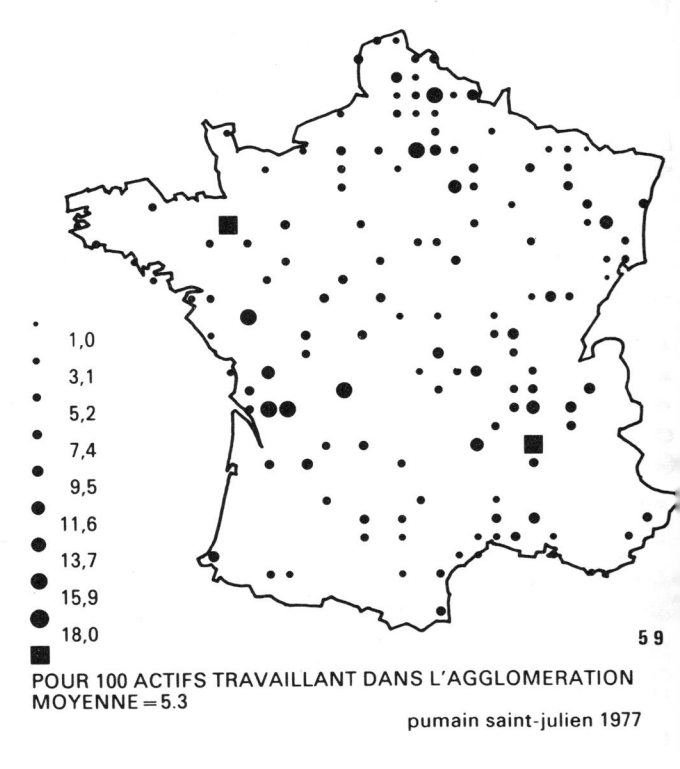

POUR 100 ACTIFS TRAVAILLANT DANS L'AGGLOMERATION
MOYENNE = 5.4

pumain saint-julien 1977

POUR 100 ACTIFS TRAVAILLANT DANS L'AGGLOMERATION
MOYENNE = 5.3

pumain saint-julien 1977

INDUSTRIE EXTRACTIVE 1975

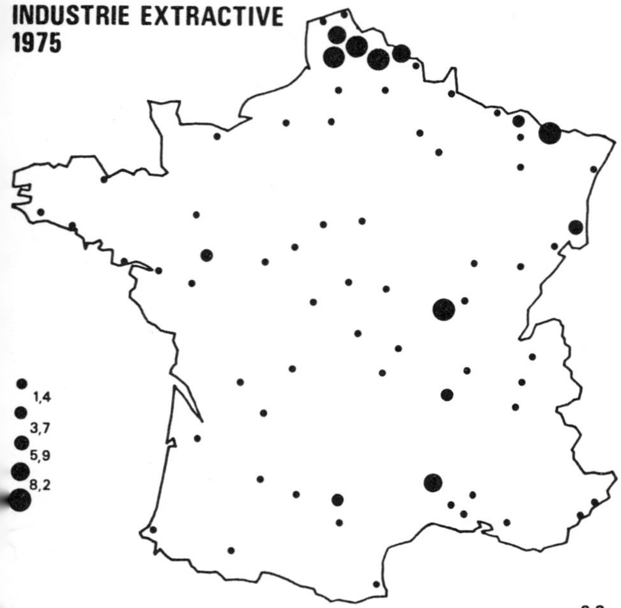

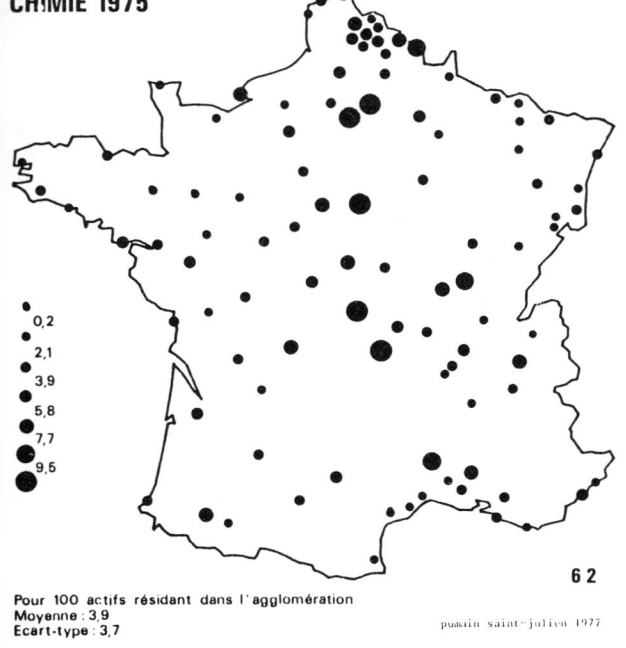

1,4
3,7
5,9
8,2

Pour 100 actifs résidant dans l'agglomération
Moyenne : 1,4
Écart-type : 4,5

6 0

pumain saint-julien 1977

METALLURGIE 1975

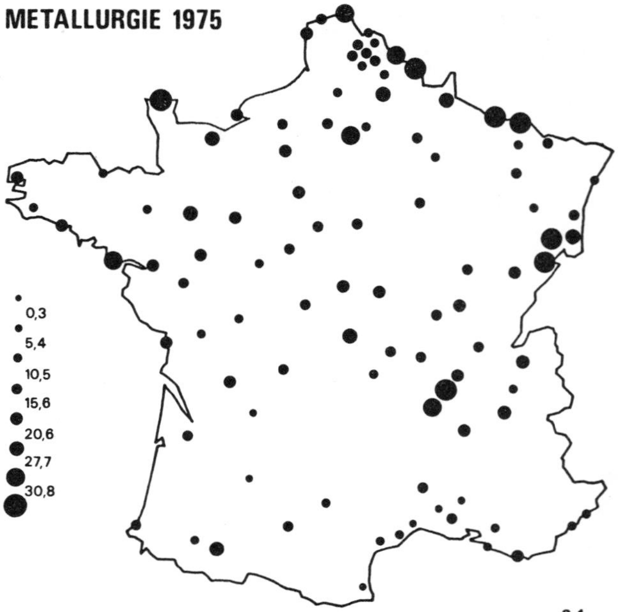

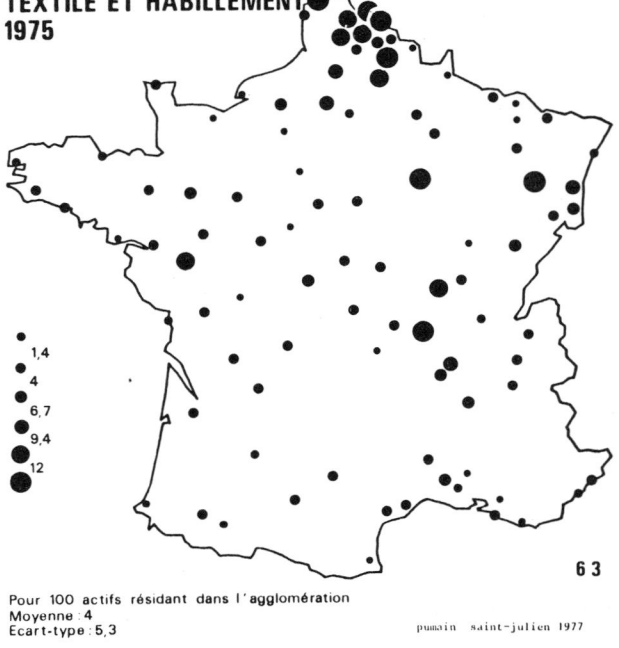

0,3
5,4
10,5
15,6
20,6
27,7
30,8

Pour 100 actifs résidant dans l'agglomération
Moyenne : 15,6
Écart-type : 10,1

6 1

pumain saint-julien 1977

CHIMIE 1975

0,2
2,1
3,9
5,8
7,7
9,5

Pour 100 actifs résidant dans l'agglomération
Moyenne : 3,9
Écart-type : 3,7

6 2

pumain saint-julien 1977

TEXTILE ET HABILLEMENT 1975

1,4
4
6,7
9,4
12

Pour 100 actifs résidant dans l'agglomération
Moyenne : 4
Écart-type : 5,3

6 3

pumain saint-julien 1977

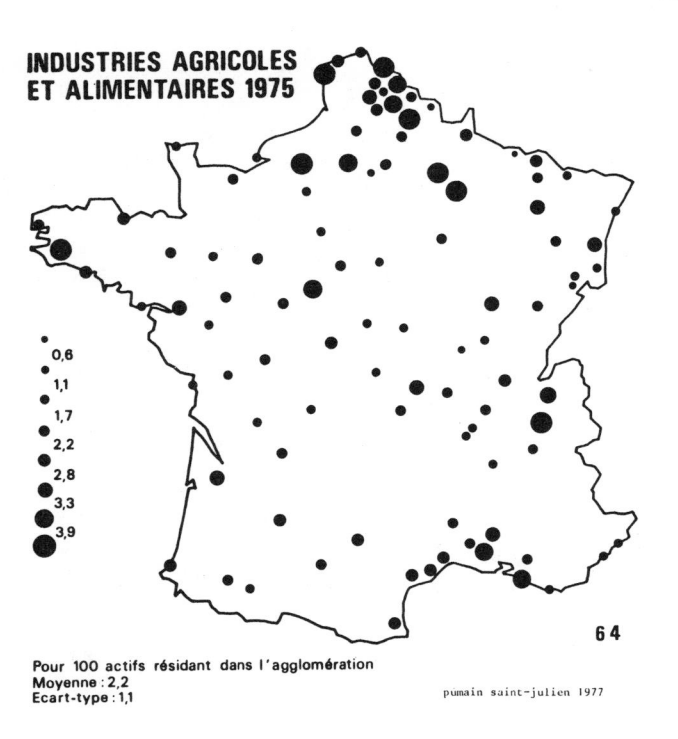

INDUSTRIES AGRICOLES ET ALIMENTAIRES 1975

0,6
1,1
1,7
2,2
2,8
3,3
3,9

6 4

Pour 100 actifs résidant dans l'agglomération
Moyenne : 2,2
Ecart-type : 1,1

pumain saint-julien 1977

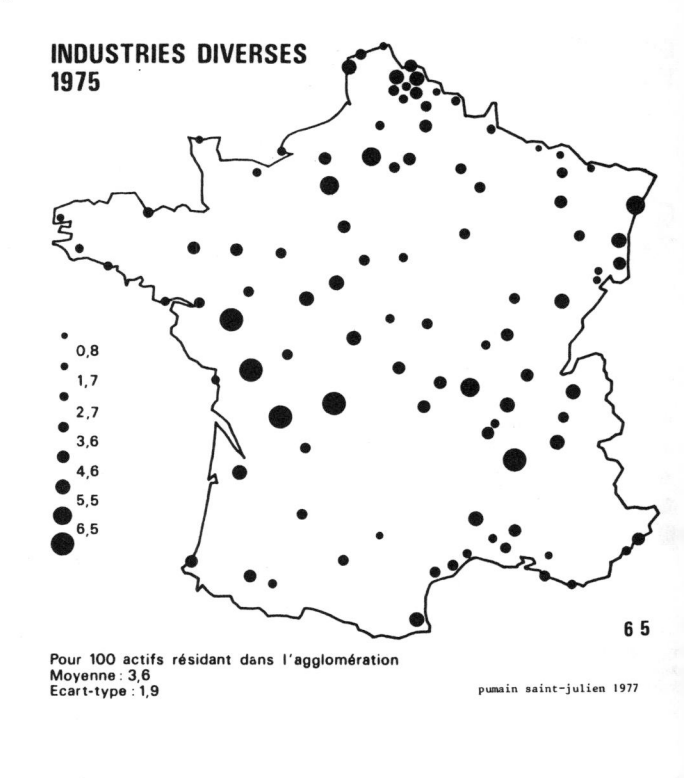

INDUSTRIES DIVERSES 1975

0,8
1,7
2,7
3,6
4,6
5,5
6,5

6 5

Pour 100 actifs résidant dans l'agglomération
Moyenne : 3,6
Ecart-type : 1,9

pumain saint-julien 1977

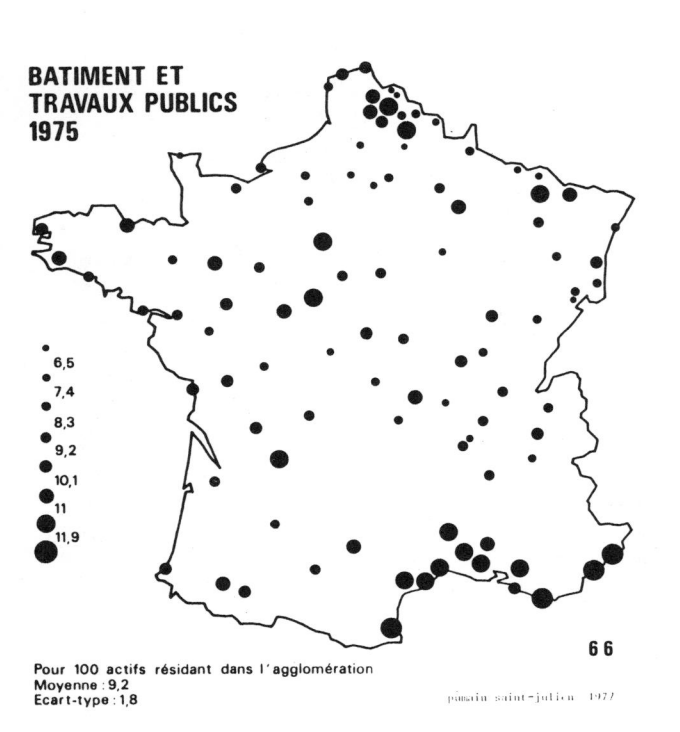

BATIMENT ET TRAVAUX PUBLICS 1975

6,5
7,4
8,3
9,2
10,1
11
11,9

6 6

Pour 100 actifs résidant dans l'agglomération
Moyenne : 9,2
Ecart-type : 1,8

pumain saint-julien 1977

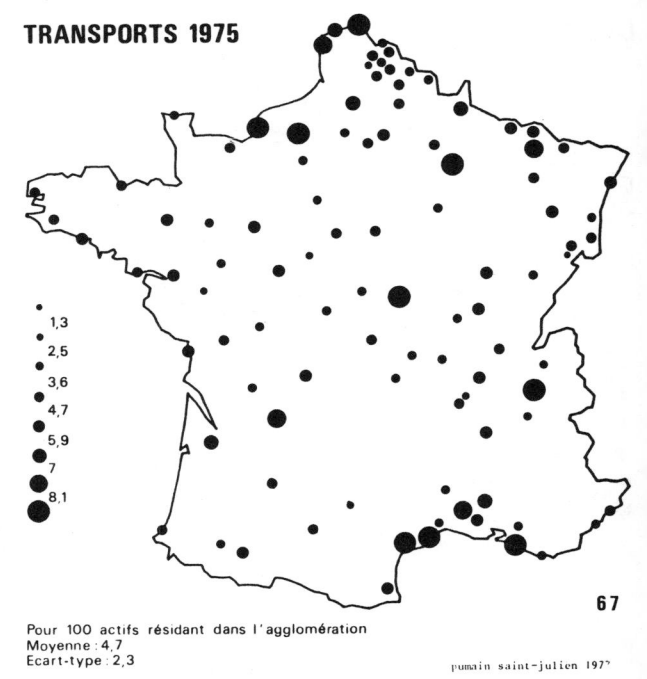

TRANSPORTS 1975

1,3
2,5
3,6
4,7
5,9
7
8,1

6 7

Pour 100 actifs résidant dans l'agglomération
Moyenne : 4,7
Ecart-type : 2,3

pumain saint-julien 1977

COMMERCE DE GROS
1975

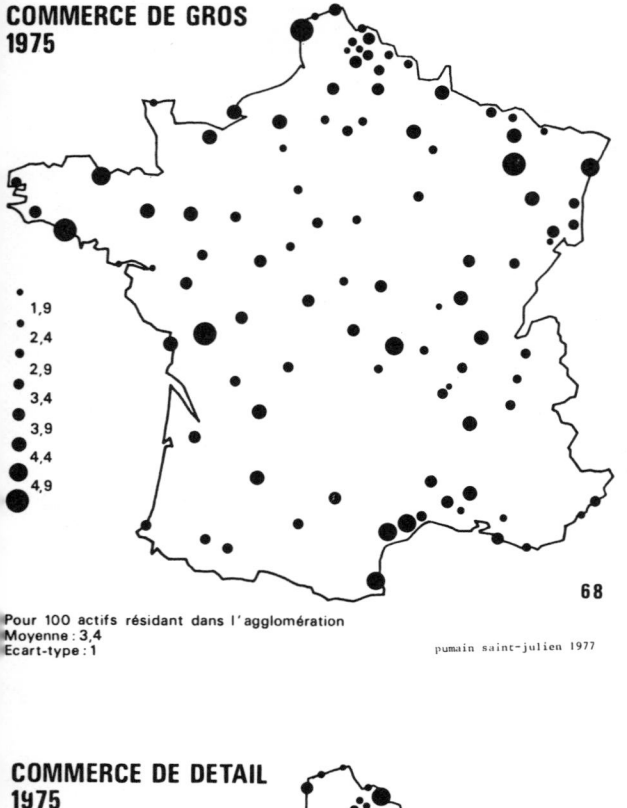

1,9
2,4
2,9
3,4
3,9
4,4
4,9

68

Pour 100 actifs résidant dans l'agglomération
Moyenne : 3,4
Ecart-type : 1

pumain saint-julien 1977

COMMERCE ALIMENTAIRE
DE DETAIL 1975

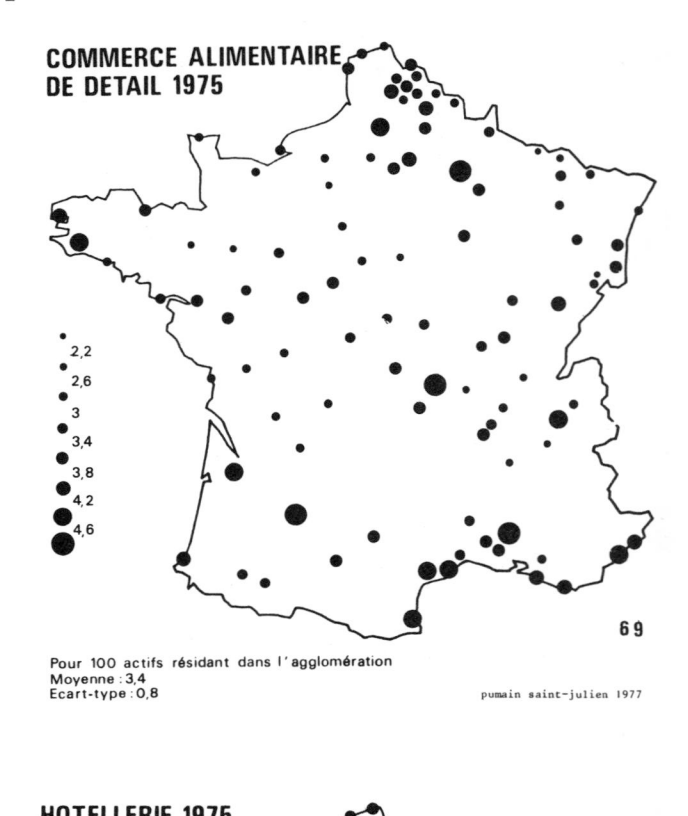

2,2
2,6
3
3,4
3,8
4,2
4,6

69

Pour 100 actifs résidant dans l'agglomération
Moyenne : 3,4
Ecart-type : 0,8

pumain saint-julien 1977

COMMERCE DE DETAIL
1975

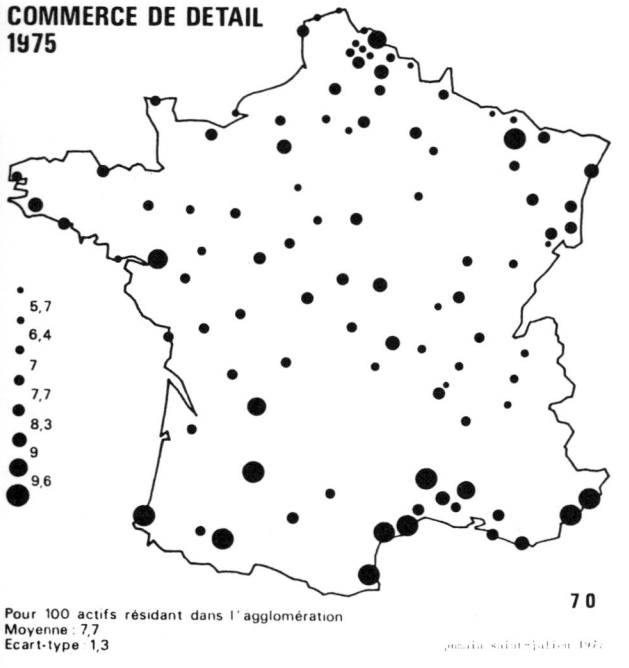

5,7
6,4
7
7,7
8,3
9
9,6

70

Pour 100 actifs résidant dans l'agglomération
Moyenne : 7,7
Ecart-type : 1,3

pumain saint-julien 1977

HOTELLERIE 1975

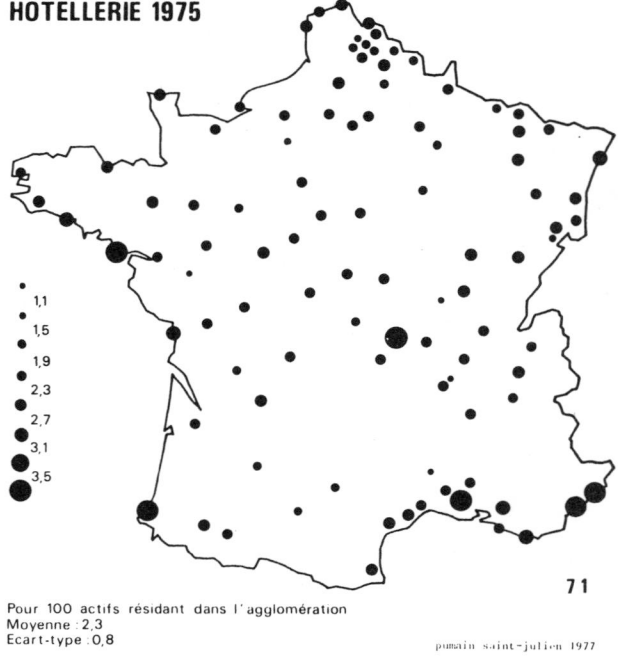

1,1
1,5
1,9
2,3
2,7
3,1
3,5

71

Pour 100 actifs résidant dans l'agglomération
Moyenne : 2,3
Ecart-type : 0,8

pumain saint-julien 1977

BANQUE ASSURANCE
1975

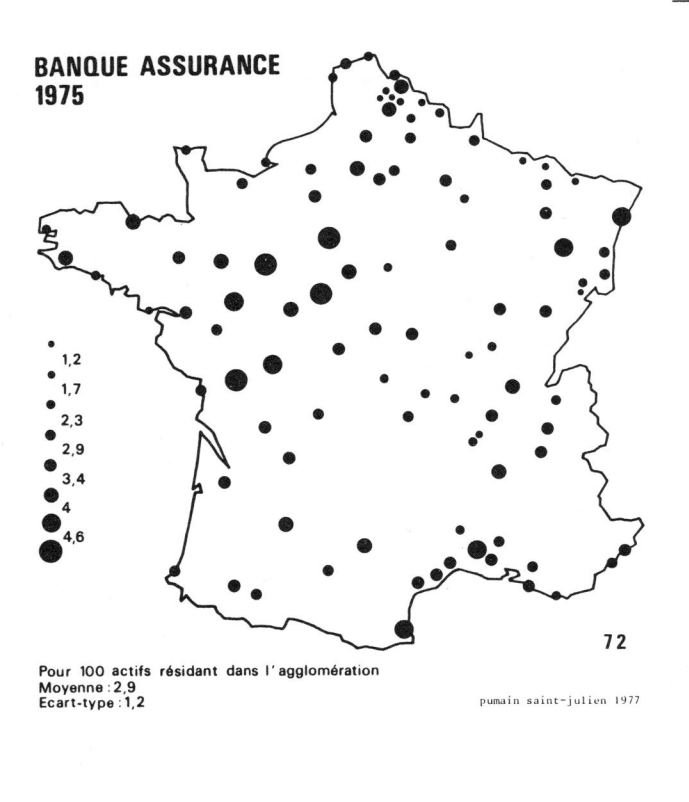

1,2
1,7
2,3
2,9
3,4
4
4,6

72

Pour 100 actifs résidant dans l'agglomération
Moyenne : 2,9
Ecart-type : 1,2

pumain saint-julien 1977

SERVICES AUX
ENTREPRISES 1975

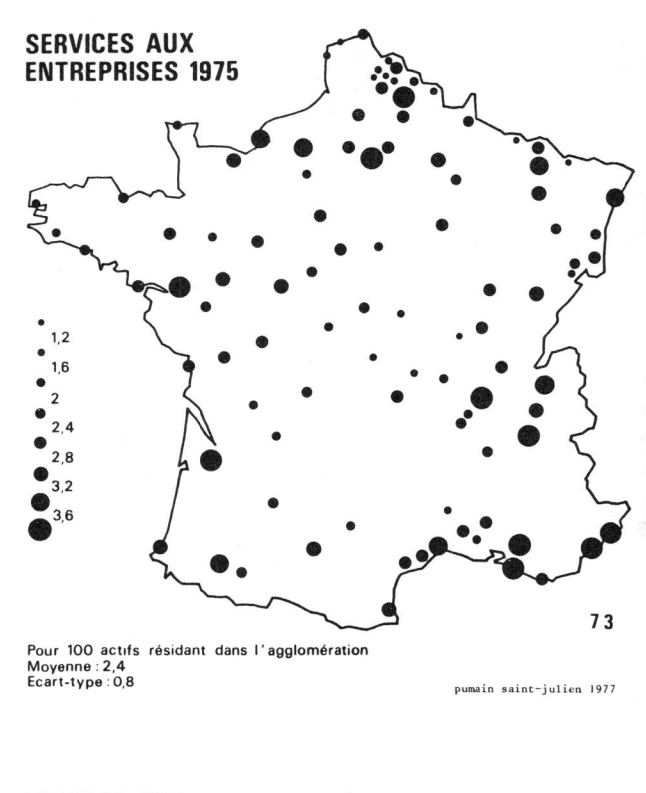

1,2
1,6
2
2,4
2,8
3,2
3,6

73

Pour 100 actifs résidant dans l'agglomération
Moyenne : 2,4
Ecart-type : 0,8

pumain saint-julien 1977

SERVICES DOMESTIQUES
1975

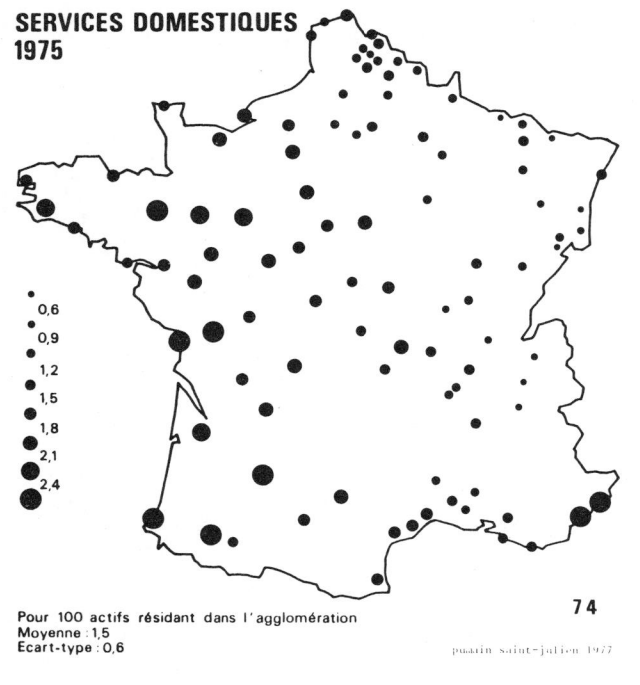

0,6
0,9
1,2
1,5
1,8
2,1
2,4

74

Pour 100 actifs résidant dans l'agglomération
Moyenne : 1,5
Ecart-type : 0,6

pumain saint-julien 1977

SERVICES AUX
PARTICULIERS 1975

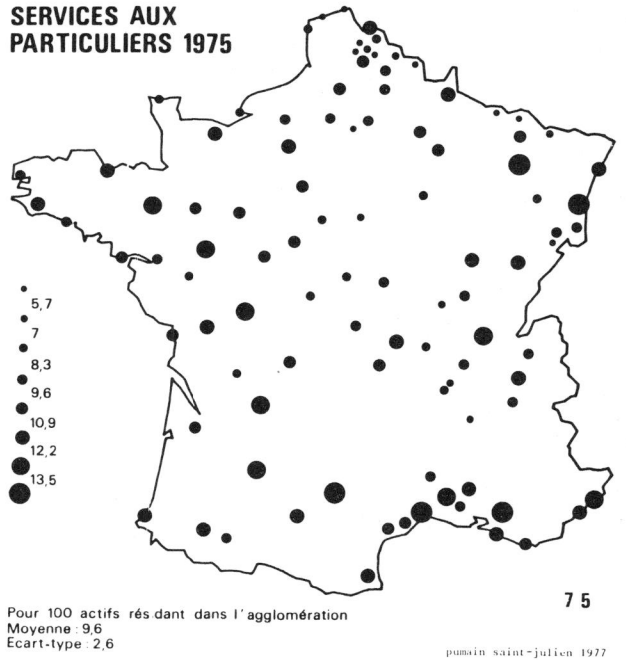

5,7
7
8,3
9,6
10,9
12,2
13,5

75

Pour 100 actifs résidant dans l'agglomération
Moyenne : 9,6
Ecart-type : 2,6

pumain saint-julien 1977

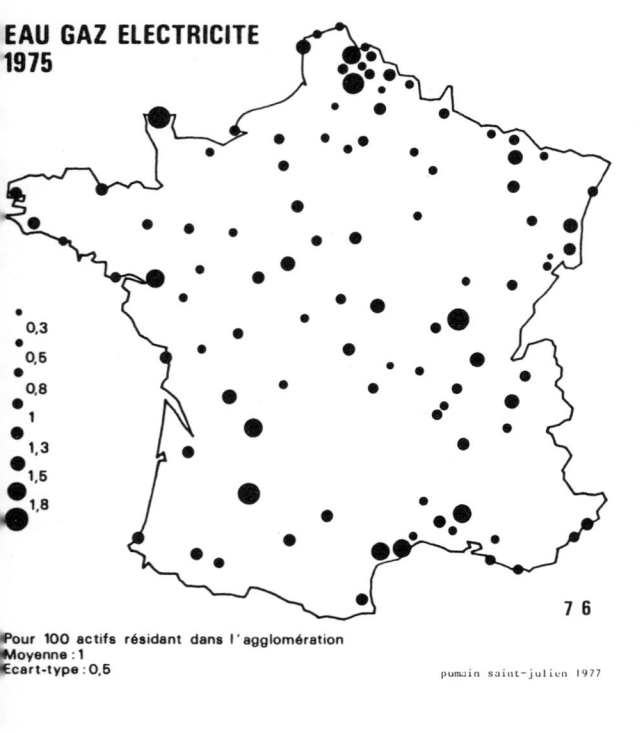

EAU GAZ ELECTRICITE 1975

0,3
0,5
0,8
1
1,3
1,5
1,8

7 6

Pour 100 actifs résidant dans l'agglomération
Moyenne : 1
Écart-type : 0,5

pumain saint-julien 1977

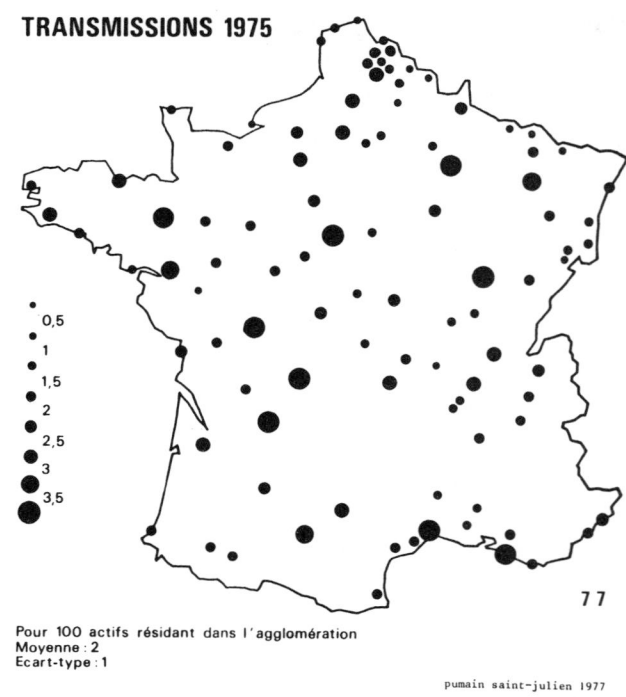
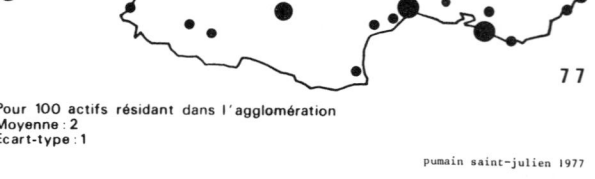

TRANSMISSIONS 1975

0,5
1
1,5
2
2,5
3
3,5

7 7

Pour 100 actifs résidant dans l'agglomération
Moyenne : 2
Écart-type : 1

pumain saint-julien 1977

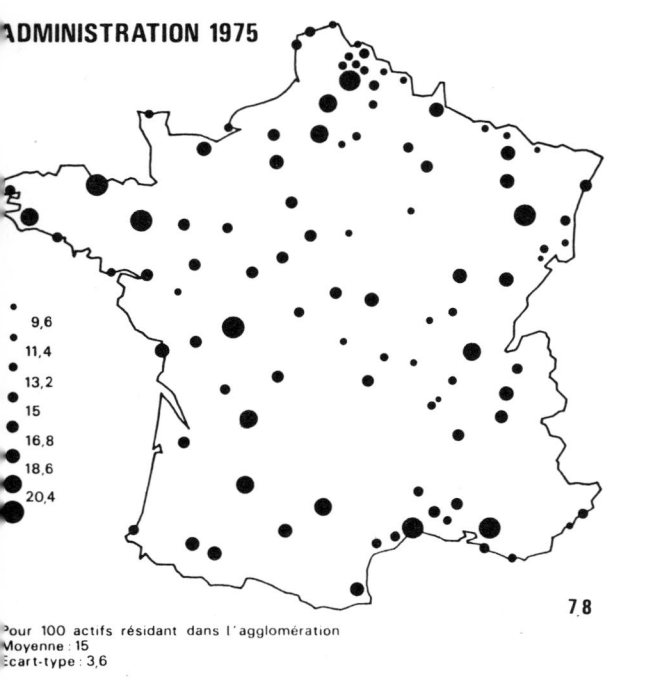

ADMINISTRATION 1975

9,6
11,4
13,2
15
16,8
18,6
20,4

7 8

Pour 100 actifs résidant dans l'agglomération
Moyenne : 15
Écart-type : 3,6

DEFENSE 1975

1
2
3
4
5

7 9

Pour 100 actifs résidant dans l'agglomération
Moyenne : 2
Écart-type : 2

pumain saint-julien 1977

ECARTS AU PROFIL MOYEN

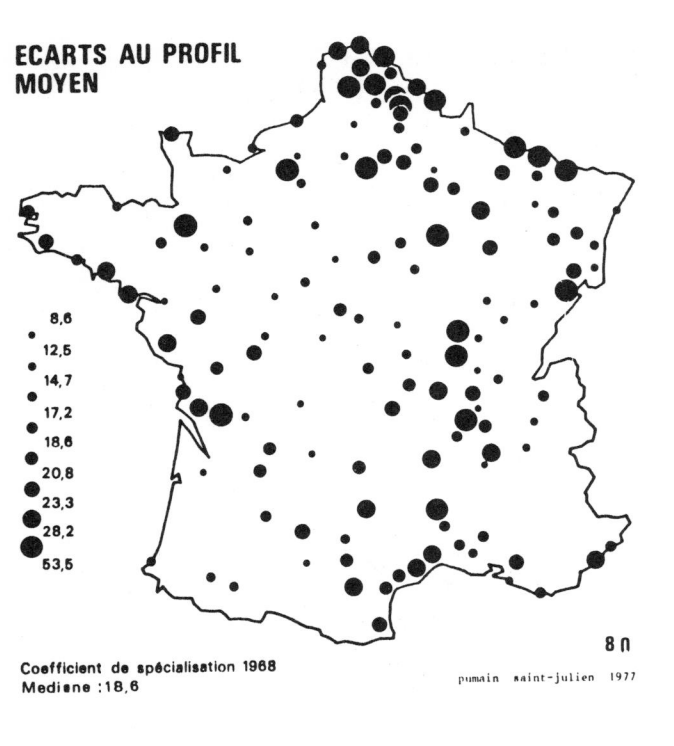

8,6
12,5
14,7
17,2
18,6
20,8
23,3
28,2
53,5

Coefficient de spécialisation 1968
Mediane : 18,6

pumain saint-julien 1977

8 0

DIVERSIFICATION

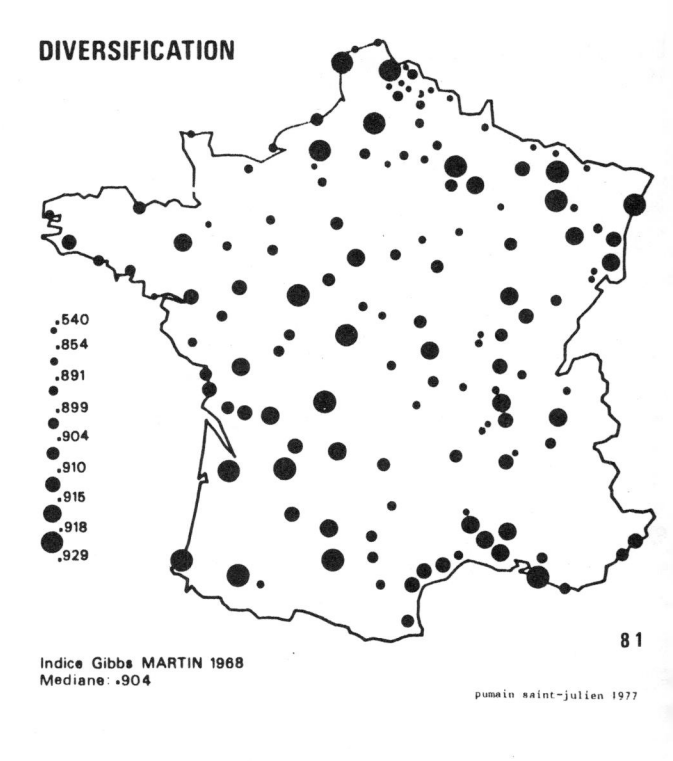

.540
.854
.891
.899
.904
.910
.915
.918
.929

Indice Gibbs MARTIN 1968
Mediane : .904

pumain saint-julien 1977

8 1

AUGMENTATION DES ECARTS AU PROFIL MOYEN 1954-1968

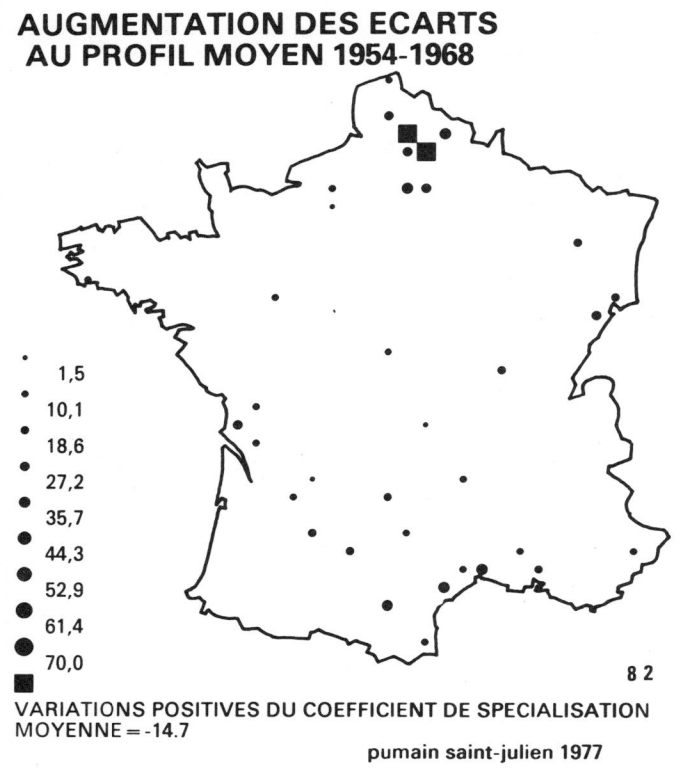

1,5
10,1
18,6
27,2
35,7
44,3
52,9
61,4
70,0

VARIATIONS POSITIVES DU COEFFICIENT DE SPECIALISATION
MOYENNE = -14.7

pumain saint-julien 1977

8 2

DIMINUTION DES ECARTS AU PROFIL MOYEN 1954-1968

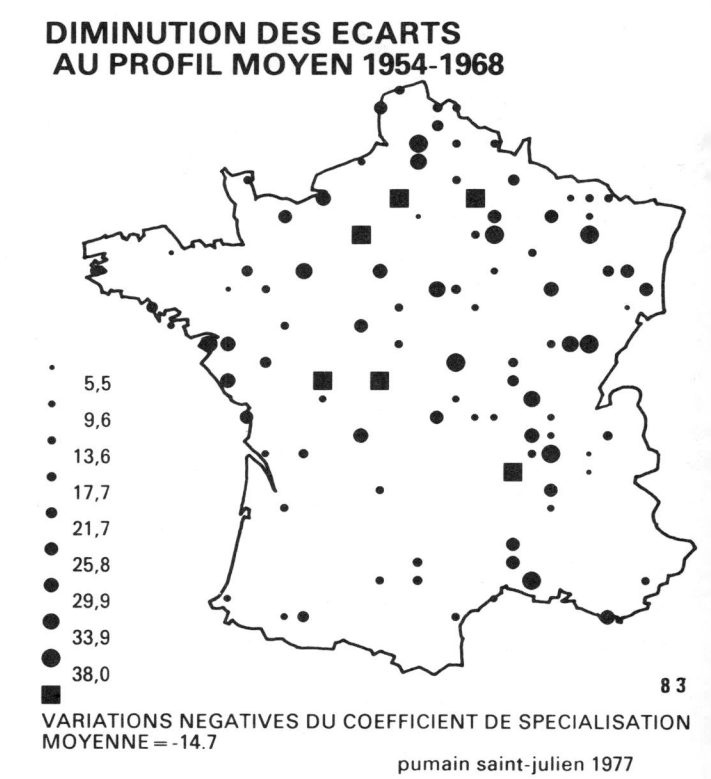

5,5
9,6
13,6
17,7
21,7
25,8
29,9
33,9
38,0

VARIATIONS NEGATIVES DU COEFFICIENT DE SPECIALISATION
MOYENNE = -14.7

pumain saint-julien 1977

8 3

DIVERSIFICATION ACCRUE
1954-1968

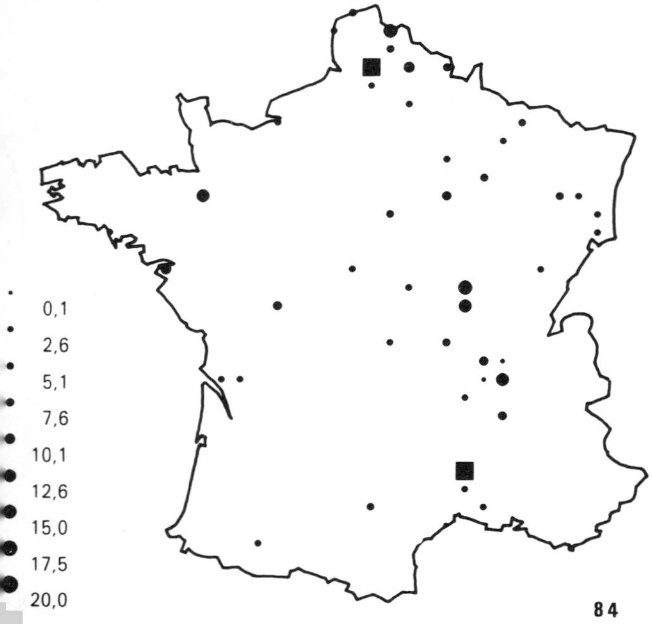

0,1
2,6
5,1
7,6
10,1
12,6
15,0
17,5
20,0

8 4

VARIATIONS POSITIVES DE L'INDICE GIBBS MARTIN
MOYENNE = 1.0

pumain saint-julien 1977

CONCENTRATION ACCRUE
1954-1968

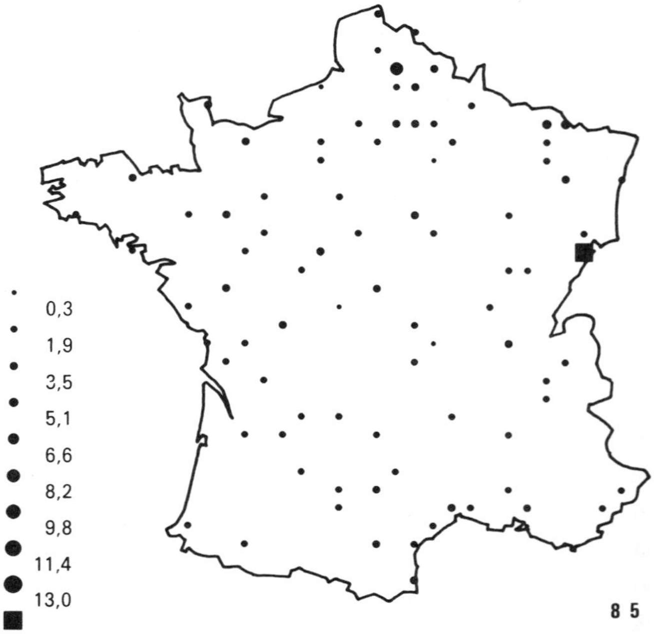

0,3
1,9
3,5
5,1
6,6
8,2
9,8
11,4
13,0

8 5

VARIATIONS NEGATIVES DE L'INDICE GIBBS MARTIN
MOYENNE = 1.0

pumain saint-julien 1977

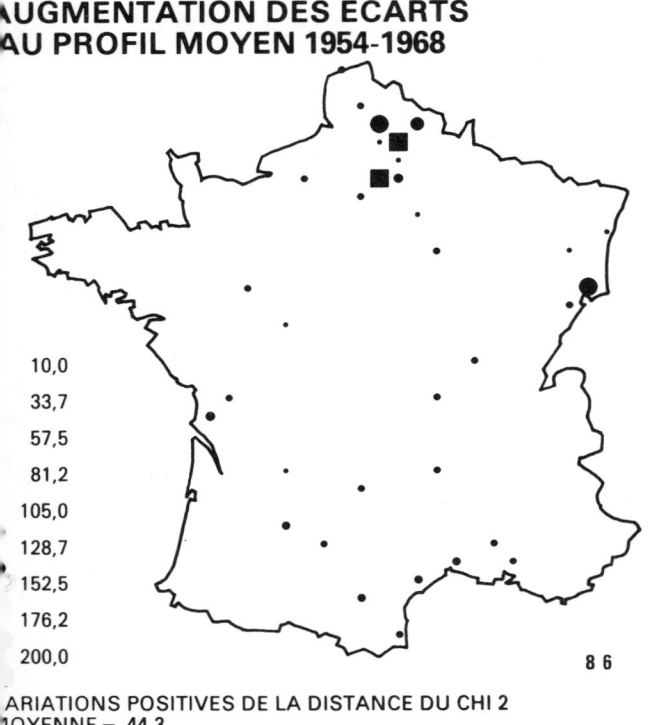

AUGMENTATION DES ECARTS
AU PROFIL MOYEN 1954-1968

10,0
33,7
57,5
81,2
105,0
128,7
152,5
176,2
200,0

8 6

VARIATIONS POSITIVES DE LA DISTANCE DU CHI 2
MOYENNE = -44.3

pumain saint-julien 1977

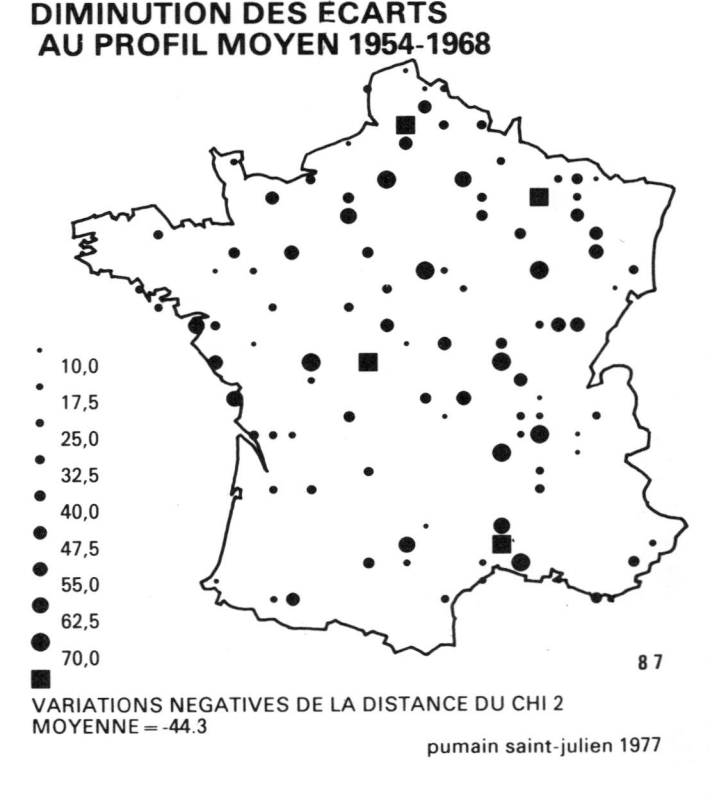

DIMINUTION DES ECARTS
AU PROFIL MOYEN 1954-1968

10,0
17,5
25,0
32,5
40,0
47,5
55,0
62,5
70,0

8 7

VARIATIONS NEGATIVES DE LA DISTANCE DU CHI 2
MOYENNE = -44.3

pumain saint-julien 1977

COMPOSANTES DE L'ACTIVITE URBAINE 1968 AFC 20 CAE

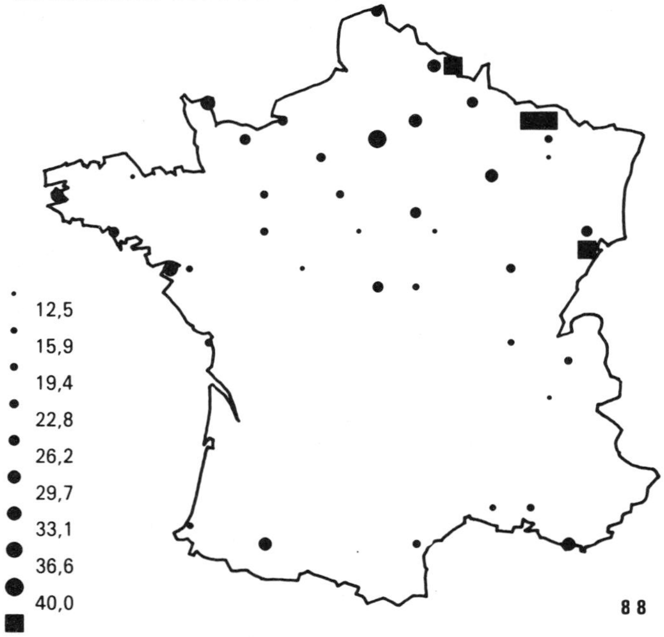

	12,5
	15,9
	19,4
	22,8
	26,2
	29,7
	33,1
	36,6
	40,0

8 8

DEUXIEME AXE COORDONNEES POSITIVES

pumain saint-julien

COMPOSANTES DE L'ACTIVITE URBAINE 1968 AFC 20 CAE

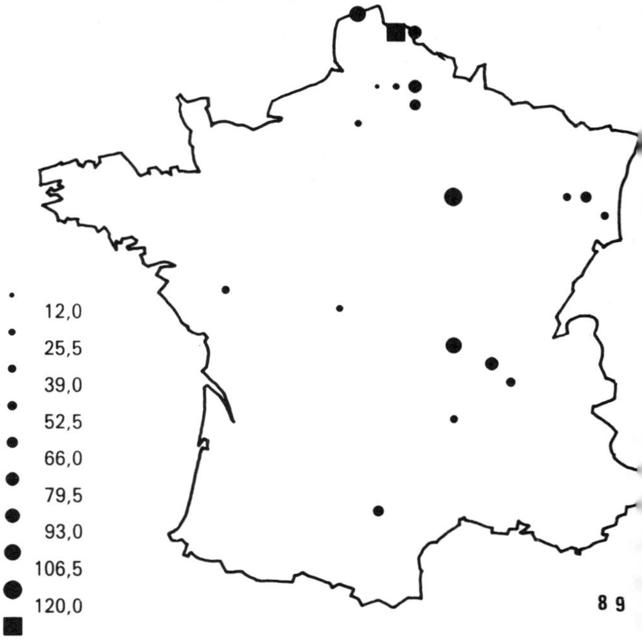

	12,0
	25,5
	39,0
	52,5
	66,0
	79,5
	93,0
	106,5
	120,0

8 9

DEUXIEME AXE COORDONNEES NEGATIVES

pumain saint-julien

COMPOSANTES DE L'ACTIVITE URBAINE 1968 AFC 20 CAE

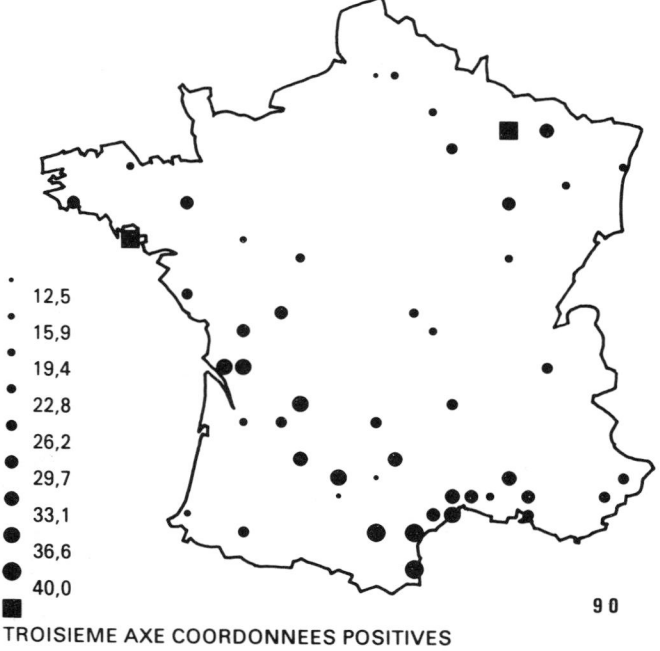

	12,5
	15,9
	19,4
	22,8
	26,2
	29,7
	33,1
	36,6
	40,0

9 0

TROISIEME AXE COORDONNEES POSITIVES

pumain saint-julien

COMPOSANTES DE L'ACTIVITE URBAINE 1968 AFC 20 CAE

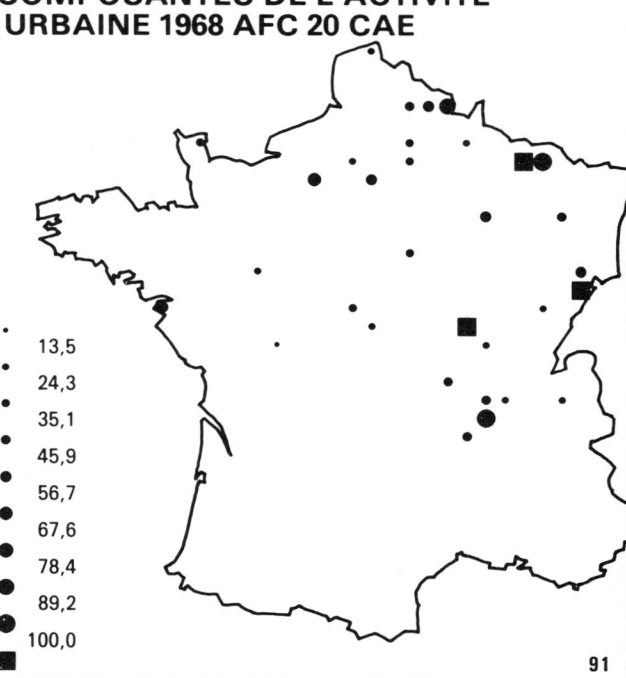

	13,5
	24,3
	35,1
	45,9
	56,7
	67,6
	78,4
	89,2
	100,0

91

TROISIEME AXE COORDONNEES NEGATIVES

pumain saint-julien

COMPOSANTES DE L'ACTIVITE URBAINE 1968 AFC 20 CAE

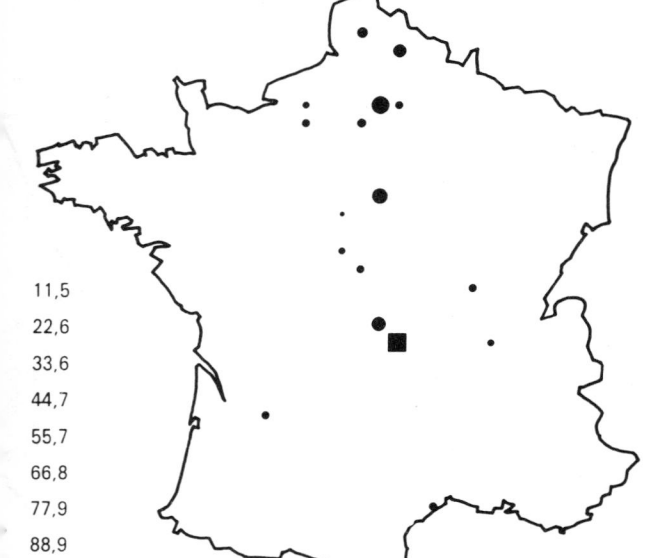

11,5
22,6
33,6
44,7
55,7
66,8
77,9
88,9
100,0

9 2

QUATRIEME AXE COORDONNEES POSITIVES

pumain saint-julien

COMPOSANTES DE L'ACTIVITE URBAINE 1968 AFC 20 CAE

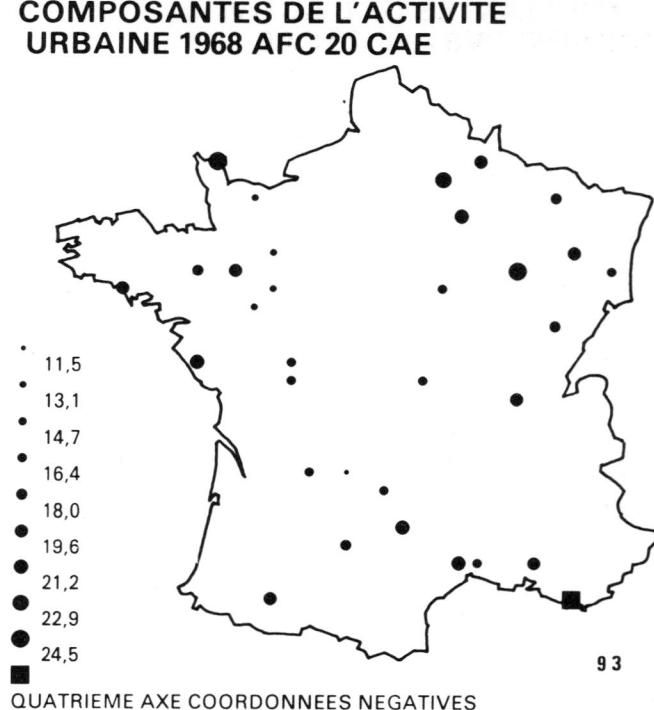

11,5
13,1
14,7
16,4
18,0
19,6
21,2
22,9
24,5

9 3

QUATRIEME AXE COORDONNEES NEGATIVES

pumain saint-julien

COMPOSANTES DE L'ACTIVITE URBAINE 1968 AFC 20 CAE

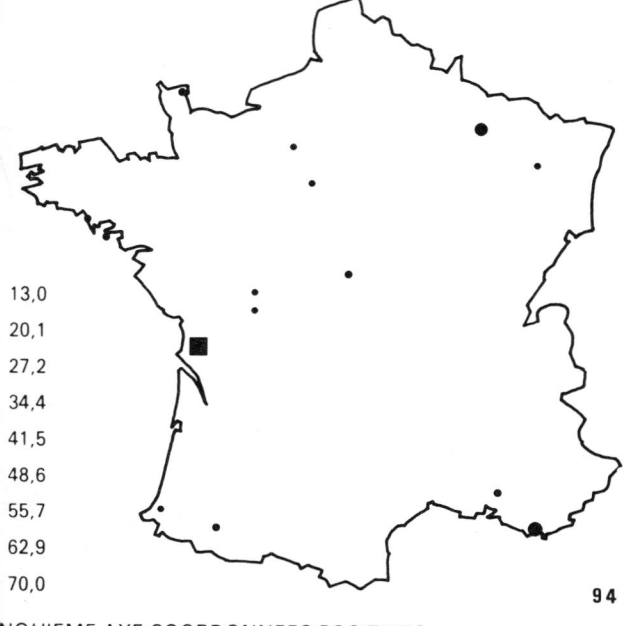

13,0
20,1
27,2
34,4
41,5
48,6
55,7
62,9
70,0

9 4

CINQUIEME AXE COORDONNEES POSITIVES

pumain saint-julien

COMPOSANTES DE L'ACTIVITE URBAINE 1968 AFC 20 CAE

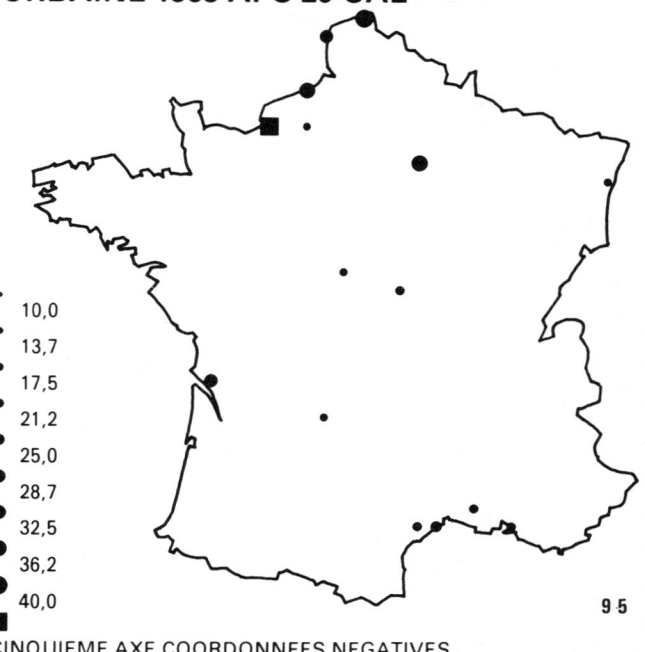

10,0
13,7
17,5
21,2
25,0
28,7
32,5
36,2
40,0

9 5

CINQUIEME AXE COORDONNEES NEGATIVES

pumain saint-julien

COMPOSANTES DE L'ACTIVITE URBAINE 1968 AFC 20 CAE

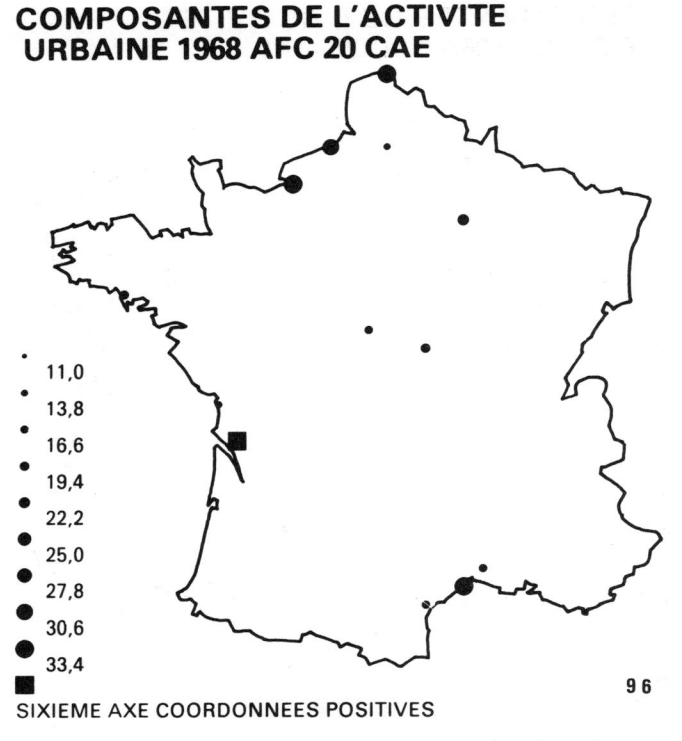

·	11,0
·	13,8
•	16,6
•	19,4
•	22,2
•	25,0
•	27,8
•	30,6
●	33,4
■	

SIXIEME AXE COORDONNEES POSITIVES

96

pumain saint-julien

COMPOSANTES DE L'ACTIVITE URBAINE 1968 AFC 20 CAE

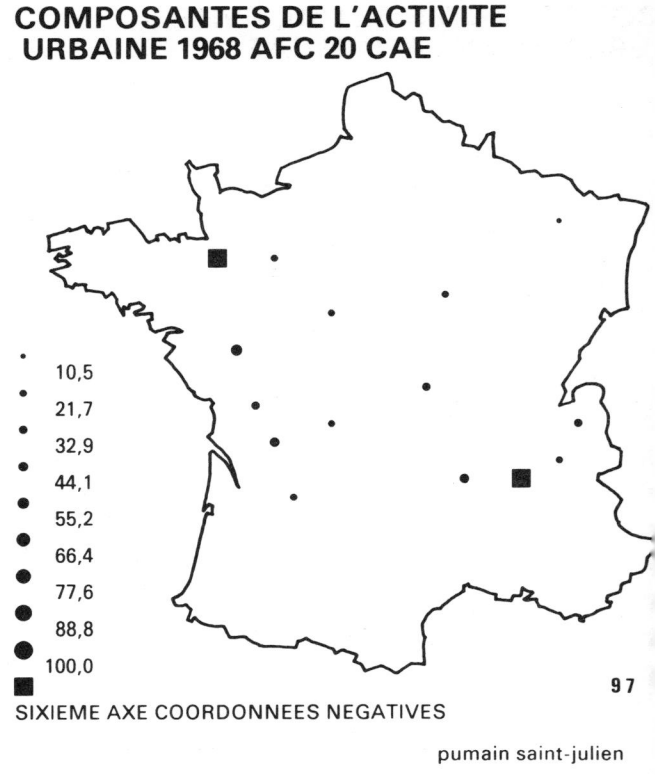

·	10,5
·	21,7
•	32,9
•	44,1
•	55,2
•	66,4
•	77,6
•	88,8
●	100,0
■	

SIXIEME AXE COORDONNEES NEGATIVES

97

pumain saint-julien

COMPOSANTES DE L'ACTIVITE URBAINE 1968 AFC 20 CAE

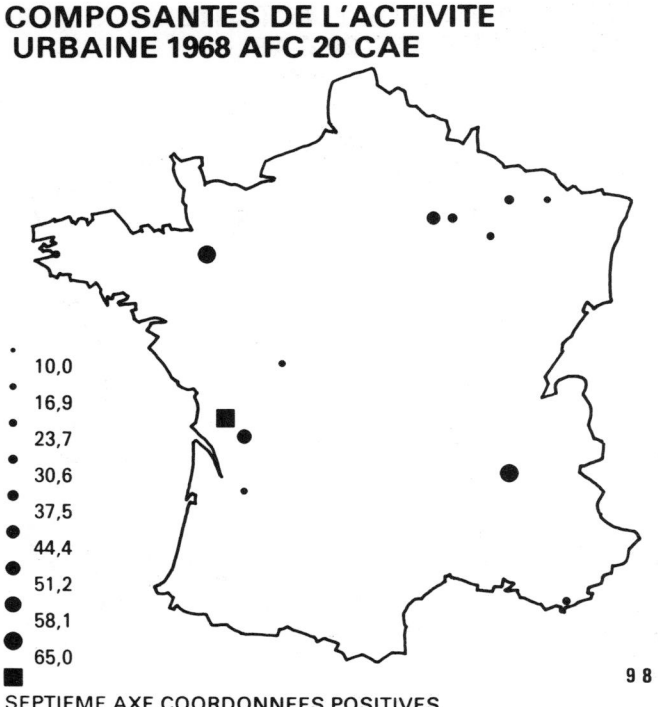

·	10,0
·	16,9
•	23,7
•	30,6
•	37,5
•	44,4
•	51,2
•	58,1
●	65,0
■	

SEPTIEME AXE COORDONNEES POSITIVES

98

pumain saint-julien

COMPOSANTES DE L'ACTIVITE URBAINE 1968 AFC 20 CAE

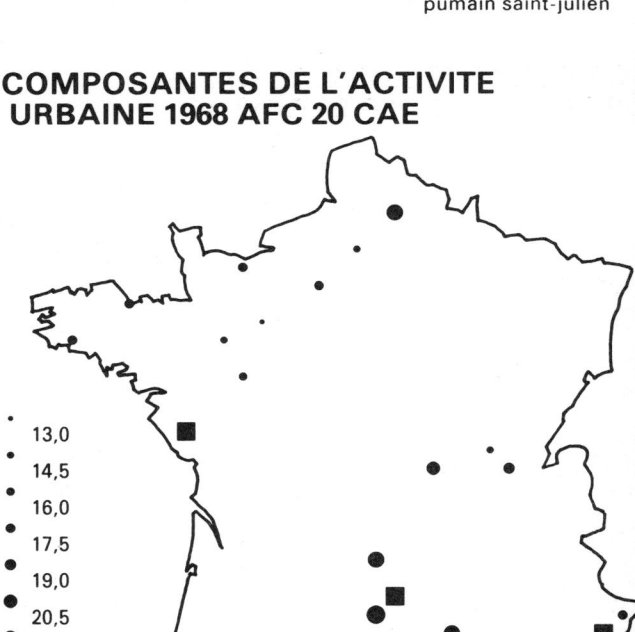

·	13,0
·	14,5
•	16,0
•	17,5
•	19,0
•	20,5
•	22,0
•	23,5
●	25,0
■	

SEPTIEME AXE COORDONNEES NEGATIVES

99

pumain saint-julien

COMPOSANTES DE L'ACTIVITE URBAINE 1968 ACP 19 CAE

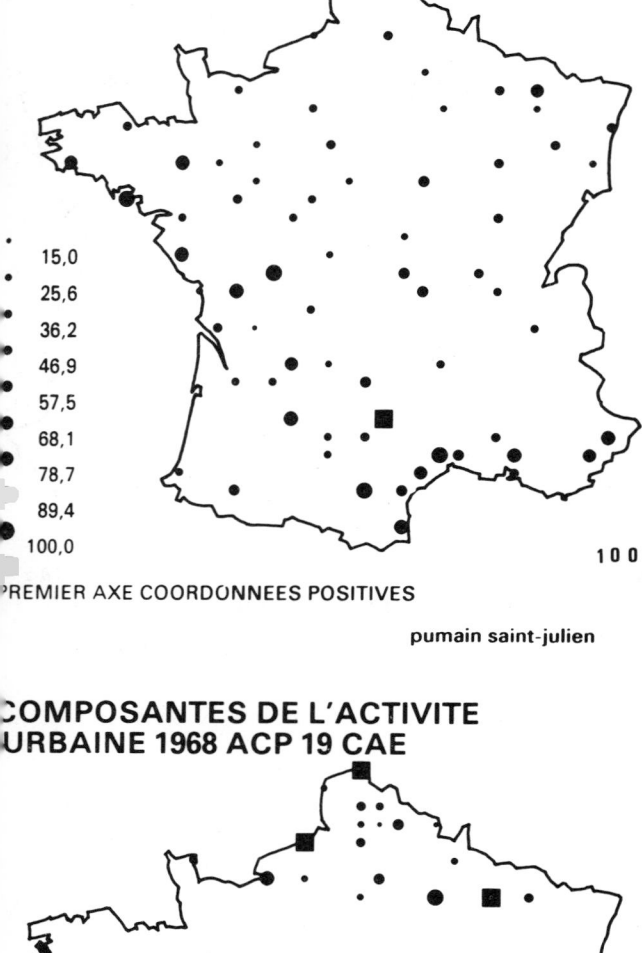

15,0
25,6
36,2
46,9
57,5
68,1
78,7
89,4
100,0

100

PREMIER AXE COORDONNEES POSITIVES

pumain saint-julien

COMPOSANTES DE L'ACTIVITE URBAINE 1968 ACP 19 CAE

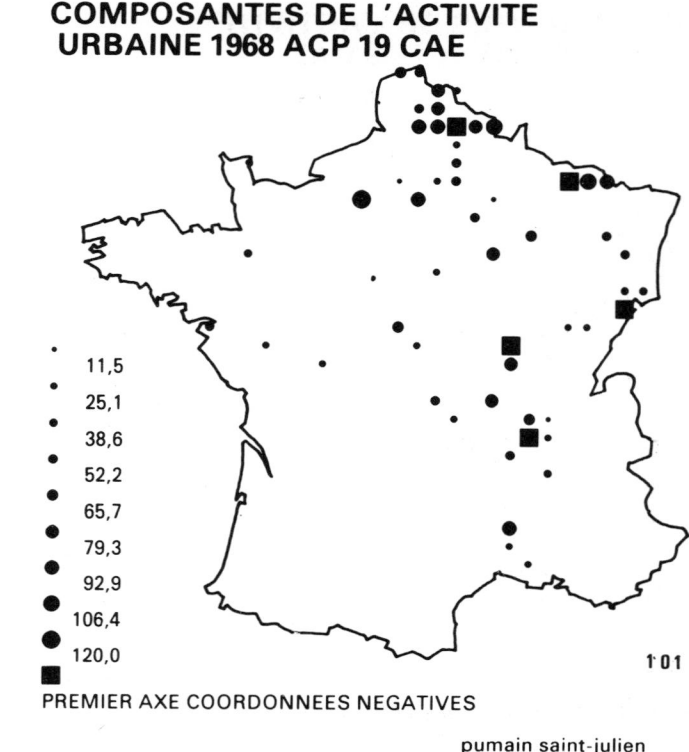

11,5
25,1
38,6
52,2
65,7
79,3
92,9
106,4
120,0

101

PREMIER AXE COORDONNEES NEGATIVES

pumain saint-julien

COMPOSANTES DE L'ACTIVITE URBAINE 1968 ACP 19 CAE

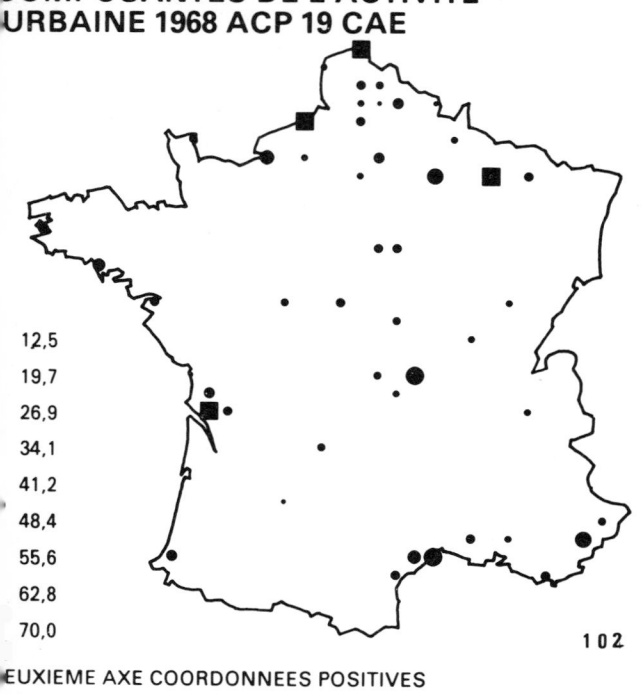

12,5
19,7
26,9
34,1
41,2
48,4
55,6
62,8
70,0

102

DEUXIEME AXE COORDONNEES POSITIVES

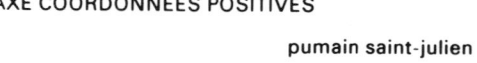
pumain saint-julien

COMPOSANTES DE L'ACTIVITE URBAINE 1968 ACP 19 CAE

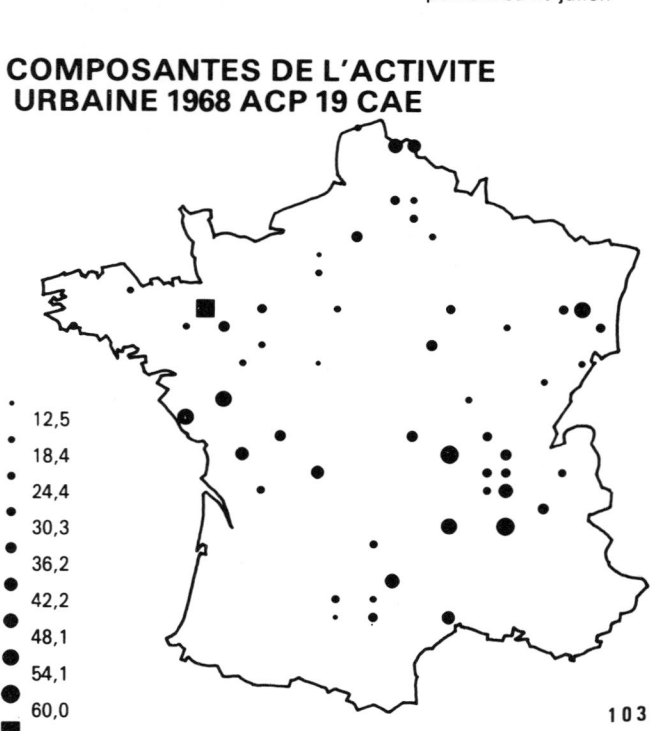

12,5
18,4
24,4
30,3
36,2
42,2
48,1
54,1
60,0

103

DEUXIEME AXE COORDONNEES NEGATIVES

pumain saint-julien

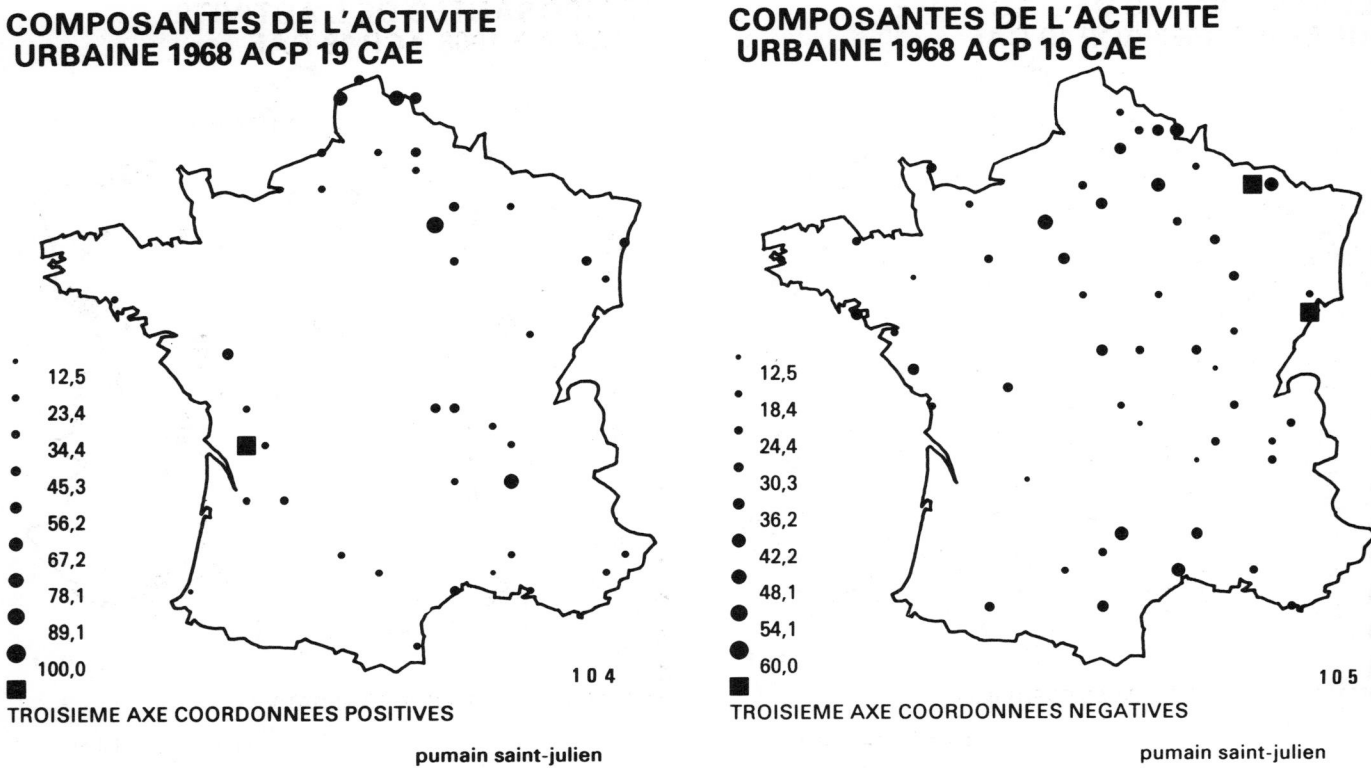

COMPOSANTES DE L'ACTIVITE URBAINE 1968 ACP 19 CAE

•	12,5
•	23,4
•	34,4
•	45,3
•	56,2
•	67,2
•	78,1
•	89,1
●	100,0
■	

1 0 4

TROISIEME AXE COORDONNEES POSITIVES

pumain saint-julien

COMPOSANTES DE L'ACTIVITE URBAINE 1968 ACP 19 CAE

•	12,5
•	18,4
•	24,4
•	30,3
•	36,2
•	42,2
•	48,1
•	54,1
●	60,0
■	

1 0 5

TROISIEME AXE COORDONNEES NEGATIVES

pumain saint-julien

COMPOSANTES DE LA SOCIETE URBAINE
1968

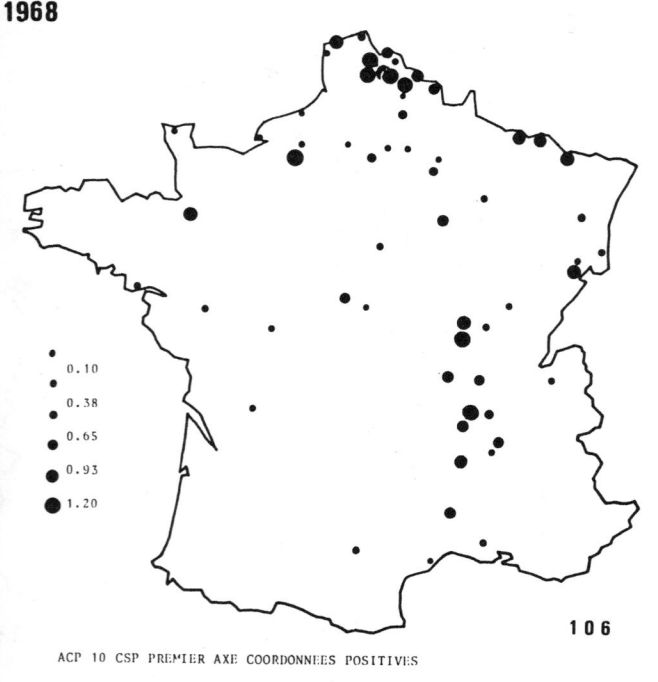

0.10
0.38
0.65
0.93
1.20

106

ACP 10 CSP PREMIER AXE COORDONNEES POSITIVES

pumain saint-julien 1977

COMPOSANTES DE LA SOCIETE URBAINE
1968

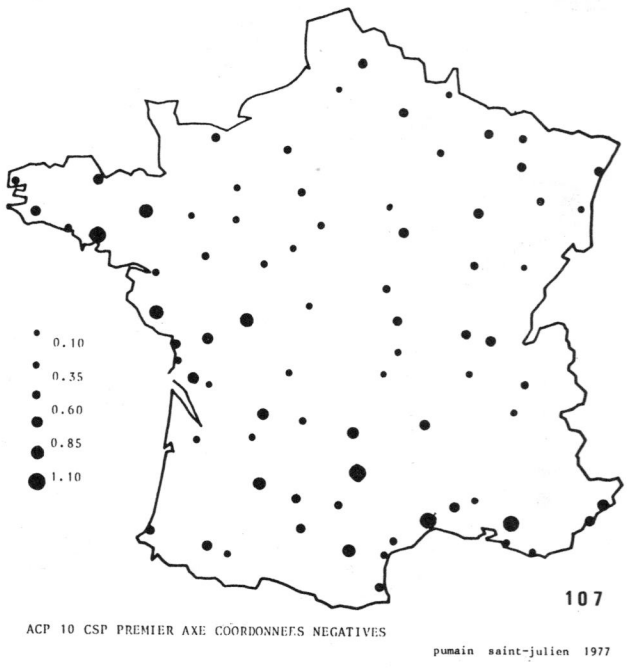

0.10
0.35
0.60
0.85
1.10

107

ACP 10 CSP PREMIER AXE COORDONNEES NEGATIVES

pumain saint-julien 1977

COMPOSANTES DE LA SOCIETE URBAINE
1968

0.03
0.16
0.30
0.44
0.57

108

ACP 10 CSP DEUXIEME AXE COORDONNEES POSITIVES

pumain saint-julien 1977

COMPOSANTES DE LA SOCIETE URBAINE
1968

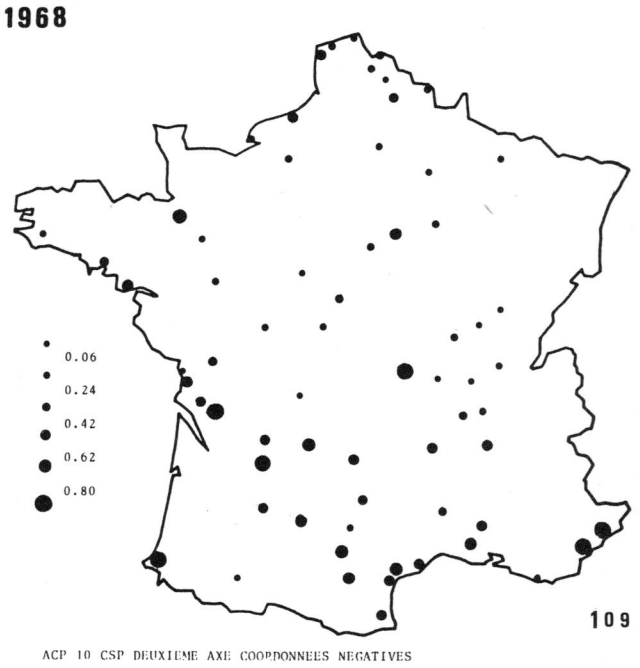

0.06
0.24
0.42
0.62
0.80

109

ACP 10 CSP DEUXIEME AXE COORDONNEES NEGATIVES

pumain saint-julien 1977

COMPOSANTES DE LA SOCIETE URBAINE
1968

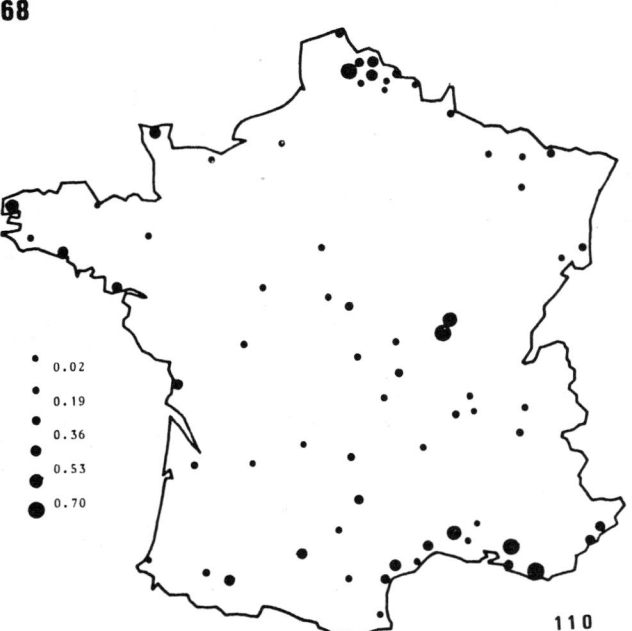

0.02
0.19
0.36
0.53
0.70

110

ACP 10 CSP TROISIEME AXE COORDONNEES POSITIVES

pumain saint-julien 1977

COMPOSANTES DE LA SOCIETE URBAINE
1968

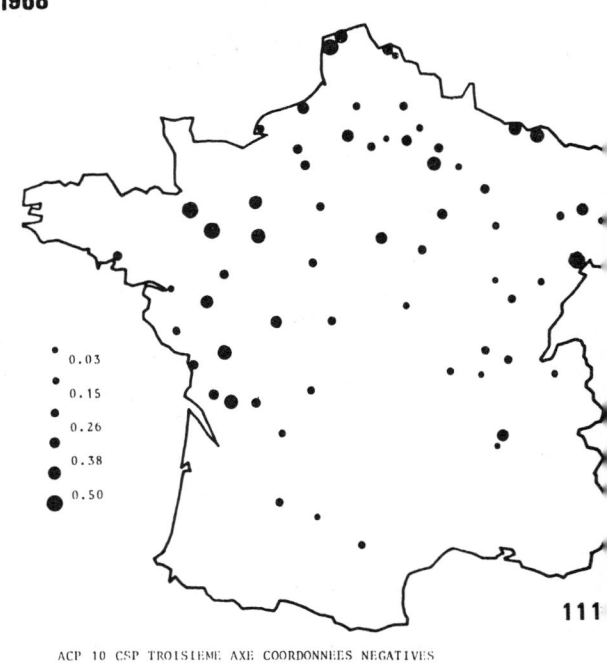

0.03
0.15
0.26
0.38
0.50

111

ACP 10 CSP TROISIEME AXE COORDONNEES NEGATIVES

pumain saint-julien

112 SPECIFICITES FONCTIONNELLES

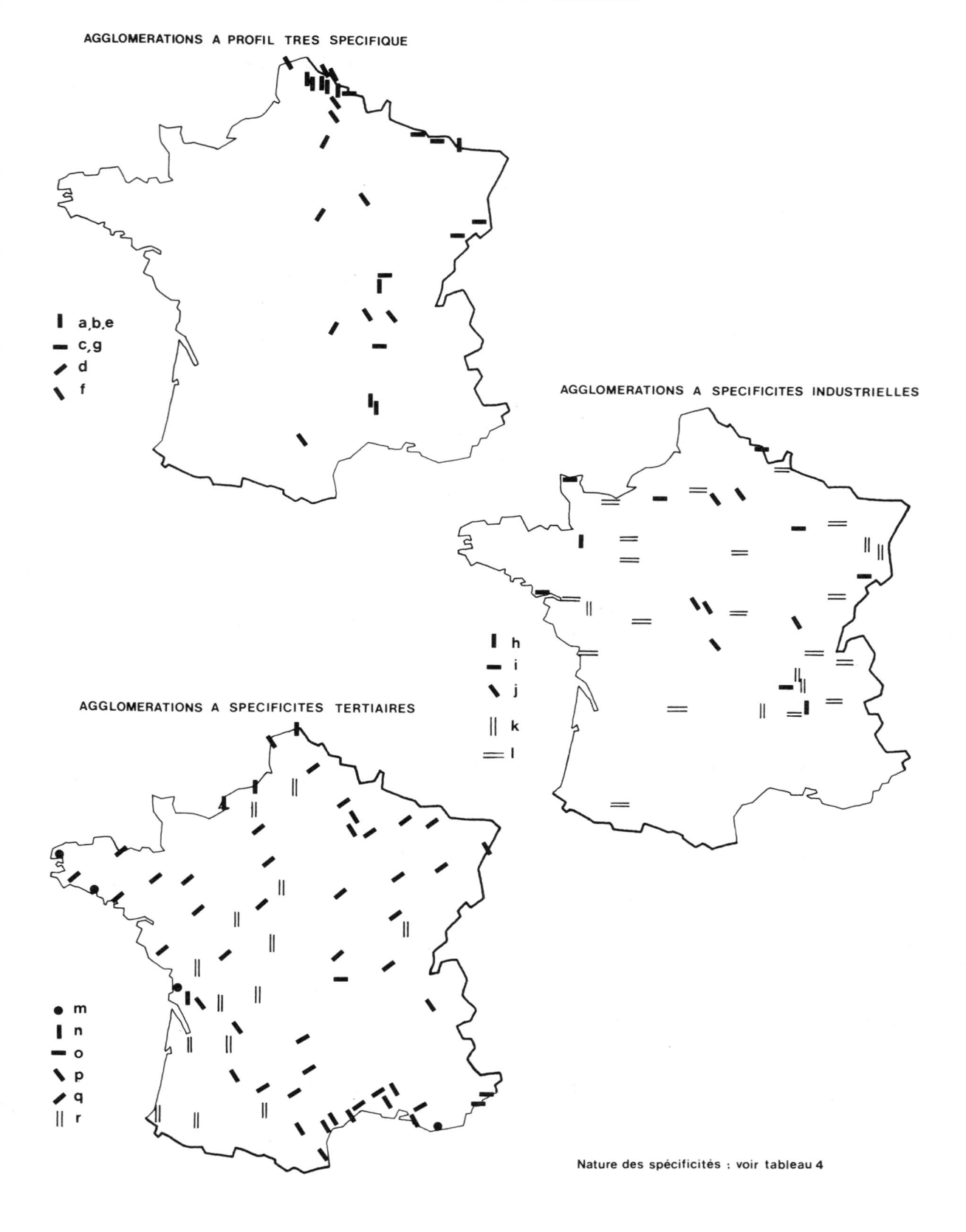

AGGLOMERATIONS A PROFIL TRES SPECIFIQUE

	a,b,e
	c,g
	d
	f

AGGLOMERATIONS A SPECIFICITES INDUSTRIELLES

	h
	i
	j
	k
	l

AGGLOMERATIONS A SPECIFICITES TERTIAIRES

	m
	n
	o
	p
	q
	r

Nature des spécificités : voir tableau 4

113   TYPES ECONOMIQUES URBAINS

COMBINAISONS A DOMINANTE D'ASSOCIATION TERTIAIRE

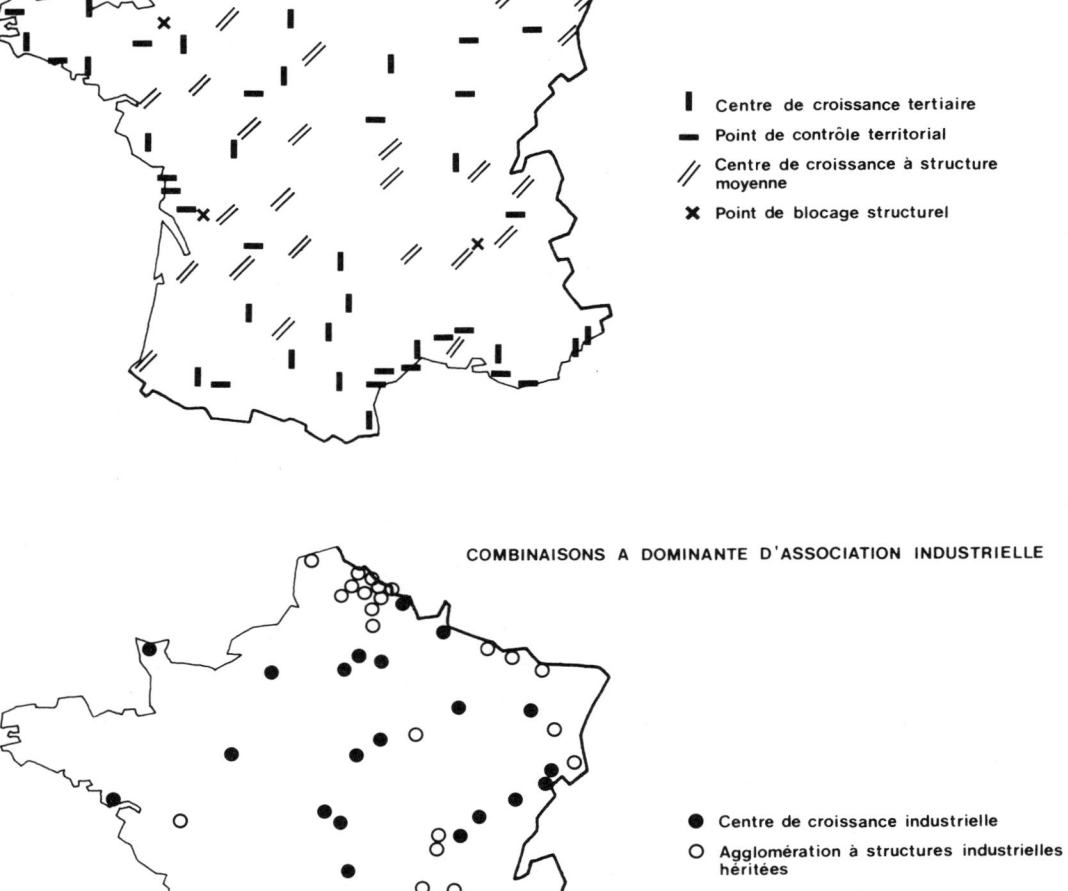

| | Centre de croissance tertiaire
— | Point de contrôle territorial
// | Centre de croissance à structure moyenne
✗ | Point de blocage structurel

COMBINAISONS A DOMINANTE D'ASSOCIATION INDUSTRIELLE

● Centre de croissance industrielle
○ Agglomération à structures industrielles héritées

114   TYPES SOCIO-ECONOMIQUES URBAINS

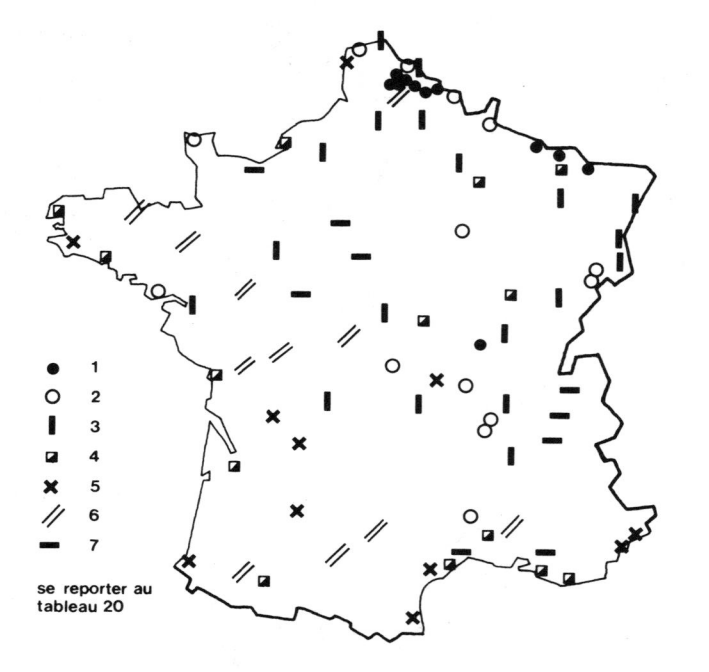

115   DEPLACEMENTS D'ENSEMBLE   1954 -1968

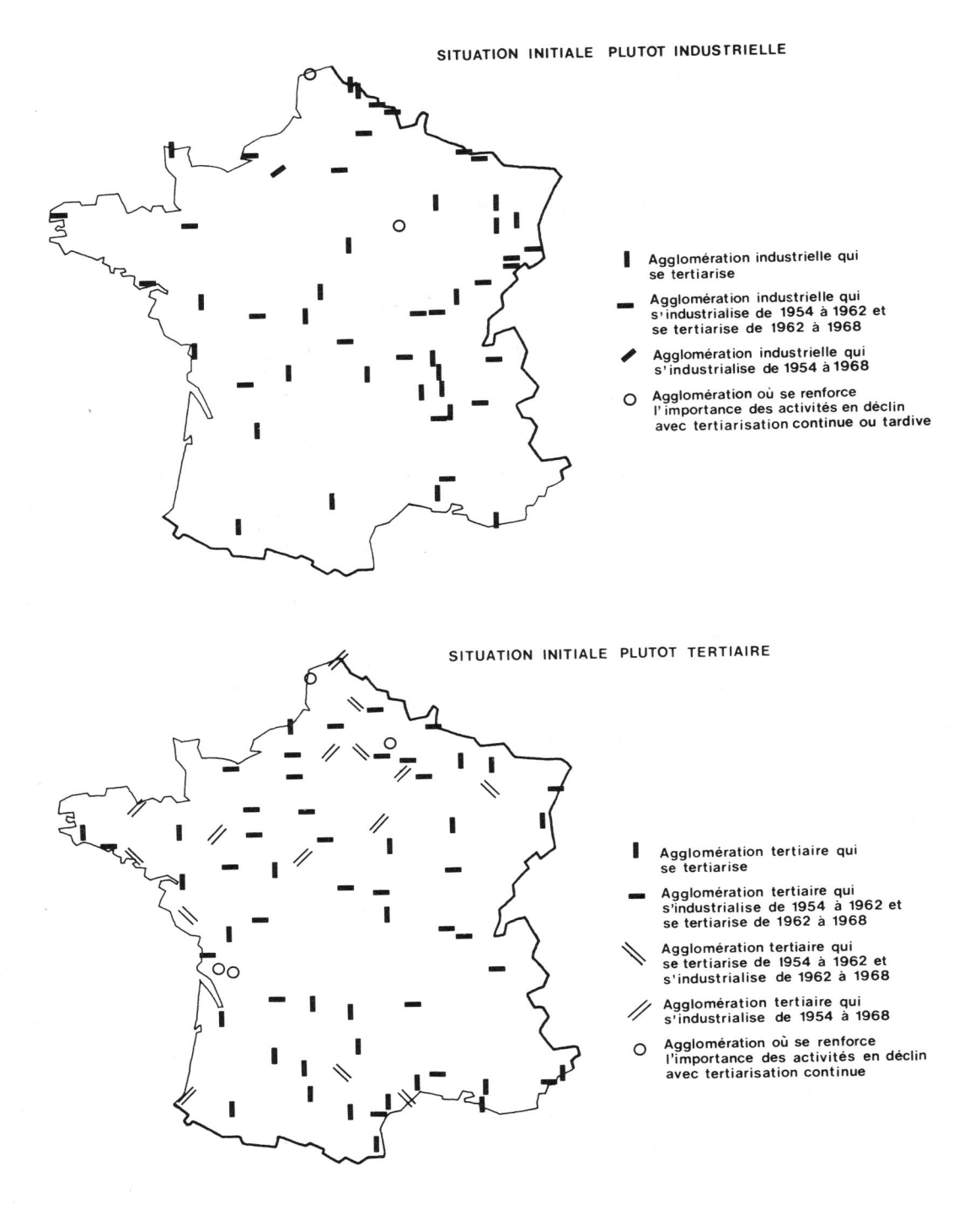

SITUATION INITIALE PLUTOT INDUSTRIELLE

▌ Agglomération industrielle qui
se tertiarise

▬ Agglomération industrielle qui
s'industrialise de 1954 à 1962 et
se tertiarise de 1962 à 1968

▰ Agglomération industrielle qui
s'industrialise de 1954 à 1968

○ Agglomération où se renforce
l'importance des activités en déclin
avec tertiarisation continue ou tardive

SITUATION INITIALE PLUTOT TERTIAIRE

▌ Agglomération tertiaire qui
se tertiarise

▬ Agglomération tertiaire qui
s'industrialise de 1954 à 1962 et
se tertiarise de 1962 à 1968

∥ Agglomération tertiaire qui
se tertiarise de 1954 à 1962 et
s'industrialise de 1962 à 1968

⫽ Agglomération tertiaire qui
s'industrialise de 1954 à 1968

○ Agglomération où se renforce
l'importance des activités en déclin
avec tertiarisation continue

116 DEPLACEMENTS D'ENSEMBLE 1968-1975

POURSUITE DU DEPLACEMENT ANTERIEUR

I tertiarisation

— tertiarisation des agglomérations minières

● industrialisation

ARRET DU DEPLACEMENT ANTERIEUR

✗ arrêt de tertiàrisation

○ arrêt d'industrialisation

CHANGEMENT DE LA TENDANCE ANTERIEURE

‖ de la tertiarisation à l'industrialisation

— de l'industrialisation à la tertiarisation

117 DEPLACEMENTS DIFFERENTIELS DANS LA STRUCTURE D'ACTIVITE (1)

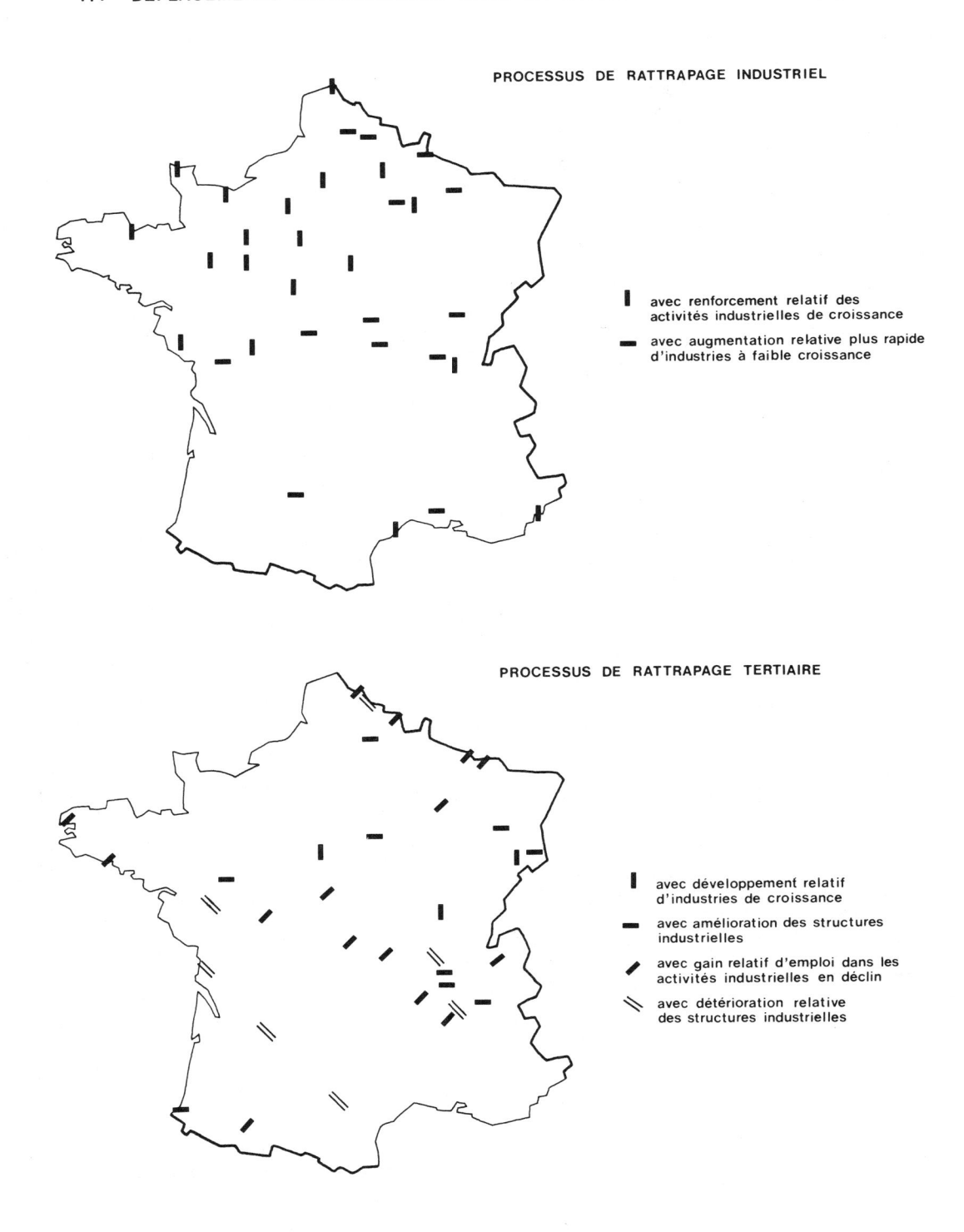

PROCESSUS DE RATTRAPAGE INDUSTRIEL

| avec renforcement relatif des activités industrielles de croissance

— avec augmentation relative plus rapide d'industries à faible croissance

PROCESSUS DE RATTRAPAGE TERTIAIRE

| avec développement relatif d'industries de croissance

— avec amélioration des structures industrielles

/ avec gain relatif d'emploi dans les activités industrielles en déclin

// avec détérioration relative des structures industrielles

117 DEPLACEMENTS DIFFERENTIELS DANS LA STRUCTURE D'ACTIVITE (2)

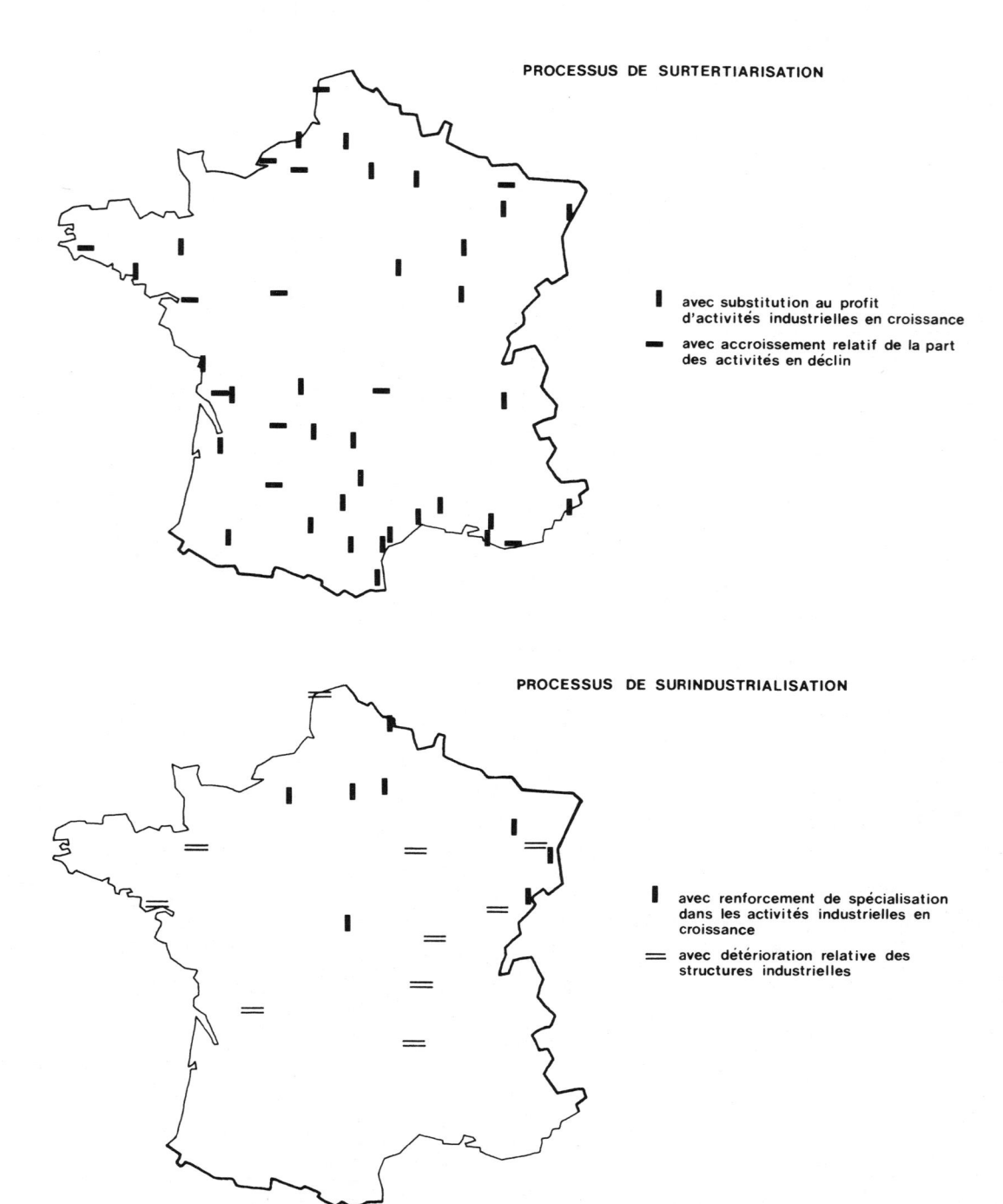

PROCESSUS DE SURTERTIARISATION

▮ avec substitution au profit
d'activités industrielles en croissance

▬ avec accroissement relatif de la part
des activités en déclin

PROCESSUS DE SURINDUSTRIALISATION

▮ avec renforcement de spécialisation
dans les activités industrielles en
croissance

= avec détérioration relative des
structures industrielles

13

118 DEPLACEMENTS DIFFERENTIELS DANS LA STRUCTURE SOCIO-ECONOMIQUE

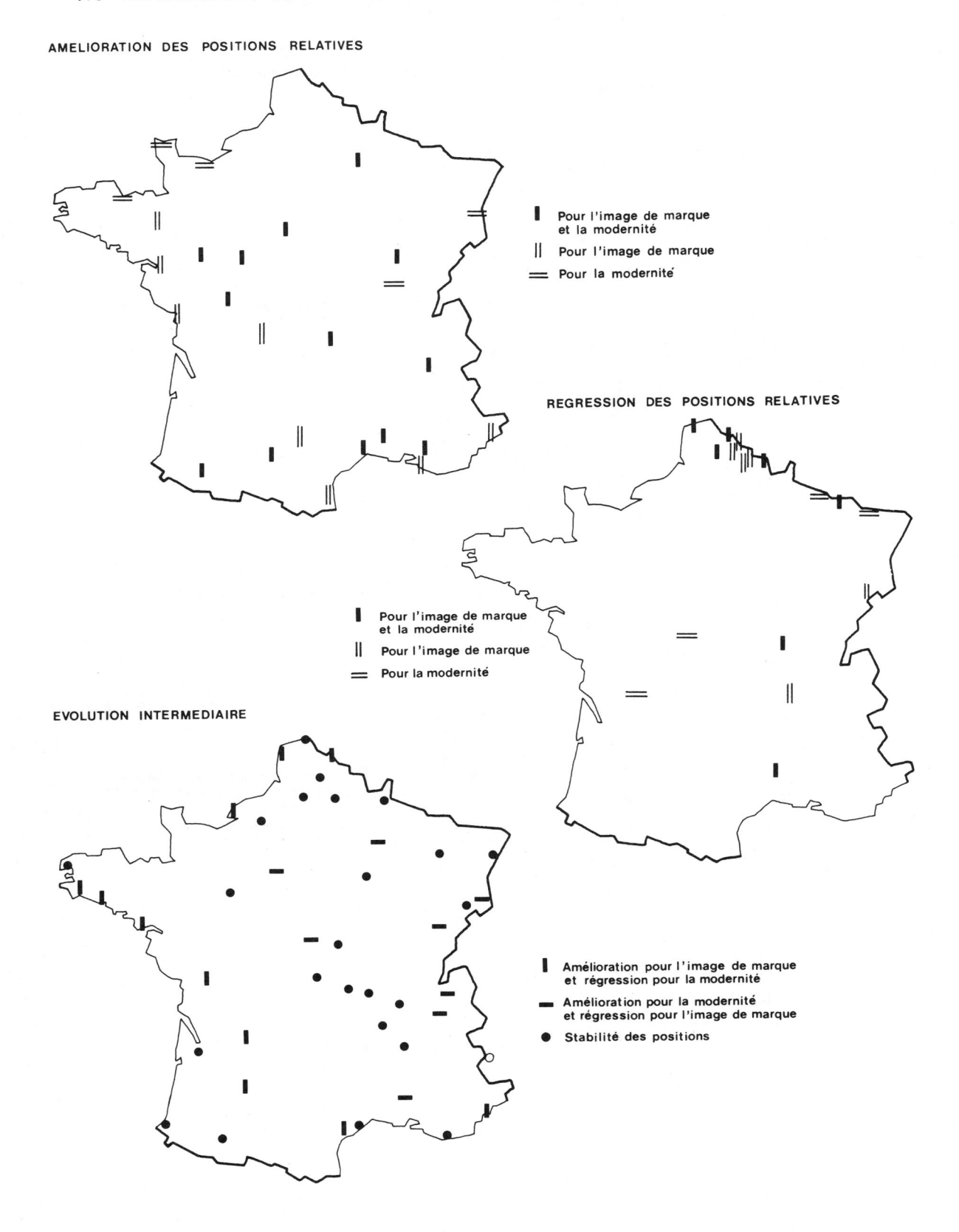

Bibliographie

ADAM (H.), 1965 — Méthodes statistiques et recherches corrélatives en géographie urbaine. *Hommes et Terres du Nord*, n° 1, pp. 105-117.

ALEXANDERSONN (G.), 1956 — *The Industrial Structure of American Cities.* Lincoln, University of Nebraska Press, 153 p.

ALONSO (W.), 1971 — The economics of urban size. *Regional Science Association Papers*, Vol. XXVI, pp. 67-83.

ANDAN (O.), BOISLAROUSSIE (J.J.), GEIGER (P.), 1976 — Types d'organisation des aires de relations des grandes villes françaises. *Analyse de l'Espace*, n° 2, 107 p.

ANTOINE (J.C.), 1962 — Recherches statistiques sur la structure économique des agglomérations françaises. *Cahiers de l'I.S.E.A.*, série L, n° 11, supplément n° 130, pp. 195-210.

A.P.U.R. — *Evolution des structures sociales urbaines en France, 1954, 1962, 1968.* S.I.n.d., 36p.

ATTIA et al. 1977 — *Division spatiale du travail et industrialisation des villes moyennes.* Ecole Nationale des Ponts et Chaussées, 2 vol., ronéo. 140 p.

AYDALOT (Ph.), 1965 — Note sur les économies externes et quelques notions connexes. *Revue économique*, n° 6, Novembre, pp. 388-402.

AYDALOT (Ph.), 1976 — *Dynamique spatiale et développement inégal.* Paris, Economica, 336 p.

BABONAUX (Y.), 1968 — *Les Activités tertiaires spécifiques dans l'armature urbaine française.* Paris, Ministère de l'Equipement et du Logement, tome I, 101 p., tome II, 111 p.

BAHL (R.W.), FIRESTINE (R.), PHARES (D.), 1971 — Industrial Diversity in Urban Areas : Alternative Measures and Intermetropolitan Comparisons. *Economic Geography*, pp. 414-421.

BAILLY (A.), 1971 — La théorie de la base économique, son histoire, son évolution. *Revue géographique de l'Est*, n° 34, pp. 299-317.

BAILLY (A.), 1975 — *L'organisation urbaine, théories et modèles.* CRU, 272 p.

BALLEY (C.), PUMAIN (D.), ROBIC (M.C.), 1974 — *Villes et migrations, Tome II : La fonction de filtre des agglomérations françaises de plus de 50 000 habitants.* INED, Contrat de recherche, n° 7204, 120 p.

BEAUD (M.), 1966 — Analyse régionale structurale et planification régionale, *Revue économique*, n° 3, pp. 264-282.

BEAUJEU-GARNIER (J.) et CHABOT (G.), 1964 — *Traité de géographie urbaine*, Paris, A. Colin, 493 p.

BEAUJEU-GARNIER (J.), DELOBEZ (A.), 1977 — *Géographie du Commerce*, Paris Masson, 283 p.

BENZECRI (J.P.), 1973 — *L'analyse des données. Tome I, La taxinomie. Tome II, L'analyse des correspondances*, Paris, Dunod.

BERGSMAN (J.), GREENSTON (P.), HEALY (R.), 1972 — The agglomeration process in urban growth. *Urban Studies*, Vol. 9, n° 3, pp. 263-288.

BERRY (B.J.L.), 1961 — Cities as Systems within Systems of cities. *Economic development and cultural change*, 9, pp. 573-587.

BERRY (B.J.L.), 1967 — *Geography of market centers and retail distribution.* Englewood-Cliffs (N.J.), Prentice Hall, 146 p.

BERRY (B.J.L.), 1972 — Latent Structure of the American Urban System with international comparisons, in BERRY B.J.L. Ed. *City Classification handbook.* New-York, John Wiley, pp. 11-60.

BORCHERT (J.R.), 1972 — America's changing Metropolitan Regions, *Annals of the Association of American Geographers*, 62, pp. 352-373.

BOUDEVILLE (J.R.), 1968 — *L'espace et les pôles de croissance.* Paris, P.U.F. 263 p.

BOUDEVILLE (J.R.), 1972 — *Aménagement du territoire et polarisation*, Paris, M.Th. Genin, 279 p.

BOUINOT (J.), MAAREK (G.), 1974 — Les grandes agglomérations et leurs finances. *Economie et statistique*, n° 58, pp. 15-32.

BRUNET (R.), 1973 — Structure et dynamisme de l'espace français : schéma d'un système. *L'Espace Géographique*, n° 4, pp. 249-254.

CAMERON (G.C.), CLARKE (B.D.), 1973 — Industrial Movement and the regional problem. in CHISHOLM, MANNERS 1973 : *Spatial policy problems of the British Economy*. Cambridge University Press, pp. 45-70.

CAHEN (L.) et PONSARD (C.), 1963 — *La répartition fonctionnelle de la population des villes et son utilisation pour la détermination des multiplicateurs d'emploi*. Paris, Ministère de la Construction, 101 p.

CARRIERE (P.), 1961 — *Etude sur le développement des villes et les effets d'induction dans leur population*, I.N.S.E.E., Direction régionale de Marseille, 40 p.

CARRIERE (F.) et PINCHEMEL (Ph.), 1963 — *Le Fait urbain en France*, Paris, A. Colin, 374 p.

CHABOT (G.), 1931 — Les Zones d'influence d'une ville in Communication au *Congrès international de géographie de Paris*, C.R. tome III, pp. 432-437.

CHABOT (G.), 1961 — Carte des Zones d'influence des grandes villes françaises, *Mémoires et Documents du CRDCG*, Tome VIII, Paris, C.N.R.S., pp. 139-143.

CHALMERS (J.A.), 1971 — Measuring changes in regional industrial structure. *Urban Studies*, n° 3, pp. 289-292.

CHARRE (J.G.) et COYAUD (L.M.), 1969-71 — *Les villes françaises, étude des villes et agglomérations de plus de 5 000 habitants*. Paris, CRU, 2 vol. 939 p.

CHATELAIN (A.), 1956 — Géographie sociale des villes françaises en 1946, *Revue de géographie de Lyon*, n° 2, pp. 119-127.

CLAVAL (P.), 1966 — La théorie des lieux centraux. *Revue géographique de l'Est*, n° 1-2, pp. 131-152.

CLAVAL (P.), 1968 — La théorie des villes. *Revue géographique de l'Est*, n° 1-2, pp. 3-56.

CLAVAL (P.), 1973 — La théorie des lieux centraux revisitée. *Revue géographique de l'Est*, n° 1-2, pp. 225-251.

CLEMENTE (F.), STURGIS (R.B.), 1971 — Population size and industrial diversification. *Urban studies*, *1*, pp. 65-68.

COPPOLANI (J.), 1959 — Le *Réseau urbain de la France*. Paris, Economie et humanisme, 80 p.

CREDOC, 1963 — *Essai de classement hiérarchique des principales villes*, Complément n° 1 à l'étude de J. HAUTREUX, R. LECOURT et M. ROCHEFORT. Paris, Ministère de la Construction, 183 p.

CREDOC, 1965 — *Structure de l'emploi par catégorie d'unités urbaines et par région en France, 1954-1962*, 193 p.

CRESCO, CGPP, 1963 — *Les Zones d'influence des villes, synthèse des études effectuées en France*. Paris, Ministère de la Construction, 183 p.

CROWLEY (R.W.), 1973 — Reflexions and further evidence on population size and industrial diversification. *Urban Studies*, *1*, pp. 91-94.

C.R.U., 1962 — *Les Villes françaises*, Paris, 2 tomes 939 p.

DALMASSO (E.), 1975 — La géographie urbaine en France depuis 1945, Communication au *Colloque franco-anglais de géographie*, Londres, 8-10 avril, 15 p. ronéo.

DELSAUT (P.), 1966 — La hiérarchie des villes de la région du Nord d'après leurs fonctions de places centrales, *Hommes et Terres du Nord*, n° 1, pp. 7-45.

DERYCKE (P.H.), 1970 — *L'économie urbaine*. Paris, P.U.F., 261 p.

DUNN (E.), 1970 — A flow network image of urban structures, *Urban Studies*, *3*, pp. 239-258.

DUNN (E.S.), 1971 — *Economic and Social development : A process of social learning*. Baltimore, the Johns Hopkins Press, 228 p.

DURAND (P.), 1974 — *Industrie et régions, l'aménagement industriel du territoire*. La Documentation française, Paris, 2e éd., 211 p.

EVANS (A.W.), 1972 — The pure theory of City size in an industrial economy. *Urban Studies*, *9*, pp. 49-77.

FLORENCE (P.S.), 1948 — *Investment, Location and size of Plant*. Cambridge, University Press, 233 p.

FRIEDMANN (J.), 1969 — General Theory of polarized development. *Colloque S. Austin*, Texas., in N.M. Hansen ed, 1973 : Growth centers in Regional Economic Developement, The Free Press, New York.

GARRISON (G.B.), PAULSON (A.S.), 1973 — An entropy measure of the geographic concentration of economic activity. *Economic Geography*, Vol. 49, pp. 319-324.

GEORGE (P.), 1961 — *Précis de géographie urbaine*, Paris, P.U.F., 289 p.

GERARD (M.C.), 1974 — *Aspects démographiques de l'urbanisation*. Les Collections de l'INSEE, D30, 140 p.

GIBBS (J.P.), MARTIN (W.T.), 1962 — Urbanization, technology and the division of labour : international patterns, *American Sociological Review*, Oct., pp. 322-358.

GRANELLE (J.J.), 1966 — *Structure d'emploi par catégorie d'unités urbaines et par région en France, projection 1970*. CREDOC, 77 p.

GRIFFON (J.M.), 1963 — Les activités tertiaires. *Consommation*, n° 3, pp. 23-60.

GUYOT (F.), 1968 — *Essai d'économie urbaine*. Paris, Librairie Générale de Droit et de Jurisprudence, 379 p.

HAUMONT (A.), BOHAIN (C.), 1968 — Quelques caractéristiques des agglomérations françaises de plus de 50 000 habitants en 1962. *Revue française de sociologie*, vol. IX, n° 2, pp. 222-250.

HAUMONT (B.), 1968 — Hiérarchie et armature urbaine. *Revue française de sociologie*, vol. IX, n° 2, pp. 251-256.

HAUTREUX (J.), 1963 — Les principales villes attractives et leur ressort d'influence. *Urbanisme*, n° 78, pp. 57-65.

HAUTREUX (J.), 1966 — Le rôle des métropoles d'équilibre dans l'armature urbaine. *Revue juridique et Economique du Sud-Ouest*, n° 4, pp. 781-809.

HAUTREUX (J.), LECOURT (R.) et ROCHEFORT (M.), 1963 — *Le Niveau supérieur de l'armature urbaine française*. Paris, Ministère de la Construction, Commission de l'Equipement Urbain, 60 p.

HAUTREUX (J.) et ROCHEFORT (M.), 1964 — *La Fonction régionale dans l'armature urbaine française*. Paris, Ministère de la Construction, 94 p.

HAUTREUX (J.) et ROCHEFORT (M.), 1965 — Physionomie générale de l'armature urbaine française. *Annales de géographie*, n° 406, pp. 660-667.

HAUTREUX (J.) et VALLEE (F.), 1968 — *La structure industrielle des villes*, Paris, Ministère de l'Equipement et du Logement, 45 p.

ISARD (W.), 1960 — *Methods of Regional Analysis*. New-York, J. Willey and Sons, 784 p. Traduction en 1972 (Dunod ed).

JAMBU (M.) — *Programme de classification ascendante hiérarchique*. Université Paris-VI, Laboratoire de Statistique Mathématique, 138 p.

JAMBU (M.) — *Quelques calculs utiles à l'interprétation simultanée d'une classification ascendante hiérarchique et d'une analyse des correspondances*. Université de Paris-VI, Labor. de Statis. Math. ronéo. 87 p.

JUILLARD (E.), 1961 — *Essai de hiérarchisation des centres urbains français actuels*. Paris, Ministère de la Construction, 15 p.

LABASSE (J.) et ROCHEFORT (M.), 1964 — *Le Rôle des équipements tertiaires supérieurs dans la polarisation de la vie régionale en Europe occidentale*. Paris, Ministère de la Construction, Direction de l'Aménagement Foncier et de l'Urbanisme, 16 p.

LACOUR (C.), 1970 — Quelques récents résultats de recherches en matière d'armature urbaine. *Metra*, 1 (9), pp. 13-56.

LAJUGIE (J.), 1969 — Le schéma français d'armature urbaine. *Revue Juridique et Economique du Sud-Ouest*, n° 1, pp. 12-31.

LE FILLATRE (P.), 1964 — La puissance économique des grandes agglomérations françaises. *Etudes et Conjoncture*, n° 1, pp. 3-40.

LE GUEN (G.), 1960 — La structure de la population active des agglomérations françaises de plus de 20 000 habitants. *Annales de géographie*, n° 374, pp. 355-370.

LINI (E.), PIROT (M.F.), 1972 — *Structure économique des immigrants dans les agglomérations françaises de plus de 50 000 habitants*. Mémoire de maîtrise, Univ. de Paris I, 159 p.

MALKIN (D.), 1973 — Les mécanismes de décentralisation du tertiaire dans les entreprises. *Travaux et recherches de prospective* n° 45, p. 105-117.

MARCHAND (B.), 1978 — *La croissance de Los Angelès*. Thèse d'Etat, Paris. 463 p.

MARSHALL (J.U.), 1975 — City size, economic diversity and functional type : the Canadian case. *Economic Geography*, Vol.51, n° 1, pp. 37-49.

MARTIN (F.), 1968 — La théorie de la croissance urbaine par étape. in *Société canadienne de science économique, Congrès des économistes de langue française.* Québec, pp. 113-146.

MERLIN (P.), 1973 — *Méthodes quantitatives et espace urbain.* Paris, Masson, 190 p.

MERCADAL (G.), 1965 — Les études d'armature urbaine régionale, *Consommation,* n° 3, pp. 3-42.

MONOD (J.), de CASTELBAJAC (Ph.), 1971 — *L'aménagement du territoire,* Paris, P.U.F., Que sais-je., n° 987, 127 p.

MOORE (C.L.), 1975 — A new look at the minimum requirement approach to regional economic analysis. *Economic Geography,* vol. 51, n° 4, pp. 351-356.

NICOLAS (P.), 1971 — Indices de population et de richesse vive, *PROSCOP.* pp. 1-19.

NOEL (M.) et POTTIER (C.), 1973 — *Evolution de la structure des emplois dans les villes françaises,* Paris, Editions Cujas, coll. T.E.M. Espace, 122 p.

NELSON (H.J.), 1955 — A service classification of american cities. *Economic Geography,* July, n° 3, pp. 189-210.

NOIN (D.), 1974 — Les activités spécifiques des villes françaises, *Annales de géographie,* n° 459, pp. 531-544.

NOIN (D.), 1976 — *L'espace français,* Paris, A. Colin, U2, 271 p.

NOIN (D.), PUMAIN (D.), 1976 — Typologie socio-professionnelle des villes françaises. Communication au *Colloque national de Démographie Nice, 11p.*

OTAM, 1969 — *Analyse statistique des équipements collectifs de super-structure. 104 p. ronéo.*

OTAM, 1970 — *Composantes de la fonction urbaine, essai de typologie des villes.* Paris, *Documentation Française, Travaux de Recherches et de Prospective de la DATAR,* 105 p.

PARASKEVOPOULOS (C.), 1975 — Population size and the extent of industrial diversification : an alternative view. *Urban Studies,* 1, pp. 105-107.

PARR (J.B.), 1965 — Specialisation, diversification and regional development. *The Professional Geographer,* nov, pp. 145-150.

PERROUX (F.), 1964 — *L'Economie du XXe siècle.* Paris, P.U.F., 485 p.

PIATIER (A.), 1956 — Les attractions commerciales des villes, une nouvelle méthode de mesure. *Revue juridique et Economique du Sud-Ouest,* n° 4, pp. 575-602.

PIATIER (A.), 1968 — Les villes où les Français achètent. Supplément au n° 1229 des *Informations,* 28 p., 4 cartes h.t.

PINCHEMEL (Ph.), 1969 — *La France.* Paris, Colin, 2e édition, 664 p.

PINCHEMEL (Ph.), 1968 — Le rôle de l'industrie dans le développement et l'aménagement du réseau urbain. *Geographia polonica,* 12, pp. 103-113.

PONSARD (C.), 1963 — Croissance des villes et structure des activités. *Revue de l'économie du Centre-Est,* n° 22, p. 53-59.

PRATT (R.T.), 1968 — An appraisal of the minimum requirements technique. *Economic Geography,* Vol. 44, n° 2, pp. 117-124.

PRED (A.R.), 1973 — Systems of cities and information flows. *Lund Studies in geography,* Serie B, n° 38, 121 p.

PRED (A.R.), 1975 — Diffusion, organizational spatial structure and city system development. *Economic geography,* n° 3, pp. 252-268.

PROST (M.A.), 1963 — *La Hiérarchie des villes en fonction de leurs activités de commerce et de service.* Thèse de doctorat en sciences économiques, Lyon, Paris, Gauthier-Villars, 1965, 333 p.

PUMAIN (D.), 1976 — La composition socio-professionnelle des villes françaises. Essai de typologie par analyse des correspondances et classification automatique. *Espace géographique* n° 4, pp. 227-238.

PUMAIN (D.), Saint-JULIEN (T.), 1976 — Fonctions et hiérarchies des villes françaises. Etude du contenu des classifications réalisées entre 1960 et 1974. *Annales de Géographie,* n° 470, pp. 385-440.

RACINE (J.B.), REYMOND (H.), 1973 — *L'analyse quantitative en géographie.* Paris, P.U.F., 317 p.

REMY (J.), 1966 — *La ville, phénomène économique.* Bruxelles, Editions Ouvrières, 297 p.

REPUSSARD (M.), 1966 — *Armature urbaine et économique. Les méthodes d'analyse urbaine.* Bordeaux, Bière, 216 p.

REYMOND (H.), 1974 — *Analyse géographique d'une modélisation gravitaire.* Thèse d'Etat, Nice, 376 p.

RICHARDSON (H.W.), 1973 — *The economics of Urban Size.* Farnborough, Saxon House, 243 p.

ROBSON (B.), 1973 — *Urban growth, an approach.* London, Methuen, 268 p.

ROCHEFORT (M.), 1965 — Une méthode de recherche des fonctions caractéristiques d'une métropole régionale. Paris, *Mémoires et Documents du C.N.R.S.*, t. X, n° 2, pp. 35-39.

ROCHEFORT (M.), BIDAULT (C.), PETIT (M.), 1970 — *Aménager le territoire* Paris, Seuil, 144 p.

SAINT-JULIEN (Th.), 1973 — Les implantations industrielles décentralisées. Communication au *Colloque Franco-Hongrois.* Budapest, 22 p. ronéo.

SAINT-JULIEN (Th.), 1974 — La décentralisation industrielle en France : industrialisation régionale et espace d'accueil. *Analyse de l'espace* n° 1, 143 p.

SEDES, 1966 — *Les Etudes de métropoles régionales.* Paris, 2 vol. 136 p.

SEMA, 1967 — *Recherche des composantes principales de la fonction urbaine française,* 2 vol. 163 p.

SEMA, 1968 — *Une méthode d'analyse statistique susceptible d'éclairer la programmation des équipements collectifs de superstructure.* Paris. C.G.P.P., 52 p., ronéo.

SOCIETE CANADIENNE DE SCIENCE ECONOMIQUE CONGRES DES ECONOMISTES DE LANGUE FRANCAISE, 1968 — *Développement urbain et analyse économique,* Paris, Cujas, 471 p.

THOMPSON (W.R.), 1965 — *A preface to urban economics,* Baltimore, John Hopkins Press, 208 p.

THOMPSON (W.R.), 1972 — The national System of cities as an object of Public Policy. *Urban Studies,* 9, pp. 99-116.

TINBERGEN (J.), 1964 — Sur un modèle de la dispersion géographique de l'activité économique. *Revue d'économie politique,* 74, pp. 40-44.

TORNQUIST (G.), 1970 — Contact systems and regional developement. *Lund Studies in Geography,* Series B, n° 35, pp. 68-125.

ULLMAN (E.L.), DACEY (M.F.), 1960 — The minimum requirements approach to the urban economic base. Lund, IGU Symposium in urban geography. *Lund Studies in Geography,* serie B, n° 24, pp. 121-143.

WAKILI (A.), GOZZI (J.), PINCHEMEL (P.), 1959 — *Niveau optima des villes.* Lille, CERES, 117 p.

VIELAJUS (J.L.), 1976 — *Une méthode d'analyse de données ternaires : projection simultanée de plusieurs nuages.* Document ronéoté, 63 p.

WATANABE (Y.), 1966 — Progression of functional differentiation of cities with the method of B.N. analysis. *Geographical reports of Tokyo Metropolitan University,* Juillet, pp. 166-184.

Table des cartes de l'atlas

Pages

Table des tableaux

Table des figures

IMPRIMERIE LOUIS-JEAN

Publications scientifiques et littéraires

TYPO - OFFSET

05002 GAP - Téléphone 51-35-23 +

Dépôt légal 628-1978